保険業務の
コンプライアンス
COMPLIANCE

[第4版]

中原健夫／山本啓太／関 秀忠／岡本大毅 [著]

一般社団法人 金融財政事情研究会

第4版の刊行にあたって

　平成28年5月29日の保険業法の大改正から約5年が経過している。

　この期間、保険業法について大きな改正は行われていないが、たとえば、検査マニュアルが廃止され、保険会社や保険代理店等に対して顧客本位の業務運営に関する原則に則った対応が求められるようになり、保険募集等に際して提供等が禁止される特別利益の解釈が具体化されるというように、保険業および保険代理業に関連する法環境の変化があった。また、たとえば、金融商品販売法が「金融サービスの提供に関する法律」に改称され、金融サービス仲介業という新たな業務が誕生したり、パワー・ハラスメントに関する規制が整備されたり、個人情報保護法、公益通報者保護法、民法、犯罪収益移転防止法といった法令が改正されるといったように、保険会社や保険代理店等を取り巻く法環境の変化もあった。

　このようなさまざまな法環境の変化を受けて、第4版を出版する運びとなった。

　保険業務に携わるすべての方々にとって、保険業務に関連する法令等の基本的な知識をできる限りわかりやすくお伝えするという本書のコンセプトに変わりはない。コンプライアンス態勢の構築に向けた取組みが重要であることは、顧客本位の業務運営をより強く意識することになった時代においても変わりはない。本書が、保険業務に携わるすべての方々にとって広く活用していただけるようになり、保険業界におけるコンプライアンス態勢の構築のための一助となれば幸いである。

　最後に、今回の出版は、株式会社きんざい出版部の西田侑加氏のご尽力なくてはなしえなかったものである。ここに厚く御礼を申し上げる。

　令和3年8月

著者一同

◆ 著者略歴 ◆

中原　健夫（なかはら　たけお）

　弁護士
　平成10年4月　弁護士登録
　平成10年4月〜14年3月　原田・尾崎・服部法律事務所
　平成14年4月〜17年9月　アメリカンファミリー生命保険会社（現アフラック生命保険株式会社）副法律顧問
　平成17年9月〜19年2月　あさひ・狛法律事務所
　平成19年3月〜20年4月　のぞみ総合法律事務所
　平成20年5月〜　弁護士法人ほくと総合法律事務所
〔主要著書〕
『これからの内部通報システム』
『内部通報システムをつくろう〜10の課題と111の対策』
『公益通報者保護法が企業を変える──内部通報システムの戦略的構築と専門家の活用』
『製品事故にみる企業コンプライアンス態勢の実践──改正消費生活用製品安全法の理念と実務』
『個人情報保護と民暴対策──「反社会的勢力」の法理と活用』
　　　　　　　　　　　　　（いずれも共著：金融財政事情研究会）

山本　啓太（やまもと　けいた）

　弁護士
　平成13年10月　弁護士登録
　平成15年4月〜17年7月　金融庁監督局保険課課長補佐（法務担当）
　平成18年3月〜　あさひ・狛法律事務所（現・西村あさひ法律事務所）
　平成23年3月〜25年8月　三菱東京UFJ銀行ロンドン支店（出向）
　平成25年8月〜26年8月　ロンドン大学ロースクール卒業（LL.M. in Insurance Law）
　平成26年8月〜27年2月　三菱東京UFJ銀行本店（出向）
　平成27年2月　西村あさひ法律事務所（復帰）
　令和元年5月〜　和田倉門法律事務所

〔主要著書〕
『M&A保険入門　表明保証保険の基礎知識』（共著：保険毎日新聞）
『The Insurance and Reinsurance Law Review-Sixth Edition：Japan』（共著：Law Business Research）
『ファイナンス法大全（下）〔全訂版〕』（第9章保険）（共著：商事法務）
『金融取引法実務大系』（共著：民事法研究会）
『専門訴訟講座3　保険関係訴訟』（共著：民事法研究会）

関　　秀　忠（せき　ひでただ）

弁護士
平成14年10月　弁護士登録
平成14年10月～18年3月　舟辺・奥平法律事務所（現・あきつ総合法律事務所）
平成18年4月～20年6月　アメリカンファミリー生命保険会社（現アフラック生命保険株式会社）副法律顧問
平成20年6月～　弁護士法人ほくと総合法律事務所
〔主要著書〕
『保険コンプライアンスの実務』（共著：経済法令研究会）
『Q&A従業員・役員からの暴力団排除―企業内暴排のすすめ』（共著：商事法務）
『保険業界の暴排条項対応』（共著：金融財政事情研究会）
『金融界における反社会的勢力排除の理論と実務』（共著：金融財政事情研究会）

岡本　大毅（おかもと　だいき）

弁護士・公認不正検査士（CFE）
平成20年9月　弁護士登録
平成20年9月～22年8月　一番町綜合法律事務所
平成22年9月　弁護士法人ほくと総合法律事務所
平成26年4月　オリックス生命保険株式会社（出向）
平成28年1月　公認不正検査士（CFE）認定
平成29年4月　弁護士法人ほくと総合法律事務所（復帰）
令和2年11月　法律事務所あかつき

〔主要著書〕
『労働契約法・高年法・派遣法——2012年改正と実務対応』（共著：第二東京弁護士会）
『保険コンプライアンスの実務』（共著：経済法令研究会）
『労働事件ハンドブック』（共著：労働開発研究会）

凡　例

正　式　名	略　　　称
保険業法	法
保険業法施行令	令
保険業法施行規則	規則
金融商品取引法	金商法
金融サービスの提供に関する法律*	金融サービス提供法
私的独占の禁止及び公正取引の確保に関する法律	独占禁止法
不当景品類及び不当表示防止法	景表法
個人情報の保護に関する法律	個人情報保護法
組織的な犯罪の処罰及び犯罪収益の規制等に関する法律	組織的犯罪処罰法
犯罪による収益の移転防止に関する法律	犯罪収益移転防止法
労働者派遣事業の適正な運営の確保及び派遣労働者の就業条件の整備等に関する法律	労働者派遣法
高年齢者等の雇用の安定等に関する法律	高年齢者雇用安定法
短時間労働者の雇用管理の改善等に関する法律	パートタイム労働法
雇用の分野における男女の均等な機会及び待遇の確保等に関する法律	男女雇用機会均等法
保険募集の取締に関する法律	募取法
保険会社向けの総合的な監督指針	監督指針
保険会社に係る検査マニュアル	保険検査マニュアル
個人情報の保護に関する基本方針	基本方針
金融分野における個人情報保護に関するガイドライン	金融庁ガイドライン
金融分野における個人情報保護に関するガイドラインの安全管理措置等についての実務指針	実務指針

平成25年6月7日 保険商品・サービスの提供等の在り方に関するワーキング・グループ「新しい保険商品・サービス及び募集ルールのあり方について」	平成25年WG報告書
平成27年5月27日金融庁パブリックコメント	平成27年パブコメ
保険業法等の一部を改正する法律(平成26年5月30日法律第45号)	平成26年改正法
保険業法(平成7年6月7日法律第105号)	平成7年改正法
一般社団法人日本損害保険協会	日本損害保険協会
一般社団法人生命保険協会	生命保険協会

＊令和2年法律第50号により、金融商品の販売等に関する法律(金融商品販売法)から金融サービスの提供に関する法律(金融サービス提供法)に改正。令和3年11月1日施行。

目　次

第1章　保険募集を取りまくルール

- I　保険業法 …………………………………………………………… 2
- II　金融検査・監督の考え方と進め方（検査・監督基本方針）……… 21
- III　金融庁の監督指針 ………………………………………………… 25
- IV　生命保険協会・日本損害保険協会の定めるルール …………… 27
- V　保　険　法 ………………………………………………………… 33
- VI　金融サービス提供法（旧金融商品販売法）…………………… 47
- VII　金融商品取引法 …………………………………………………… 50
- VIII　独占禁止法 ………………………………………………………… 53
- IX　景　表　法 ………………………………………………………… 55
- X　個人情報保護法 …………………………………………………… 57
- XI　犯罪収益移転防止法 ……………………………………………… 61
- XII　租税回避を防ぐ目的の国際的な法令等遵守 …………………… 63
- XIII　その他 ……………………………………………………………… 70

第2章　顧客本位の業務運営に関する原則

- I　顧客本位の業務運営に関する原則 ……………………………… 76
  - Q1　「顧客本位の業務運営に関する原則」は、どのような経緯で定められたのか …………………………………………… 76
  - Q2　「顧客本位の業務運営に関する原則」の内容はどのようなものか ……………………………………………………… 77
  - Q3　「KPI」とは何か ……………………………………………… 83
  - Q4　近時の行政処分のうち、「顧客本位の業務運営の原則」に

関して言及されたものはあるか …………………………………… 85

第3章　保険募集に関するコンプライアンス

第1節　募集管理

Ⅰ　募集人の登録・届出 ……………………………………………… 90
　Q5　保険募集をする者の登録・届出制度はどのようになっているか ……………………………………………………………… 90
Ⅱ　保険募集の意義 …………………………………………………… 94
　Q6　保険募集とは、どのような行為をいうか ………………… 94
Ⅲ　募集関連行為 ……………………………………………………… 102
　Q7　募集関連行為とは、どのような行為をいうか。また、保険会社または保険募集人が募集関連行為を第三者に委託する場合の留意点は何か ……………………………………………… 102
Ⅳ　団体保険の加入勧奨 ……………………………………………… 106
　Q8　団体保険とはどのような保険か。加入勧奨はどのような行為か。加入勧奨に関して、どのような規制があるか ………… 106
Ⅴ　募集人の要件・権限 ……………………………………………… 112
　Q9　生命保険募集人や損害保険代理店が登録する際、注意しなければならない点は何か ……………………………………… 112
Ⅵ　保険募集の再委託禁止 …………………………………………… 116
　Q10　保険募集の再委託は、なぜ、原則として禁止されるのか。また、例外的に認められるのは、どのような場合なのか ………… 116
　Q11　保険代理店の委託型募集人は、どのように適正化される必要があるのか ……………………………………………………… 118

第2節　情報提供義務・意向把握義務

Ⅰ 情報提供義務（法294条）……………………………………… 125
　Q12 「情報提供義務」とは何か……………………………………… 125
　Q13 情報提供義務について、法令・監督指針に規定する「契約概要」「注意喚起情報」を記載した書面等による情報提供が不要とされている場合とは、どのような場合か。また、「被保険者に対する情報提供義務」の適用が除外となるのはどのような場合か…………………………………………………………… 134
Ⅱ 意向把握・確認義務（法294条の２）………………………… 137
　Q14 「意向把握義務」とは何か……………………………………… 137
　Q15 どのような方法で意向把握する必要があるのか ……………… 138
　Q16 意向把握義務を履行するためには、どのような情報を把握・確認する必要があるのか ……………………………………… 141
　Q17 意向把握義務に係る体制をどのように整備すべきか ………… 143
　Q18 意向確認義務とはどのようなものか ………………………… 146

第３節　募集人の体制整備義務（法294条の３第１項）

　Q19 保険募集人に対して課される体制整備義務とはいかなる内容か ……………………………………………………………… 152
　Q20 複数の保険会社の保険商品を取り扱う保険募集人が行う比較推奨販売とは、どのようなものか ………………………… 157
　Q21 推奨販売する場合のうち、顧客の意向に沿った商品を選別・推奨する場合において、留意すべき事項は何か ………… 160
　Q22 推奨販売する場合のうち、商品特性や保険料水準などの客観的な基準や理由等に基づくことなく、商品を選別・推奨する場合において、留意すべき事項は何か ……………………… 164
　Q23 比較説明する場合において、留意すべき事項は何か ………… 167

第４節　特定保険募集人の義務

Ⅰ　特定保険募集人の帳簿書類作成・保存義務（法303条）……………170
　　Q24　特定保険募集人の帳簿書類の作成・保存義務とは、いかな
　　　　るものか……………………………………………………………170
　Ⅱ　特定保険募集人の事業報告書作成義務（法304条）…………………173
　　Q25　特定保険募集人の事業報告書の提出義務とは、いかなるも
　　　　のか……………………………………………………………………173

第5節　電話による新規募集の際の体制整備

　　Q26　電話による新規の保険募集・加入勧奨を行う際に留意すべ
　　　　き点は何か……………………………………………………………175

第6節　禁止行為

　Ⅰ　重要事項の不告知の禁止（法300条1項1号後段）……………………178
　　Q27　重要事項の不告知の禁止（法300条1項1号後段）とはどの
　　　　ような規定か。法294条1項の情報提供義務とはどのような
　　　　関係なのか……………………………………………………………178
　Ⅱ　虚偽説明（不正話法）の禁止（法300条1項1号前段）………………181
　　Q28　不正話法とは何か…………………………………………………181
　Ⅲ　虚偽の告知を勧める行為・告知を妨害する行為・不告知を勧め
　　る行為（法300条1項2号・3号）…………………………………………183
　　Q29　告知義務違反を勧める行為にはどのような問題があるか………183
　Ⅳ　不利益事実を説明しない乗換募集（法300条1項4号）………………185
　　Q30　現在契約中の保険を解約し、新しい保険への加入を勧める
　　　　（いわゆる乗換募集）際、注意しなければならない点は何か………185
　Ⅴ　保険募集に関しての特別利益の提供（法300条1項5号等）…………190
　　Q31　保険業法上、禁止されている利益の提供とは何か………………190
　Ⅵ　誤解させるおそれのある他の保険商品との比較表示の禁止（法
　　300条1項6号）……………………………………………………………198

Q32　他の保険会社の保険商品との比較表示を行う際、注意しな
　　　　ければならない点は何か………………………………………… 198
Ⅶ　断定的判断の提供の禁止（法300条1項7号）…………………… 205
　　Q33　配当金の額や変額保険の保険金額を説明する場合、注意す
　　　　べき点は何か……………………………………………………… 205
Ⅷ　自己契約・特定契約……………………………………………………… 208
　　Q34　「自己契約」「特定契約」とは何か……………………………… 208
Ⅸ　構成員契約規制・圧力募集（法300条1項9号、規則234条1項2
　　号）……………………………………………………………………… 212
　　Q35　構成員契約規制とは何か……………………………………… 212
Ⅹ　金融商品取引法準用による行為規制（法300条の2）…………… 216
　　Q36　金融商品取引法が準用される「特定保険契約」とはどのよ
　　　　うなものか。また、準用される行為規制は、どのようなもの
　　　　か…………………………………………………………………… 216
Ⅺ　作成契約・了解不十分契約……………………………………………… 229
　　Q37　契約締結意思や被保険者同意の確認をおろそかにしたまま
　　　　契約締結に至った場合、法的にどのような問題があるか……… 229
Ⅻ　申込書・告知書等の代筆・代印………………………………………… 232
　　Q38　本来記入すべき保険契約者や被保険者のかわりに、保険募
　　　　集人その他の第三者が保険契約申込書・告知書に記入・押印
　　　　した場合、どのような問題があるか……………………………… 232

第7節　金融サービス仲介業

　　Q39　金融サービス仲介業者が行う保険媒介業務とはどのような
　　　　ものか。保険募集人が行う保険募集業務との違いはどうか……… 235

第8節　その他

Ⅰ　高齢者募集……………………………………………………………… 242

Q40　高齢者に対して保険募集を行う場合、どのようなことに留
　　　　意する必要があるか ··· 242
　Ⅱ　特定保険募集人等の教育・管理・指導 ································ 249
　　Q41　保険会社は、保険募集に関する教育・管理・指導につい
　　　　て、どのような措置を講ずる必要があるか ····················· 249
　Ⅲ　景表法の規制(1)──表示規制 ·· 252
　　Q42　景表法上、表示に関する規制として、どのようなものが定
　　　　められているか。また、保険業界において、景表法違反で排
　　　　除命令を受けた実例はあるか ··· 252
　Ⅳ　景表法の規制(2)──景品規制 ·· 256
　　Q43　景表法上、景品に関する規制には、どのようなものがある
　　　　か ·· 256

第4章　銀行窓販に関するコンプライアンス

　Ⅰ　銀行等による保険窓販と委託方針等 ···································· 260
　　Q44　A保険会社は、規模が大きく、かつ、金融商品の販売力に
　　　　定評のあるB銀行を代理店としたいと考えているが、あらか
　　　　じめ、いかなる点に留意する必要があるか ····················· 260
　Ⅱ　弊害防止措置全般 ·· 264
　　Q45　A銀行が保険募集を行うにあたり、あらかじめ整備すべき
　　　　態勢としては、どのようなものがあげられるか ·············· 264
　Ⅲ　非公開金融情報・非公開保険情報保護措置 ·························· 271
　　Q46　保険会社の代理店であるA銀行の行員Bは、日頃から銀行
　　　　取引に関して付合いのある顧客に対して、新たにA銀行で取
　　　　り扱うことになった保険商品の案内を行おうと考えて、その
　　　　案内方法を検討している。募集人である行員Bはどう対応す
　　　　べきか ·· 271

Ⅳ 保険募集指針の策定・周知 …………………………………… 276
　Q47　銀行等代理店が保険募集を行うにあたり策定すべき保険募集指針は、どのような内容とすべきか。また、当該募集指針は、どのように活用すべきか ………………………………… 276
Ⅴ 保険募集制限先規制 ……………………………………………… 279
　Q48　A銀行の行員Bは、医療保険や介護保険の販売を検討しているが、これらの保険の申込みを受けることができないのは、どのようなケースになるのか ………………………………… 279
Ⅵ 担当者分離 ………………………………………………………… 285
　Q49　A銀行において事業性資金の融資業務を担当する行員Bは、医療保険や介護保険の募集に従事することはできるか ……… 285
Ⅶ タイミング規制 …………………………………………………… 289
　Q50　A銀行のB支店に所属する行員Cが、A銀行のD支店宛てに事業性資金の貸付を申し込んでいる最中の顧客に対して、医療保険や介護保険を募集することができるか …………………… 289
Ⅷ 地域金融機関特例・協同組織金融機関特例 …………………… 292
　Q51　A信用金庫は、その人数からして、事業に必要な資金の貸付に関して顧客と応接する業務を行う者に保険募集を行わせないと医療保険や介護保険を販売できず、また、その融資先も小規模な企業が多いが、これらの保険商品を取り扱うにあたり、どのようにすればよいか ………………………………… 292
Ⅸ 銀行窓販類似規制 ………………………………………………… 299
　Q52　銀行等に対する窓販規制以外に、当該規制に類似する規制として、どのようなものが設けられているか ………………… 299

第5章　保険契約の締結・保全に関するコンプライアンス

Ⅰ　保険契約の引受け ………………………………………………………… 304
　Q53　保険契約の引受業務に関する体制整備にあたって、留意すべき点は何か ………………………………………………………… 304
Ⅱ　保険契約の関係者の変更 ………………………………………………… 309
　Q54　保険契約の締結後に保険契約の関係者が変更する場合としては、どのような場合があるか ……………………………… 309
Ⅲ　保険契約の内容照会 ……………………………………………………… 311
　Q55　保険会社が、保険契約者以外の者から保険契約の内容照会を受ける場合には、どのような場合があるか ……………… 311
Ⅳ　保険契約の失効・復活および休止 ……………………………………… 315
　Q56　保険契約の保険保護を再開する制度として、どのような制度があるか …………………………………………………………… 315
Ⅴ　保険契約者による保険契約の解約 ……………………………………… 318
　Q57　保険契約者による保険契約の解約は、どのような要件を具備すれば認められるか。また、解約に関して留意すべき点は何か ……………………………………………………………… 318
Ⅵ　保険契約のクーリング・オフ …………………………………………… 320
　Q58　保険契約のクーリング・オフ制度とは何か ……………………… 320

第6章　保険金等の支払に関するコンプライアンス

Ⅰ　保険金支払管理態勢──不適切な不払いと付随的な保険金の支払漏れを受けて ……………………………………………………………… 326
　Q59　保険金等の「不適切な不払い」や付随的な保険金等の「支払漏れ」とは何か。また、付随的な保険金等の支払漏れを大

量に発生させた原因は何だったのか。その再発防止策として、保険会社はどのような対策を実施したか……………………… 326
Ⅱ　保険契約の解除と支払拒絶………………………………………… 335
　Q60　保険会社より保険契約を解除し、保険金等の支払を拒絶する場合としてはどのような場合があるか………………………… 335
Ⅲ　反社会的勢力を理由とする解除と支払拒絶……………………… 340
　Q61　保険契約者、被保険者または保険金受取人について反社会的勢力であることが判明した場合、それを理由に保険契約を解除し、支払を拒絶することができるか………………………… 340
Ⅳ　詐欺取消による支払拒絶…………………………………………… 343
　Q62　保険会社が詐欺により保険金等の支払を拒絶する場合として、どのような場合があるか……………………………………… 343
Ⅴ　直接支払サービス…………………………………………………… 345
　Q63　保険会社が、いわゆる直接支払サービスを行う際、注意しなければならない点は何か…………………………………… 345

第7章　個人情報の取扱いに関するコンプライアンス

Ⅰ　個人情報の取得と利用……………………………………………… 352
　Q64　保険会社が個人情報を取得し、利用する場合には、どのような法規制に留意する必要があるか…………………………… 352
Ⅱ　個人情報の管理と第三者提供……………………………………… 357
　Q65　保険会社が個人情報を管理し、第三者提供を行う場合には、どのような法規制に留意する必要があるか……………… 357
Ⅲ　センシティブ情報の取扱い………………………………………… 363
　Q66　保険会社におけるセンシティブ情報の取扱いにあたっては、どのような法規制に留意する必要があるか……………… 363

第8章 行政処分とコンプライアンス

Ⅰ 行政処分 ·· 370
　Q67　金融庁は、どのような基準で行政処分を行っているのか。
　　　　また、過去に保険会社が受けた行政処分にはどのようなもの
　　　　があるか ·· 370
Ⅱ 不祥事件の届出 ·· 380
　Q68　不祥事件が発覚した場合に保険会社としてどのような対応
　　　　を行う必要があるのか ··· 380
Ⅲ 刑事被疑事件の対応 ··· 384
　Q69　保険会社の職員が、顧客の保険料を受領後、費消・流用し
　　　　ている疑いが生じた。事件がまだ外部に明らかになってい
　　　　ない段階において、保険会社としてはどのような対応をとれば
　　　　よいか ·· 384

第9章 その他のコンプライアンス

Ⅰ 保険会社の業務 ·· 390
　Q70　保険会社はどのような業務を行うことができるか。「その
　　　　他の付随業務」（法98条1項柱書）に該当する業務か否かを判
　　　　断する際のポイントは何か ··· 390
Ⅱ 資産運用規制 ··· 396
　Q71　保険会社は、どのような資産運用規制に服するのか ············· 396
Ⅲ 子会社の業務範囲 ·· 399
　Q72　保険会社が保有できる子会社はいかなるものか。保険持株
　　　　会社が保有できる子会社との違いは何か ··························· 399
Ⅳ 犯罪収益移転防止法 ··· 402
　Q73　保険業務において、マネー・ローンダリングおよびテロ資

　　　　金供与対策の観点から留意すべきものとして、どのようなものがあるか ………………………………………………………………… 402
Ⅴ　反社会的勢力への対応 ……………………………………………… 407
　Q74　保険会社や保険代理店が、反社会的勢力への対応に関して留意しておくべきことは何か ……………………………… 407
Ⅵ　障がい者対応 ………………………………………………………… 420
　Q75　運動機能や視力・聴力が低下した者、その他障がい者との対応に関して、どのようなことに留意することが求められるか …………………………………………………………………… 420
Ⅶ　人事労務管理 ………………………………………………………… 422
　Q76　保険会社および保険代理店の人事労務管理に関する留意点としては、どのようなものがあるか ……………………………… 422
Ⅷ　内部告発と内部通報 ………………………………………………… 427
　Q77　保険会社の従業員Aが、金融庁と新聞社に対して、Aの上司Bによる保険料の費消・流用について告発する旨の文書を送付した。金融庁と当該新聞社からAの告発内容について問合せを受けた保険会社としては、どう対応すべきか ……… 427

第1章

保険募集を取りまくルール

Ⅰ 保険業法

1 保険業法とは

保険業務を取りまく法律の代表格の1つとしてあげられるのは「保険業法」であるところ、そこで規定される内容は、

① 保険業を行う会社等に対する監督規制を定めた部分
② 一部の生命保険会社にみられる「相互会社」の設立や組織等を定めた部分
③ 保険会社のセーフティネットである保険契約者保護機構の制度等について定めた部分

に大別される。そのなかでも、主たる部分は、①監督規制であり、その内容は、総則・通則、業務、子会社等、経理、監督、組織再編・解散等、外国保険業者、株主（主要株主、持株会社等）、少額短期保険業者、保険募集等に分類される。

2 通　則

保険業は、内閣総理大臣の免許を受けた者でなければ行うことができないが（法3条1項）、少額短期保険業は、例外的に内閣総理大臣の登録によって行うことができる（法272条1項）。

保険業の免許には、生命保険業免許と損害保険業免許の2種類があり（法3条2項）、同一の者が両方の免許を受けることは認められていない（同条3項）。したがって、人の生存または死亡に関し、一定額の保険金を支払うことを約し、保険料を収受する保険の引受けを行う場合は、生命保険業免許が必要であり（同条4項1号）、一定の偶然の事故によって生ずることのある損害をてん補することを約し、保険料を収受する保険の引受けを行う場合は、損害保険業免許が必要になる（同条5項1号）。なお、疾病、傷害、介護を対象とした、いわゆる第3分野保険については、平成7年改正法により、いず

れの免許でも引受け可であることが明確になった（同条4項2号・5項2号）。

保険会社の免許申請書の添付書類のうち、定款[1]、事業方法書[2]、普通保険約款[3]、保険料及び責任準備金の算出方法書[4]は、法律で定められたものであり（法4条2項）、そのうち定款を除く書類等に記載された事項を変更する場合は、原則として内閣総理大臣の認可を要する（法123条1項、126条）。これらの書類に定めた事項のうち特に重要なものに違反したときは、内閣総理大臣による業務の全部または一部の停止、取締役等の解任の命令や免許の取消しの処分の対象となるため（法133条）、法律と同様に遵守することが求められる。

その他、機関については、株式会社または相互会社であって、①取締役会、②監査役会、監査等委員会または指名委員会等、③会計監査人の設置が義務づけられ（法5条の2）、最低資本金については、10億円を下回ってはならないとされる（法6条）。また、保険会社の常務に従事する取締役または執行役は、内閣総理大臣の認可を受けた場合を除き、他の会社の常務に従事してはならない（法8条1項）など、会社法とは異なる保険会社特有の規制も定められている。

3 業　　務

保険会社は保険の引受けを行うほかにもさまざまな業務を行っているが、保険業法上、保険会社が行うことのできる業務は、①保険業を行うために必要な固有業務、②固有業務に付随する業務である付随業務、③固有業務に付随するものではないが、保険会社が行うことが適切であると認められる業務（法定他業）に制限されている。

固有業務は、保険の引受け（法97条1項）と資産運用であり、前者につい

---

[1] 会社の組織や運営に関する基本的な事項を定めるもの。
[2] 保険会社がその事業の運営を行うにあたって従うべき方法を定めるもの。
[3] 保険会社が引受けを行う保険契約の具体的な内容を定めるもの。
[4] 保険会社が引き受ける保険契約の保険料や積み立てるべき責任準備金の算出方法等を定めるもの。

ては、前述のとおり免許制とされ、後者については、将来の保険金の支払に充てる財源を確保するため、安全かつ有利に行う必要があることに照らして、さまざまな規制が設けられている（Q71参照）。

付随業務は、固有業務との機能的な親近性やリスクの同質性が認められ、質的・量的に固有業務に匹敵するようなものでないことが要件とされるが、具体的な内容は、金融市場の動向や保険会社の業務の発展等に応じて変化しうるため、保険業法は、付随業務を例示列挙したうえで[5]、「（固有業務）に付随する……その他の業務」と定めている（法98条1項、Q70参照）。

法定他業については、公共債のディーリング等（法99条1項）、社債等の募集または管理の受託、担保付社債に関する信託業務（同条2項）、保険金信託業務（同条3項）が限定列挙されている。

4　子会社等

保険会社が子会社にできる会社の範囲については、保険会社の他業禁止の趣旨や金融他業態との相互参入による業務の多様化の流れにかんがみて、保険業を含めた金融業、金融業に従属する業務または金融業に付随・関連する業務を行うものに限定されている。具体的には、保険会社は、①生命保険会社・損害保険会社・少額短期保険業者・保険業を行う外国の会社、②銀行・長期信用銀行・資金移動専門会社・銀行業を営む外国の会社、③証券専門会社・証券仲介専門会社・有価証券等仲介業務等をもっぱら営む金融サービス仲介業者・信託専門会社・有価証券関連業を営む外国の会社・信託業を営む外国の会社、④従属業務[6]子会社、⑤金融関連業務[7]子会社、⑥新規事業分野開拓会社等、⑦保険業に関連するIT企業等（情報通信技術その他の技術を活

---

[5] 保険業等の業務の代理または事務の代行、債務の保証、有価証券の引受けまたは募集、金銭債権等の取得または譲渡、デリバティブ取引等が付随業務として列挙されている。

[6] ①他の事業者の役員または職員のための福利厚生に関する事務を行う業務、②他の事業者の事務の用に供する物品の購入または管理を行う業務等、保険業法上、さまざまな種類の「従属業務」が定められている（法106条2項1号、規則56条の2第1項）。

用した当該保険会社の行う保険業の高度化もしくは当該保険会社の利用者の利便の向上に資する業務またはこれに資すると見込まれる業務を営む会社）、⑧保険会社等を子会社とする持株会社、⑨これらの会社のみを子会社とする外国の会社であって、持株会社と同種のものまたは持株会社に類似するもの以外の会社を子会社としてはならない（法106条1項）。

5　経　　理
(1)　事業年度
　監督の円滑化を図るため、保険会社の事業年度は4月1日から翌年3月31日までとされている（法109条）。

(2)　業務報告書の作成・提出とディスクロージャー
　保険会社は、事業年度ごとに、業務および財産の状況を記載した中間業務報告書および業務報告書を作成し、また、子会社等を有する場合には、当該保険会社および当該子会社等の業務および財産の状況を連結して記載した中間業務報告書および業務報告書を作成し、内閣総理大臣に提出しなければならない（法110条1項・2項）。そして、保険会社は、事業年度ごとに、業務および財産の状況に関する事項を記載した説明書類を作成し、また、子会社等を有する場合には、当該保険会社および当該子会社等の業務および財産の状況を連結して記載した説明書類を作成し、本店または主たる事務所および支店または従たる事務所その他これらに準ずる場所に備え置き、公衆の縦覧に供しなければならない（法111条1項・2項）。

(3)　契約者配当
　契約者配当[8]（保険契約者に対し、保険料および保険料として収受する金銭を

---

[7]　①保険会社、外国保険業者もしくは少額短期保険業者の保険業または船主相互保険組合の損害保険事業に係る業務の代理（保険募集を除く）または事務の代行、②保険募集、③保険事故その他の保険契約に係る事項の調査を行う業務等、保険業法上、さまざまな種類の「金融関連業務」が定められている（規則56条の2第2項）。

[8]　相互会社の場合、剰余金配当について同趣旨の規制が定められている（法55条の2第1項）。

運用することによって得られる収益のうち、保険金、返戻金その他の給付金の支払、事業費の支出その他の費用に充てられないものの全部または一部を分配することを保険約款で定めている場合において、その分配をいう）は、公正かつ衡平な分配をするための基準に従って行わなければならない（法114条1項）。

(4) 価格変動準備金

保険会社は、その運用資産として株式等の価格変動が大きい資産も保有しているため、そうした資産の将来の価格下落に伴う損失に備えて、一定の金額を価格変動準備金として積み立てなければならず（法115条1項）、かかる価格変動準備金は、株式等の売買、評価替えおよび外国為替相場の変動による損失ならびに償還損の額が株式等の売買、評価替えおよび外国為替相場の変動による利益の額を超える場合に、その差額のてん補に充てる場合に限り、取り崩すことができる（同条2項）。

(5) 責任準備金

保険会社は、毎決算期において、保険契約に基づく将来における債務の履行に備えるため、責任準備金（将来の保険事故発生の際に履行すべき保険給付を行う債務を現時点で負債として評価・計上するもの）を積み立てなければならない（法116条1項）。なお、長期の保険契約のうち一定のものに関しては、その責任準備金の積立方式や予定死亡率その他の責任準備金の計算の基礎となるべき係数の水準についての定めが設けられ（同条2項）、標準責任準備金の積立が求められている。

生命保険会社は、保険料積立金、未経過保険料、払戻積立金、危険準備金の区分に応じ、当該決算期以前に収入した保険料を基礎として、また、損害保険会社は、普通責任準備金、異常危険準備金、払戻積立金、契約者配当準備金等の区分に応じ、それぞれ定められた金額を保険料及び責任準備金の算出方法書に記載された方法に従って計算し、責任準備金として積み立てなければならない（規則69条1項、70条1項）。

(6) 支払備金

保険会社は、毎決算期において、保険金、返戻金その他の給付金（以下

「保険金等」という）で、保険契約に基づいて支払義務が発生したもの（普通支払備金）と、その他これに準ずるものとして内閣府令で定めるもの（IBNR備金）があり、これらを保険金等の支出として計上していない場合には、支払備金を積み立てなければならない（法117条1項）。

(7) **特別勘定**

保険会社は、その保険料として収受した金銭を運用した結果に基づいて保険金、返戻金その他の給付金を支払うことを保険契約者に約した保険契約その他の類似の保険契約（運用実績連動型保険契約等）については、当該保険契約に基づいて運用する財産をその他の財産と区別して経理するための特別の勘定（以下「特別勘定」という）を設けなければならず（法118条1項）、特別勘定に属するものとして経理された財産を特別勘定以外の勘定または他の特別勘定に振り替えることや、特別勘定に属するものとして経理された財産以外の財産を当該特別勘定に振り替えることが原則として禁止される（同条2項）。

(8) **保険計理人**

保険料や責任準備金等の算出において用いられる保険数理は、保険会社の業務の健全かつ適切な運営や保険契約者等の保護の観点からきわめて重要な役割を果たすものであるが、他方、特殊な高等数学の知識等が必要となる。そのため、保険業法は、保険会社に一定の資格を有する保険計理人の選任を義務づけるとともに、保険計理人の職務等を定めている（法120条、121条）。

6 監　督

(1) **認　可**

前述したとおり、保険会社は、事業方法書、普通保険約款、保険料および責任準備金の算出方法書（以下「事業方法書等」という）に定めた事項を変更しようとするときは、原則として[9]内閣総理大臣の認可を受けなければならない（法123条1項）。また、定款の記載事項についても重要な事項の変更については、認可を受けなければならない（法126条）。

(2) 届　　出

　上記(1)の認可の例外としての届出以外にも、保険業法は、保険会社を監督するうえで把握する必要があると考えられる事項について、内閣総理大臣に対する届出を義務づけている（法127条1項）。具体的には、従属業務または金融関連業務をもっぱら営む会社等を子会社としようとするとき（Q72参照）、その総株主の議決権の100分の5を超える議決権が一の株主により取得または保有されることとなったとき、保険会社が当該保険会社およびその子会社等の業務および財産の状況に関する説明書類について縦覧を開始した場合、保険会社、その子会社または業務の委託先において不祥事件が発生したことを知った場合（Q68参照）など、多数の届出事項が定められている。

(3) 報告徴求と立入検査

　内閣総理大臣は、保険会社の業務の健全かつ適切な運営を確保し、保険契約者等の保護を図るため必要があると認めるときは、①保険会社に対し、その業務または財産の状況に関し報告または資料の提出を求めることができ（報告徴求権限）、②その職員に、保険会社の営業所、事務所その他の施設に立ち入らせ、その業務もしくは財産の状況に関し質問させ、または帳簿書類その他の物件を検査させることができる（立入検査権限）と定めている（法128条1項、129条1項）。また、内閣総理大臣は、保険会社の業務の健全かつ適切な運営を確保し、保険契約者等の保護を図るため必要があると認めるときは、その必要な限度において、当該保険会社の子法人等または当該保険会社から業務の委託を受けた者に対しても、当該保険会社の業務または財産の状況に関し参考となるべき報告または資料の提出を求めることができ、その職員に、保険会社の子法人等もしくは当該保険会社から業務の委託を受けた者の施設に立ち入らせ、当該保険会社に対する質問もしくは検査に必要な事項に関し質問させ、または帳簿書類その他の物件を検査させることができる

9　事業方法書等の記載事項のうち、保険契約者等の保護に欠けるおそれが少ないものの変更については、あらかじめ内閣総理大臣に届け出れば足りるとしている（法123条2項）。

と定めている（法128条2項、129条2項）。

さらに、平成26年保険業法改正では、保険募集人が業務の一部をアウトソーシングする例が増加していることを受けて、保険募集人だけではなく、保険募集人の業務委託先や取引先についても、報告徴求や、立入検査の対象とすることになった（法305条2項）。

(4) 行政処分

内閣総理大臣は、保険会社の業務もしくは財産の状況に照らして、または事情の変更により、保険会社の業務の健全かつ適切な運営を確保し、保険契約者等の保護を図るため必要があると認めるときは、当該保険会社に対し、その必要の限度において、事業方法書、普通保険約款、保険料および責任準備金の算出方法書に定めた事項の変更を命ずることができると定めている（法131条）。

また、内閣総理大臣は、保険会社の業務もしくは財産または保険会社およびその子会社等の財産の状況に照らして、当該保険会社の業務の健全かつ適切な運営を確保し、保険契約者等の保護を図るため必要があると認めるときは、当該保険会社に対し、措置を講ずべき事項および期限を示して、経営の健全性を確保するための改善計画の提出を求め、もしくは提出された改善計画の変更を命じ（業務改善命令。Q67参照）、またはその必要の限度において、期限を付して当該保険会社の業務の全部もしくは一部の停止を命じ（業務停止命令。Q67参照）、もしくは当該保険会社の財産の供託その他監督上必要な措置を命ずることができると定めている（法132条1項）。なお、保険会社の保険金等の支払能力の充実の状況にかんがみて必要があるとして監督上必要な措置の命令をする場合には、当該命令はソルベンシー・マージン比率に係る区分に応じて定められた内容のものでなければならない（同条2項）。

さらに、内閣総理大臣は、法令、法令に基づく内閣総理大臣の処分または定款、事業方法書、普通保険約款、保険料および責任準備金の算出方法書に定めた事項のうち特に重要なものに違反したとき等に該当することとなったときは、当該保険会社の業務の全部もしくは一部の停止（業務停止命令。Q

67参照)、もしくは取締役、執行役、会計参与もしくは監査役の解任を命じ、または保険会社の免許を取り消すことができると定めている(法133条)。

7 株 主

(1) 保険議決権大量保有者

保険会社について一定以上の株式を有する者は、株主権の行使等を通じて当該保険会社の経営に実質的に影響を及ぼしうる立場にある。保険会社の経営の健全性を確保する観点からは、こうした株主による不適切な影響力の行使を防止することが必要になるため、保険業法は、一の保険会社の総株主の議決権の5%を超える議決権または一の保険持株会社の総株主の議決権の5%を超える議決権の保有者(以下「保険議決権大量保有者」という)について、届出書の提出を義務づけるとともに(法271条の3第1項)、その記載内容に所定の変更が生じた場合には、変更報告書の提出を義務づけている(法271条の4第1項)。また、保険議決権大量保有者に対し、所定の事項について報告または資料の提出を求めることができ(法271条の8)、所定の場合には立入検査も行える(法271条の9第1項)という監督の枠組みも定めている。

(2) 保険主要株主

保険議決権大量保有者のなかでも、保険会社の議決権の20%以上を保有する者や、人的関係または融資等の取引関係等を通じて保険会社の経営に対して重要な実質的な影響力を有する者については、その影響力を不当に行使して、保険会社に対しその経営の健全性を損ねる行為を強いることができる立場にある。そのため、保険業法は、こうした保険会社の主要株主になろうとする者は認可の対象とするとともに(法271条の10第1項)、認可を受けた保険主要株主に対し、所定の事項について報告または資料の提出を求めることができ(法271条の12)、所定の場合には立入検査も行える(法271条の13)ほか、措置を講ずべき期限を示して、保険主要株主の認可に係る審査基準(法271条の11)に適合させるために必要な措置をとるべき旨の命令をしたり(法271条の14)、保険会社の議決権の50%超を保有する保険主要株主について

は、その業務または財産の状況に照らして、当該保険会社の業務の健全かつ適切な運営を確保し、保険契約者等の保護を図るために特に必要があると認める場合に、措置を講ずべき事項および期限を示して、当該保険会社の経営の健全性を確保するための改善計画の提出を求め、もしくは提出された改善計画の変更を命じ、またはその必要の限度において監督上必要な措置を命じたり（法271条の15）、法令や法令に基づく内閣総理大臣の処分に違反した場合等には、監督上必要な措置を命じ、または当該保険主要株主の認可を取り消したりできる（法271条の16第1項）という監督の枠組みを定めている。

(3) 保険持株会社

　保険業法は、保険会社を子会社とする持株会社（その総資産の額に対する子会社の株式の取得価額の合計額の割合が100分の50を超える会社をいう）になろうとする会社または保険会社を子会社とする持株会社の設立をしようとする者は、持株会社による子会社の経営管理や持株会社を中心とした企業グループの財務状況等が子会社である保険会社の業務や財産の健全性に重大な影響を及ぼす可能性があり、子会社である保険会社の保険契約者等の保護を図る観点から、あらかじめ、内閣総理大臣の認可を受けなければならないと定めている（法271条の18第1項）。

　保険持株会社は、株式会社であって、①取締役会、②監査役会、監査等委員会または指名委員会等、③会計監査人を設置しなければならない（法271条の19第2項）。保険持株会社の業務範囲は、グループの経営管理およびこれに附帯する業務ならびに共通・重複業務である（法271条の21、271条の21の2）。また、保険持株会社が子会社とすることができる会社の範囲は、原則として保険会社が子会社とすることができる会社の範囲と同様とされている（Q72参照）。なお、保険持株会社の経理や監督についても、保険会社と同様の規制が設けられている。

8　少額短期保険業者

　従来、保険業法は保険業の定義のなかに「不特定の者を相手方として」と

いう表現を含めていたため、ある団体に属する者のみを相手方として保険の引受けを行う事業については、保険業法の規制が及ばないとの解釈が許容される余地があり、その結果、根拠法のない共済が増加することになった。しかし、平成17年改正法において、保険業の定義が改められ、雇用関係や地縁を基礎とした伝統的な共済のように、対象者が真に限定され、公共的な見地からの規制が必要とは考えられないものについて個別に適用除外とする一方、保険の引受けを行う事業は原則として保険業法の規制が及ぶものとされた。そのうえで、根拠法のない共済がきわめて多様な規模や形態で行われている現状をふまえ、保険業のうち、保険期間が2年以内の政令で定める期間以内であって、保険金額が1,000万円を超えない範囲内において政令で定める金額以下の保険（政令で定めるものを除く）のみの引受けを行う事業を「少額短期保険業」と位置づけ、少額短期保険業者に対しては保険会社と異なる規制を設けることとした。具体的には、保険会社と異なり、登録制とされているほか、取り扱う保険商品等を定める事業方法書等の書類の変更は届出で足りることとされている。他方、事業規模に応じた保証金の供託義務や厳格な資産運用制限が課されているほか、保険契約者保護機構の制度の対象とならないといった違いもある。なお、責任準備金の積立や情報開示、保険募集に関する規制については、保険契約者等の保護の観点から保険会社と同様の規制に服するとされている。

　なお、本書は、主として保険会社を念頭に置いて執筆されており、少額短期保険業者については、つど言及していないので、その異同には留意いただきたい。

9　保険募集

　保険業法のなかで、「第3編　保険募集」は、実務上、最も使用頻度の高い規制が定められている箇所になる。したがって、個々の規制は追って詳述することとし、本項では保険募集に関する規制の概略について述べる。

(1) 保険募集の制限

　保険募集の公正かつ適切な実施を確保するため、①内閣総理大臣の登録を受けた生命保険募集人が、その所属保険会社等のために行う保険契約の締結の代理または媒介、②損害保険会社の役員や使用人または内閣総理大臣の登録を受けた損害保険代理店もしくはその役員や使用人が、その所属保険会社等のために行う保険契約の締結の代理または媒介等を除いて、何人も保険募集を行ってはならないと定められている（法275条1項、Q5参照）。

(2) 特定保険募集人の登録

　特定保険募集人（生命保険募集人、損害保険代理店、および特定少額短期保険募集人以外の少額短期保険募集人）は、保険業法の規定に基づき、内閣総理大臣の登録を受けなければならない（法276条、Q5参照）。なお、損害保険代理店等の役員または使用人に保険募集を行わせようとするときは、その者の氏名および生年月日を内閣総理大臣に届け出なければならない（法302条、Q5参照）。

(3) 一社専属制

　生命保険募集人については、生命保険会社は、他の生命保険会社の生命保険募集人に対して、保険募集の委託をしてはならず（法282条1項）、また、①他の生命保険会社の役員や使用人を兼ねること、②他の生命保険会社の役員や使用人を兼ねること、③他の生命保険会社の委託もしくはその委託を受けた者の再委託を受けて保険募集を行うこと、④他の生命保険会社の委託もしくはその委託を受けた者の再委託を受けて保険募集を行う者の役員もしくは使用人として保険募集を行うことが禁じられている（一社専属制。同条2項）。しかし、生命保険募集人が二以上の所属保険会社等を有する場合においても、その保険募集に係る業務遂行能力その他の状況に照らして、保険契約者等の保護に欠けるおそれがないものとして政令[10]で定める場合には、一社専属制は適用しないとされている（同条3項）。

---

[10] 令40条、平成10年大蔵省告示第228号第1条各項に具体的な要件が定められている。

⑷ 「保険募集の再委託」の原則禁止とその例外

保険募集の適正性を確保し、保険契約者を保護する観点から、保険会社からの委託は、保険募集人に対する直接の委託のみが認められ、いわゆる保険募集の再委託は、原則として認められない（Q10参照）。

もっとも、例外的に、保険募集の再委託は、以下のすべてに該当する場合に、保険募集再委託者とその所属保険会社等が、再委託に係る事項の定めを含む委託契約の締結について、内閣総理大臣の認可を受けたときに限り、保険募集の再委託ができると定められている（法275条3項〜5項）。

① 保険募集再委託者が、保険会社または外国保険会社等であって、その所属保険会社等と内閣府令で定める密接な関係を有する者であること
② 再委託を受ける者が、保険募集再委託者の生命保険募集人または損害保険募集人であること
③ 保険募集再委託者が、再委託について、所属保険会社等の許諾を得ていること

なお、このように、法275条3項が定められたことにより、保険募集の再委託が、当該例外を除き認められないということが、法令上も明確となったものといえる。

⑸ 所属保険会社等の責任

所属保険会社等または保険募集再委託者は、保険募集人または保険募集再受託者等が保険募集について保険契約者に加えた損害を賠償する責任を負うこととされている（法283条1項・3項）。この点、所属保険会社等に賠償責任が生じるのは、保険契約者の保護の観点から、厳密に保険募集に該当しなくとも、これに密接に関連する行為に基づく損害であれば、所属保険会社等の賠償責任の対象になり、また、「保険契約者」も厳密に所属保険会社等と保険契約を締結した者のみならず、保険契約の取消しや無効の場合も含め、保険募集の相手方となった者を含むものと解されるべきとの見解も存在する。なお、所属保険会社等または保険募集再委託者が、保険募集人の選任、雇用、委託もしくは再委託の許諾、または再委託をすることについて相当の

注意をし、かつ、これらの者の行う保険募集について保険契約者に加えた損害の発生の防止に努めたときは、当該保険募集人または当該保険募集再受託者等が与えた損害に係る賠償責任を免れるとされている（同条2項・3項ただし書）。

(6) **保険募集人の業務**

保険会社等もしくは外国保険会社等、これらの役員、保険募集人または保険仲立人もしくはその役員もしくは使用人は、保険契約の締結、保険募集またはいわゆる加入勧奨に関し、保険契約者等の保護に資するため、原則として、保険契約の内容その他保険契約者等に参考となるべき情報の提供を行わなければならず（情報提供義務。法294条1項、Q12～13参照）、また、顧客の意向を把握し、これに沿った保険契約の締結または保険契約への加入（保険契約の締結等）の提案、当該保険契約の内容の説明および保険契約の締結等に際しての顧客の意向と当該保険契約の内容が合致していることを顧客が確認する機会の提供を行わなければならない（意向把握・確認義務。法294条の2、Q14～18参照）。

また、保険募集人が保険募集を行おうとするときは、あらかじめ、顧客に対し、①所属保険会社等の商号、名称または氏名、②自己が所属保険会社等の代理人として保険契約を締結するか、または保険契約の締結を媒介するかの別、③保険募集人の商号、名称または氏名、④保険募集人が保険募集再委託者の再委託を受けるときは、当該保険募集再委託者の商号または名称を明らかにしなければならない（法294条3項、規則227条の2第8項）。また、損害保険代理店は、その主たる目的として、自己または自己を雇用している者を保険契約者または被保険者とする保険契約（以下「自己契約」という）の保険募集を行ってはならない（法295条1項）。なお、生命保険募集人は、法295条1項の対象ではないが、監督指針により自己契約が禁止される（または手数料の発生対象とならない）と考えられている（Q34参照）。

(7) **保険募集人に対する体制整備義務**

「保険会社」が監督責任を負う従来の募集人規制に加え、「保険募集人」に

対しても、複数保険会社の商品の取扱いの有無など、保険募集人の業務の特性や規模に応じて、保険募集の業務に関し、保険募集の業務に係る重要な事項の顧客への説明、保険募集の業務に関して取得した顧客に関する情報の適正な取扱い、保険募集の業務を第三者に委託する場合における当該保険募集の業務の的確な遂行、二以上の所属保険会社等を有する場合における当該所属保険会社等が引き受ける保険に係る一の保険契約の契約内容につき当該保険に係る他の保険契約の契約内容と比較した事項の提供、保険募集人指導事業を実施する場合における当該指導の実施方針の適正な策定および当該実施方針に基づく適切な指導その他の健全かつ適切な運営を確保するための体制整備を義務づける規制が導入された（法294条の3、Q19参照）。

(8) **保険募集等に関する禁止行為**

保険契約者等の保護の観点から、保険募集の公正を確保するため、保険契約の締結や保険募集に関して（なお、1号の「虚偽説明・重要事項不告知」については、被保険者に対する加入勧奨の場面も含む）、保険会社等や保険募集をする者が顧客等に対して、たとえば、以下に定める行為をすることまたはしないことが禁止されている（法300条1項、規則234条1項）。

① 保険契約者または被保険者に対して、虚偽のことを告げ、または保険契約の契約条項のうち保険契約者または被保険者の判断に影響を及ぼすこととなる重要な事項を告げない行為（法300条1項1号、Q27〜28参照）

② 保険契約者または被保険者が保険会社等に対して重要な事項につき虚偽のことを告げることを勧める行為（法300条1項2号、Q29参照）

③ 保険契約者または被保険者が保険会社等に対して重要な事項を告げるのを妨げ、または告げないことを勧める行為（法300条1項3号、Q29参照）

④ 保険契約者または被保険者に対して、不利益となるべき事実を告げずに、すでに成立している保険契約を消滅させて新たな保険契約の申込みをさせ、または新たな保険契約の申込みをさせてすでに成立している保険契約を消滅させる行為（法300条1項4号、Q30参照）

⑤ 保険契約者または被保険者に対して、保険料の割引、割戻しその他特別

の利益の提供を約し、または提供する行為（法300条1項5号、Q31参照）
⑥　保険契約者または被保険者に対して、当該保険会社等の特定関係者が特別の利益の供与を約し、または提供していることを知りながら、当該保険契約の申込みをさせる行為（法300条1項8号）
⑦　保険契約者もしくは被保険者または不特定の者に対して、一の保険契約の契約内容につき他の保険契約の契約内容と比較した事項であって誤解させるおそれのあるものを告げ、または表示する行為（法300条1項6号、Q32参照）
⑧　保険契約者もしくは被保険者または不特定の者に対して、将来における契約者配当または社員に対する剰余金の分配その他将来における金額が不確実な事項について、断定的判断を示し、または確実であると誤解させるおそれのあることを告げ、もしくは表示する行為（法300条1項7号、Q33参照）
⑨　保険契約者もしくは被保険者または不特定の者に対して、保険契約等に関する事項であってその判断に影響を及ぼすこととなる重要なものにつき、誤解させるおそれのあることを告げ、または表示する行為（規則234条1項4号、Q42参照）
⑩　法人である生命保険募集人等が、その役員または使用人その他当該生命保険募集人等と密接な関係を有する者に対して、金融庁長官が定める保険以外の保険について、生命保険会社等を保険者とする保険契約の申込みをさせる行為その他の保険契約者または被保険者に対して、威迫し、または業務上の地位等を不当に利用して保険契約の申込みをさせ、またはすでに成立している保険契約を消滅させる行為（規則234条1項2号、Q35参照）
⑪　保険会社等との間で保険契約を締結することを条件として当該保険会社等の特定関係者が当該保険契約に係る保険契約者または被保険者に対して信用を供与し、または信用の供与を約していることを知りながら、当該保険契約者に対して当該保険契約の申込みをさせる行為（規則234条1項3号）
⑫　保険契約者に対して、保険契約に係る保険の種類または保険会社等の商

号もしくは名称を他のものと誤解させるおそれのあることを告げる行為（規則234条1項5号）
⑬　保険料を一時に払い込むことを内容とする保険契約の締結の代理または媒介を行う際に、その顧客が行う当該保険契約の申込みが保険契約の申込みの撤回等（クーリング・オフ。法309条1項）を行うことができないものに該当する場合に、その旨の説明を書面の交付により行わず、または、その顧客からその書面を受領した旨の確認を署名もしくは押印を得ることにより行わずに当該保険契約の申込みをさせる行為（規則234条1項6号）

⑼　金融商品取引法に規定する金融商品の販売・勧誘規制の準用

平成18年の証券取引法等の一部を改正する法律により、証券取引法が金商法に改組され、平成19年9月30日より施行された。これに伴い、保険契約のうち投資性の高い特定保険契約（金利、通貨の価格、金融商品市場における相場その他の指標に係る変動により損失が生ずるおそれがある保険契約として内閣府令で定めるもの）の募集に関しても、金商法の対象となる金融商品の販売・勧誘規制と同様の規制を適用するため、保険業法に金商法の規定を準用する定めが設けられた（法300条の2、Q36参照）。

⑽　銀行等による保険募集

従来、銀行等の金融機関や証券会社については、銀行法や証券取引法等により他業制限が課されており、保険募集人となって保険募集を行うことが認められていなかったが、平成7年改正法により、業態別子会社方式による金融各業態間での相互参入が進められ、銀行等による保険募集の解禁についても本格的な議論が始められ、平成12年改正法により、「保険契約者等の保護に欠けるおそれが少ない場合として内閣府令で定める場合」には、銀行等も登録を受けて保険募集を行うことができるとされた（平成13年4月施行）。もっとも、銀行等による抱合せ販売等の取引上の優越的な地位を不当に利用して保険募集をする行為を禁止する等の弊害防止措置が設けられるとともに、当初は住宅ローン関連の長期火災保険契約や債務返済支援保険契約等の銀行業務と親和性が高いと認められる保険契約に限られ、また、非公開情報

保護措置（Q46参照）等を講ずることが条件とされた。その後、平成14年8月の規則改正により、貯蓄性が高いことから銀行業務と親近性があり、保障性が限定的であることから弊害が少ないと考えられる個人年金保険契約や年金払積立傷害保険契約等についても、保険募集を行うことができるとされた（平成14年10月施行）。さらに、平成17年7月の規則改正により、銀行等の事業資金の融資先等への保険募集の禁止（Q48参照）等の弊害防止措置を講ずることを条件として、一時払いの終身保険契約や養老保険契約、積立傷害保険契約等の保険募集を行うことができるとされたうえで（平成17年12月施行）、最終的な検討がなされた結果、すべての保険契約の保険募集を行うことができるようになった（平成19年12月施行）。

なお、銀行等による保険募集については、通常の生命保険募集人や損害保険代理店等と大幅に異なる規制が設けられているため、第4章で詳述することとする。

⑾　平成20年以降の主な保険業法改正

a　平成20年6月改正

金融商品取引法等の一部を改正する法律により、保険会社の役員兼職規制の緩和や業務範囲の拡大とこれに伴う顧客の利益の保護のための体制整備等を図る改正がなされた。

また、同時期に、「保険法」が制定されたことに伴い、保険法の施行に伴う関係法律の整備に関する法律により、保険業法にも若干の改正が加えられている。

b　平成20年12月改正

生命保険契約者保護機構の財源対策を3年間延長する改正が行われた。

c　平成21年6月改正

金融商品取引法等の一部を改正する法律により、保険業法を含む金融関連法における共通の枠組みとして、金融分野における裁判外紛争解決制度（金融ADR）である指定紛争解決機関の制度を整備する改正等（法105条の2、105条の3等）が行われた。

d 平成22年11月改正

認可特定保険業者の制度が設けられた。

e 平成24年3月改正

外国保険会社の買収等に係る子会社の業務範囲規制の見直し、同一グループ内の保険会社を再委託者とする保険募集の再委託、生命保険契約者保護機構に対する政府補助の期限の延長、保険契約の移転に係る規制の見直し、少額短期保険業者に関する経過措置の延長を主な内容とする改正が行われた。

f 平成26年5月改正（平成28年5月29日施行）

保険募集の基本的ルールの創設（法294条「情報提供義務」、法294条の2「意向把握義務」の導入）、保険募集人に対する体制整備義務の導入（法294条の3）を主な内容とする改正が行われた。

g 令和元年6月改正（令和2年5月1日施行）

保険会社の付随業務に、顧客に関する情報を当該顧客の同意を得て第三者に提供する業務等の追加、および保険会社の子会社対象会社に保険業に関連するIT企業等の追加を主な内容とする改正が行われた。

h 令和2年6月改正（令和3年12月11日までに施行予定）

金融サービス仲介業の創設に伴い、子会社対象会社に有価証券等仲介業務等を専ら営む金融サービス仲介業者を追加するほか、保険分野のサービスを行う金融サービス仲介業者に適用される規制を主な内容とする改正が行われた。

i 令和3年5月改正（令和3年11月19日までに施行予定。なお、クーリングオフの改正については令和4年5月19日までに施行予定）

保険持株会社の業務範囲について経営管理の明確化および共通・重複業務の追加、地方創生などに資する業務を営む会社等を子会社に追加、子会社対象会社以外の外国の会社の保有期間の延長、クーリングオフに電磁的記録による方法の追加等を主な内容とする改正が行われた。

**金融検査・監督の考え方と進め方
（検査・監督基本方針）**

1 検査マニュアルの廃止と検査・監督基本方針の策定の経緯

　平成29年3月、金融庁において設置された金融モニタリング有識者会議が「検査・監督改革の方向と課題」を公表し、今後の行政が目指すべき方向性として、①金融行政の究極的な目標（「企業・経済の持続的成長と安定的な資産形成等による国民の厚生の増大」）との整合性を確保すること、②「形式・過去・部分」から「実質・未来・全体」へと視点を広げること、③「最低基準の充足状況の確認」にとどまらず、「ベスト・プラクティスに向けた対話」や、「持続的な健全性を確保するための動的な監督」に検査・監督の重点を拡大することが提言された。また、検査マニュアルについては、チェックリストの確認が検査の焦点になり、検査官による形式的・些末な指摘が助長され、実質や全体像が見失われる等との懸念があることから抜本的に見直す必要があるとされた。これを受けて、平成30年6月、金融庁は「金融検査・監督の考え方と進め方（検査・監督基本方針）」を策定・公表するとともに、令和元年12月に検査マニュアルを廃止した。

2 検査・監督基本方針の主なポイント

　「金融検査・監督の考え方と進め方（検査・監督基本方針）」は、検査・監督全般に共通する考え方と進め方を記載したものである。主なポイントは、次のとおり。

金融行政の基本的な考え方
・金融行政の目標の明確化
　✓金融システムの安定／金融仲介機能の発揮、利用者保護／利用者利便、市場の公正性・透明性／市場の活力のそれぞれを両立させ、
　✓これを通じ、企業・経済の持続的成長と安定的な資産形成等による

国民の厚生の増大を目指す。
・「市場の失敗」を補い、市場メカニズムの発揮を通じて究極的な目標を実現。
・「形式・過去・部分」から「実質・未来・全体」に視野を広げる。
・ルール・ベースの行政からルールとプリンシプルのバランス重視へ。

検査・監督の進め方

・実質・未来・全体の視点からの検査・監督に注力。
　✓「最低基準検証」を形式チェックから実効性の評価に改める。
　✓フォワードルッキングな分析に基づく「動的な監督」に取り組む。
　✓ベスト・プラクティスの追求のための「見える化と探究型対話」を工夫していく。
・チェックリストに基づく網羅的な検証から優先課題の重点的なモニタリングへ。
・定期検査中心のモニタリングからオン・オフ一体の継続的なモニタリングへ。
・各金融機関の実情についての深い知見、課題毎の高い専門性を蓄積し、金融機関内外の幅広い関係者との対話を行う。

当局の態勢整備

・外部からの提言・批判が反映されるガバナンス・品質管理。
・分野別の「考え方と進め方」などを用いた対話を進めていく。
・平成30年度終了後（平成31年4月1日以降）を目途に検査マニュアルを廃止（金融機関の現状の実務の否定ではなく、より多様な創意工夫を可能とするために行う）。
・新しい検査・監督のあり方に沿って、内部組織・人材育成・情報インフラを見直す。

（出所：「金融検査・監督の考え方と進め方（検査・監督基本方針）」1頁）

3　各分野別の方針（ディスカッション・ペーパー）

　上記基本方針に加えて、各分野の「考え方と進め方」を策定することとなっている。なお、令和3年3月末時点では、まだ「考え方と進め方」が確立しておらず、熟度の低い考え方・進め方については、議論のための材料であることを明示した文書（ディスカッション・ペーパー）のかたちで示される。

　令和3年3月末時点において公表されている分野別の方針は、次のとおり[11]。

(1)　健全性政策について

「金融システムの安定を目標とする検査・監督の考え方と進め方（健全性政策基本方針）」

(2)　コンプライアンス・リスクについて

「コンプライアンス・リスク管理に関する検査・監督の考え方と進め方（コンプライアンス・リスク管理基本方針）」

・「コンプライアンス・リスク管理に関する傾向と課題」

(3)　融資に関する検査・監督実務について

「検査マニュアル廃止後の融資に関する検査・監督の考え方と進め方」

(4)　ITガバナンスについて

「金融機関のITガバナンスに関する対話のための論点・プラクティスの整理」

・（別冊1）「金融機関のITガバナンスに関する実態把握結果（事例集）」
・（別冊2）「システム統合リスク管理態勢に関する考え方・着眼点（詳細編）」

4　コンプライアンス・リスク管理に関する傾向と課題（事例集）

　コンプライアンス・リスク管理基本方針においては、利用者保護と市場の公正・透明に関する分野、そのなかでも特に、法令等遵守態勢や顧客保護等

---

[11] 「金融仲介機能の発揮」に関するディスカッション・ペーパーが公表される予定。

管理態勢として扱われてきた分野について記載されている。加えて、同基本方針の公表後、金融庁が各金融機関等の実態把握により把握された事例をまとめた「コンプライアンス・リスク管理に関する傾向と課題」を公表している。これらの事例のなかには、さまざまな課題や悩みを抱えながらも創意工夫に取り組んでいる事例や逆に問題事象につながった事例が記載されており、各金融機関にとって参考となる。

金融庁の監督指針

1 保険会社向けの総合的な監督指針とは

　保険会社向けの総合的な監督指針（以下「監督指針」という）とは、保険会社の検査・監督を担う職員向けの手引書として、検査・監督に関する基本的な考え方、事務処理上の留意点、監督上の評価項目等を体系的に整理したものである。内容としては、法令の適用・解釈の明確化や許認可・行政処分等の手順が示されている。

　金融庁担当課室において、監督指針に基づく検査・監督を行う際には、監督指針が保険会社の自主的な努力を尊重しつつ、その業務の健全かつ適切な運営を確保するものであることにかんがみ、各社の個別の状況等を十分ふまえ、機械的・画一的な取扱いとならないように配慮することが明記されている。

2 策定の経緯

　旧大蔵省は、護送船団行政を行っていたこともあり、法律上の根拠が明確でない事項についてまで行政指導することも多かった。そこでの指導方法として「大蔵省通達」（いわゆる「通達」）が活用されていた。その後、平成7年にいわゆる住専問題が表面化した頃から、通達による不透明な行政指導について世間の批判が寄せられることとなった。

　そこで、平成10年6月、旧大蔵省は、通達の内容を精査し、必要な規定については省令・告示化を行ったうえで、通達を原則廃止し、行政の透明性の向上を図った。もっとも、省令等にする必要まではないが、行政の統一的な運営を図るために必要と思われる法令の解釈や金融機関の財務の健全性や業務の適切性に関する着眼点については、別途、明文化することが有益であることから、それらの内容を「事務ガイドライン」[12]として取りまとめ、一般に公表した。同事務ガイドラインの内容は、通達の内容を相当引き継ぐもの

であった。

　その後、金融行政の担い手も旧大蔵省から金融監督庁を経て金融庁になり、事務ガイドラインも時代の変化に対応するため、多数の規定が追加されていった。時が経ち、事務ガイドラインも相当な量になり、どこに何が書いてあるのかわかりにくくなっていたことから、平成17年8月、保険会社の監督事務に関し、従来の事務ガイドラインをベースに体系的に整理し、必要な情報を極力集約したオールインワン型の行政部内の職員向けの手引書として「監督指針」が策定された。これにより、事務ガイドラインは廃止された。

3　検査・監督の見直しを踏まえた監督指針の改訂

　金融庁は、環境変化や新たな課題の発生に機動的・予防的に対応していく観点から、財務の健全性やコンプライアンス等に係る重大な問題発生の蓋然性等の将来を見据えた分析に基づく早め早めの対応を行うため、検査・監督のあり方を見直すこととし、保険会社のチェックリストによる形式的確認を改め、創意工夫を進めやすくする観点から、平成30年6月に「金融検査・監督の考え方と進め方（検査・監督基本方針）」を策定した。この見直しの一環として、令和元年12月18日、保険検査マニュアルの廃止とあわせて、監督指針についても、過度に細かく特定の方法を規定する等保険会社の創意工夫を妨げる可能性がある規定（たとえば、人事ローテーションや職場離脱制度に関する規定）について修正・削除が行われた。

4　違反の効果

　監督指針には保険会社を監督するうえでの重要な着眼点や保険業法の解釈基準が規定されていることから、同指針違反を根拠として行政処分（業務停止命令・業務改善命令）がなされる可能性がある。

12　事務ガイドライン：第二分冊：保険会社関係（平成17年8月12日廃止）。

生命保険協会・日本損害保険協会の定めるルール

　保険会社各社は、保険業界の発展を目的として業界団体（一般社団法人生命保険協会、一般社団法人日本損害保険協会[13]、一般社団法人外国損害保険協会）を設立している。これらの団体は、日本証券業協会などのように、自ら行為準則等を定め、その行為準則等に違反した協会員に制裁を加えることができる自主規制機関というわけではない。

　しかしながら、保険事業が社会から信頼されるよう、業界団体は、保険会社やその役職員が遵守すべき行動規範を定め、保険事業が適切・健全に運営されるよう、実務上の取扱いや留意点をまとめた指針・自主ガイドライン等を作成している。

　なお、業界団体が策定したルールは、業界の自主ルールにすぎず、同ルールに違反したからといって、会員会社がその属する業界団体から処分されることなどはない[14]。もっとも、自主ルールに違反する行為は、消費者保護等に欠ける行為である可能性が高く、場合によっては、行政処分の対象となりうる[15]。

　令和3年8月時点における、生命保険協会および日本損害保険協会の主なルールは次のとおりである[16]。

13　金商法67条の2第2項の規定により内閣総理大臣の認可を受けた認可金融商品取引業協会。
14　各業界団体が個人情報保護法上の認定保護団体（同法37条）として行う指導・勧告については、一定の遵守義務があると解される。
15　たとえば、監督指針Ⅱ-4-4-2において、「保険金等の支払いを適切に行うための対応に関するガイドライン」等に沿った保険金等支払管理態勢の整備が求められている。
16　一般社団法人外国損害保険協会も独自にルールを定めている。

(1) 生命保険協会

ア　行動規範・行動指針
- 行動規範
- 生命保険業界の環境問題における行動指針
- 生命保険業界における反社会的勢力への対応指針
- 生命保険業における個人情報保護のための取扱指針について（生保指針）
- 生命保険業における個人情報保護のための安全管理措置等についての実務指針（生保安全管理実務指針）
- 女性の活躍推進に関する行動指針

イ　保険募集関連
- 募集関連行為に関するガイドライン
- 正しい告知を受けるための対応に関するガイドライン
- 生命保険商品に関する適正表示ガイドライン
- 見やすく・読みやすく・わかりやすい募集文書作成のためのメルクマール【報告書】
- 生命保険商品の募集用の資料等の審査等の体制に関するガイドライン
- 金融機関代理店における募集補助資料作成ガイドライン
- 金融機関代理店における重要情報シート作成ガイドライン
- 契約概要作成ガイドライン
- 注意喚起情報作成ガイドライン
- 契約締結前交付書面作成ガイドライン

ウ　保険募集人関係
- 保険募集人の体制整備に関するガイドライン

・募集代理店共通自己点検表（一般代理店）
・募集代理店共通自己点検表（銀行等代理店）

エ　未成年者・高齢者対応関係
・未成年者を被保険者とする生命保険契約の適切な申込・引受に関するガイドライン
・高齢者向けの生命保険サービスに関するガイドライン

オ　保険金等請求・支払関係
・保険金等の支払いを適切に行うための対応に関するガイドライン
・保険金等の請求案内事務に関するガイドライン
・保険金等の請求案内事務に関する好取組事例集

カ　リスク性商品関係
・市場リスクを有する生命保険の募集等に関するガイドライン
・市場リスクを有する生命保険の販売手数料を開示するにあたって特に留意すべき事項

キ　診断書様式関係
・診断書様式作成にあたってのガイドライン

ク　コンプライアンス関係
・反社会的勢力への対応に関する保険約款の規定例
・マネー・ローンダリング／テロ資金供与対策ハンドブック
・マネー・ローンダリング／テロ資金供与対策Q&A
・生命保険販売代理店募集人向けマネー・ローンダリング／テロ資金供与の防止に関する研修資料
・代理店におけるマネー・ローンダリング／テロ資金供与の防止に係

る規程例

　ケ　平成26年改正保険業法関係
　　・平成26年改正保険業法（2年以内施行）に関するQ&A
　　・平成26年改正保険業法（2年以内施行）に関するQ&A【追補版】
　　・保険業法施行規則第227条の2第2項に該当する場合を判断するための基準について

　コ　生命保険会社の資産運用関係
　　・生命保険会社の資産運用におけるESG投融資ガイドライン

　サ　その他
　　・消費者信用団体生命保険の実務運営に関するガイドライン
　　・ディスクロージャー開示基準
　　・生命保険業界の低炭素社会実行計画
　　・生命保険業界の電力需要抑制に関する自主行動計画

(2)　日本損害保険協会

　ア　行動規範・方針等
　　・日本損害保険協会の行動規範
　　・ディスクロージャー基準
　　・損害保険会社の独占禁止法遵守のための指針
　　・損害保険業界における反社会的勢力への対応に関する基本方針
　　・障がい者への対応に係る基本方針
　　・資産運用における指針
　　・気候変動対応方針
　　・損害保険業界の環境保全に関する行動計画

・日本損害保険協会環境方針
・災害等発生時対策基本方針
・日本損害保険協会内部統制に関する基本方針

イ　保険募集関係
・募集文書等の表示に係るガイドライン
・広告倫理綱領
・契約概要・注意喚起情報（重要事項）に関するガイドライン
・保険約款のわかりやすさ向上ガイドライン
・保険約款および募集文書等の用語に関するガイドライン
・損害保険商品の比較ガイドライン（自動車保険）
・第三分野商品（疾病または介護を支払事由とする商品）に関するガイドライン
・高齢者に対する保険募集のガイドライン
・補償重複の対応に関するガイドライン

ウ　保険金支払関係
・損害保険の保険金支払に関するガイドライン
・第三分野商品（疾病または介護を支払事由とする商品）に関するガイドライン
・診断書様式作成にあたってのガイドライン

エ　コンプライアンス関係
・「金融商品の販売等に関する法律」への対応の考え方
・募集コンプライアンスガイド（2020年12月28日版）

オ　平成26年改正保険業法関係
・募集コンプライアンスガイド［追補版］（改正保険業法（2016年5月

29日施行）対応）
　　・平成26年改正保険業法に関するQ&A
　　・帳簿保存・事業報告書対応ガイド（規模が大きい特定保険募集人用）

カ　その他
　　・傷害保険等のモラルリスク防止に係るガイドライン
　　・制裁等に関する特別条項について
　　・団体契約の適正な運営について

キ　個人情報に関する取扱い
　　・当協会の個人情報に関する取扱いについて
　　　・損害保険会社に係る個人情報保護指針
　　　・損害保険会社における個人情報保護に関する安全管理措置等についての実務指針
　　　・認定個人情報保護団体業務規則
　　　・苦情処理業務に関する規則
　　・損害保険会社等が共同利用する制度について（代理店等に関する制度を除く）
　　・損害保険会社が共同利用する制度について（代理店等に関する制度）
　　・当協会が参加する個人情報の共同利用について

Ⅴ　保険法[17]

　保険法は、保険契約に関する一般的なルールを定めた法律である。この法律には、保険契約の締結から終了までの間にわたる、保険契約における関係者の権利義務等が定められている。保険契約に関するルールは、従来は商法のなかに定められていたが、商法の保険契約に関する規定は、明治32年の商法制定後、100年近くにわたり、実質的な改正がなされていなかった。そのため、表記は片仮名・文語体のままであり、また、現在広く普及している傷害疾病保険に関する規定が存在せず、現在の保険制度に適合しない内容となっている等の問題があったことから、現代社会にあった適切なものとする必要があった。そこで、今回、この商法の保険契約に関する規定を全面的に見直し、独立した法律にしたものが新しい保険法である。保険法は、平成22年4月1日に施行された。

　保険法の特徴としては、次のようなものがある。
① 　共済契約にも適用範囲が拡大されることとなった。
② 　現在広く普及している傷害疾病保険に関する規定が設けられ、傷害や疾病に基づいて保険金が支払われる保険契約についても保険法のルールが及ぶことになった。
③ 　保険契約者、被保険者および保険金受取人の保護のための規定が整備された。具体的には、告知制度に関する規定が見直されたり、保険金の支払時期に関する規定が新設されたりするとともに、それらを含む多くの規定が「片面的強行規定」とされた。「片面的強行規定」に反し、保険法の規定よりも保険契約者等に不利な内容の約款の定めは無効となる。
④ 　損害保険についてのルールが柔軟化された。
⑤ 　責任保険における被害者の優先権確保のため、先取特権が規定された。

17　法務省ホームページ「保険法の概要」、生命保険文化センターホームページ「保険法の概要」、日本損害保険協会ホームページ参照。

⑥　保険金受取人の変更ルールが整備された。
⑦　モラルリスク防止のため、保険法上、重大事由解除規定が新設された。

1　損害保険契約・生命保険契約・傷害疾病定額保険契約

　損害保険契約とは、保険者が一定の偶然の事故によって生ずることのある損害をてん補することを約する保険契約をいう（保険法2条6号）。被保険者の傷害や疾病によって生ずることのある損害（当該傷害疾病が生じた者が受けるものに限る）をてん補する傷害疾病損害保険契約（同法2条7号）は、損害保険契約に含まれるが、特則が置かれている（同法34条、35条）。

　生命保険契約とは、保険者が人の生存または死亡に関し一定の保険給付を行うことを約する保険契約をいう（保険法2条8号）。生命保険契約には、被保険者の死亡に関して保険給付を行う死亡保険契約（同法38条）と、被保険者の一定の時点における生存に関して保険給付を行う生存保険契約とに大別することができる。

　傷害疾病定額保険契約とは、保険者が人の傷害疾病に基づき一定額の保険給付を行うことを約する保険契約をいう（保険法2条9号）。

2　告知制度

　保険法では、保険契約者や被保険者の告知義務の内容を、保険会社が告知を求めた事項に応答する義務として定めている。また、告知義務違反があった場合には、保険会社は保険契約を解除することができるが、一定の場合には、解除が認められない旨が規定されている。

(1)　告知義務

　保険契約に加入する際には、保険契約者または被保険者は、保険会社に対して告知をする必要がある。この告知は、支払事由の発生の可能性に関する重要な事項のうち保険会社が告知を求めた事項について、保険契約者等が回答するかたちで行うことになっている（保険法4条、37条、66条）。

(2) 告知義務違反による解除

　保険契約者等が故意または重大な過失により告知義務に違反した場合には、保険会社は、保険契約を解除することができる。ただし、故意または重大な過失による告知義務違反があった場合であっても、保険契約の締結時に保険会社がその事実を知っていたか、または過失によって知らなかったときは、保険会社は保険契約を解除することはできない。また、募集人等の保険媒介者が保険契約者等の告知を妨害したり、保険契約者等に対して告知義務違反を勧めたりしたときにも、保険会社は解除をすることはできないが、そのような行為がなかったとしても告知義務違反があったであろうと認められる場合には、解除をすることができる。さらに、保険会社が解除の原因があることを知ってから1カ月間解除をしなかったとき、または保険契約締結の時から5年を経過したときは、解除をすることはできない（保険法28条、55条、84条）。

(3) 解除の効力

　告知義務違反によって保険契約が解除された場合には、その効力は将来に向かってのみ生じるが、それまでに発生した支払事由について、保険会社は保険金を支払う必要はない。ただし、告知されなかった事実と支払事由の発生との間に因果関係がない場合には、保険会社は保険金を支払う必要がある（保険法31条1項・2項1号、59条1項・2項1号、88条1項・2項1号）。

(4) 片面的強行規定

　保険会社が保険契約を解除できる期間についての規定を除き、上記(1)〜(3)の規定は片面的強行規定であり、保険法の規定よりも保険契約者等に不利な内容の約款の定めは無効となる（保険法7条、33条、41条、65条1号・2号、70条、94条1号・2号）。

3　被保険者の同意

　保険法では、保険契約者と被保険者が異なる死亡保険契約は、被保険者の同意が必要とされている。また、保険契約者と被保険者が異なる傷害疾病定

額保険契約も、一定の場合を除き、被保険者の同意が必要である。保険契約者と被保険者が異なる死亡保険契約は、被保険者の同意がない限り効力を生じない。

また、保険契約者と被保険者が異なる傷害疾病定額保険契約は、原則として、被保険者の同意がない限り効力を生じないが、保険金受取人が被保険者（被保険者の死亡に関して保険金が支払われる場合には、被保険者またはその相続人）である場合は、被保険者の同意は不要である。ただし、被保険者が傷害または疾病により死亡した場合にのみ保険金が支払われる傷害疾病定額保険契約については、保険金受取人が被保険者またはその相続人であっても、原則どおり被保険者の同意が必要となる（保険法38条、67条）。

保険契約者と被保険者が異なる生命保険契約	生存保険契約（保険法には被保険者同意に関する規定なし）		被保険者の同意がなくても契約の効力は生ずる
	死亡保険契約（38条）		被保険者の同意がないと契約の効力は生じない
保険契約者と被保険者が異なる傷害疾病定額保険契約	原則（67条1項本文）		被保険者の同意がないと契約の効力は生じない
	例外	保険金受取人が、被保険者（被保険者の死亡に関して保険金が支払われる場合には、被保険者またはその相続人）（67条1項ただし書）	被保険者の同意がなくても契約の効力は生ずる
		例外の例外 支払事由が傷害疾病による死亡のみ（67条2項）	被保険者の同意がないと契約の効力は生じない

4　保険契約締結時の書面交付

保険法では、保険契約を締結した際の、保険会社の書面交付義務を規定している。保険会社は、保険契約を締結したときは、遅滞なく、保険契約者に対し、次の事項を記載した書面を交付する必要がある（保険法6条、40条、69条）。

(1) **損害保険契約（保険法6条1項）**

① 保険者の氏名または名称
② 保険契約者の氏名または名称
③ 被保険者を特定するために必要な事項
④ 保険事故
⑤ 保険期間
⑥ 保険金額（保険給付の限度額）に関する事項
⑦ 保険の目的物に関する事項
⑧ 約定保険価額に関する事項
⑨ 保険料に関する事項
⑩ 危険増加に係る告知事項についての通知義務に関する事項
⑪ 契約締結日
⑫ 書面作成日

(2) **生命保険契約・傷害疾病定額保険契約（保険法40条1項、69条1項）**

① 上記(1)①〜③
② 保険金受取人を特定するために必要な事項
③ 保険事故または給付事由
④ 上記(1)⑤
⑤ 保険給付に関する事項
⑥ 上記(1)⑨〜⑫

5　保険金受取人

　保険法では、①保険契約者は保険金受取人を変更することができること、②保険金受取人の変更の意思表示の相手方は保険会社であること、③遺言に

よる保険金受取人の変更も可能であること等を規定している。

(1) 保険金受取人の変更

保険契約者は、支払事由が発生するまでは、保険会社に対する意思表示をすることによって、保険金受取人を変更することができる。保険金受取人を変更する意思表示は、その通知が保険会社に到達したときは、その通知を発した時にさかのぼってその効力を生じる。ただし、意思表示が保険会社に到達する前に、保険会社が変更前の保険金受取人に保険金を支払った場合には、その保険金の支払は有効である（保険法43条、72条）。

(2) 遺言による保険金受取人の変更

保険金受取人の変更は、遺言によってもすることができる。遺言による保険金受取人の変更は、保険契約者が死亡した後に、保険契約者の相続人が保険会社に通知しなければ、保険金受取人の変更があったことを保険会社に対して主張することはできない（保険法44条、73条）。

(3) 保険金受取人の変更についての被保険者の同意

生命保険契約のうち、死亡保険契約について保険金受取人を変更する場合には、被保険者の同意が必要となる。また、傷害疾病定額保険契約について保険金受取人を変更する場合には、原則として、被保険者の同意が必要であるが、変更後の保険金受取人が被保険者（被保険者の死亡に関して保険金が支払われる場合には、被保険者またはその相続人）である場合には、被保険者の同意は必要ない。ただし、被保険者が傷害または疾病により死亡した場合にのみ保険金が支払われる傷害疾病定額保険契約については、変更後の保険金受取人が被保険者またはその相続人であっても、原則どおり被保険者の同意が必要となる（保険法45条、74条）。

(4) 保険金受取人の死亡

保険金受取人が支払事由の発生前に死亡したときは、その相続人の全員が保険金受取人となる（保険法46条、75条）。

6　支払事由発生の通知と保険金の支払時期

　保険法では、約款で定めた支払期限が、支払にあたって必要な事項の確認のための相当の期間を超えている場合には、その相当の期間が経過した時から保険会社は遅滞の責任を負う旨を定めている。

(1)　支払事由発生の通知

　支払事由が発生したときは、保険契約者等は、遅滞なく、保険会社にその旨を通知する必要がある（保険法50条、79条）。

(2)　保険金の支払時期

　保険金を支払う期限を約款で定めた場合であっても、その期限が、保険金を支払うために確認をすることが保険契約上必要とされる事項の確認をするために一般的に必要と考えられる相当の期間よりも長い場合には、その相当の期間を経過する日が保険金を支払うべき期限となる。また、保険会社が保険金を支払うために必要な調査をするにあたって、保険契約者、被保険者または保険金受取人が正当な理由なしに、その調査を妨げたり、調査に応じなかったりした場合には、これらの保険契約者等の側の事情によって保険金の支払が遅れた期間については、保険会社は遅滞の責任を負わない（保険法21条1項・3項、52条1項・3項、81条1項・3項）。

(3)　片面的強行規定

　上記(2)の規定は片面的強行規定であり、保険法の規定よりも保険金受取人に不利な内容の約款の定めは無効となる（保険法26条、53条、82条）。

7　保険会社の免責と保険料積立金の払戻し

　保険法では、支払事由が発生しても保険会社が保険金を支払う必要がない場合があり、またこの場合には、原則として保険会社は保険料積立金の払戻しをする必要がある旨を規定している（保険法17条、51条、80条）。

(1)　保険会社の免責

　損害保険契約において、保険契約者または被保険者の故意または重大な過失（責任保険契約の場合においては、故意）によって生じた損害や、戦争その

他の変乱によって生じた損害については、保険会社はてん補する責任を負わない。

　死亡保険契約において、被保険者が自殺したとき、保険契約者もしくは保険金受取人が被保険者を故意に死亡させたとき、または戦争その他の変乱によって被保険者が死亡したときには、保険会社は保険金を支払う必要はない。

　傷害疾病定額保険において、保険契約者、被保険者もしくは保険金受取人が故意もしくは重大な過失により支払事由を発生させたとき、または戦争その他の変乱によって支払事由が発生したときは、保険会社は保険金を支払う必要はない。

⑵ **保険料積立金の払戻し**

　生命保険契約または傷害疾病定額保険契約においては、上記⑴の事由によって保険契約が終了したときには、保険会社は、保険契約者に保険料積立金を払い戻す必要がある。ただし、保険契約者が死亡保険契約の被保険者を故意に死亡させたとき、または故意もしくは重大な過失により傷害疾病定額保険の支払事由を発生させたときは、保険会社は、保険料積立金を払い戻す必要はない（保険法63条、92条）。

⑶ **片面的強行規定**

　上記⑵の規定は片面的強行規定であり、保険法の規定よりも保険契約者に不利な内容の約款の定めは無効となる（保険法65条、94条）。

8　保険契約者による解除

　保険法では、保険契約者による保険契約の解除（一般に保険実務上、「解約」と呼ばれているもの）について定めている。

⑴ **保険契約者による解除**

　保険契約者は、いつでも保険契約を解除することができる（保険法27条、54条、83条）。

(2) 解除の効力

保険契約の解除は、将来に向かってのみその効力を生じる（保険法31条1項、59条1項、88条1項）。

(3) 片面的強行規定

上記(2)の規定は片面的強行規定であり、保険法の規定よりも保険契約者、被保険者または保険金受取人に不利な内容の約款の定めは無効となる（保険法33条、65条2号、94条2号）。

9 重大事由による解除

保険法では、保険契約者または保険金受取人が保険金目的で被保険者を殺害しようとした場合等の一定の場合には、保険会社が保険契約の解除をできる旨を定めている。

(1) 重大事由による解除

保険契約に関し、次のいずれかの事由が生じた場合には、保険会社は、保険契約を解除することができる（保険法30条、57条、86条）。

① 損害保険契約において、保険契約者または被保険者が、保険会社に保険金を支払わせることを目的として、損害を生じさせ、または生じさせようとしたこと

② 死亡保険契約において、保険契約者または保険金受取人が、保険会社に保険金を支払わせることを目的として、故意に被保険者を死亡させ、または死亡させようとしたこと

③ 傷害疾病定額保険契約において、保険契約者、被保険者または保険金受取人が、保険会社に保険金を支払わせることを目的として、その保険契約の支払事由を発生させ、または発生させようとしたこと

④ 損害保険契約における被保険者、または、生命保険契約もしくは傷害疾病定額保険契約における保険金受取人が、その保険契約に基づく保険金の請求にあたって詐欺を行い、または行おうとしたこと

⑤ 上記①〜④のほか、保険会社の保険契約者、被保険者または保険金受取

人に対する信頼を損ない、その保険契約の存続を困難とする重大な事由

(2) 解除の効力

重大事由による解除がされた場合には、その効力は将来に向かってのみ生じるが、上記(1)①～⑤の事由が生じた時から解除がされた時までに発生した支払事由については、保険会社は保険金を支払う必要はない（保険法31条1項・2項3号、59条1項・2項3号、88条1項・2項3号）。

(3) 片面的強行規定

上記(1)および(2)の規定は片面的強行規定であり、保険法の規定よりも保険契約者、被保険者または保険金受取人に不利な内容の約款の定めは無効となる（保険法33条、65条2号、94条2号）。

10 被保険者による解除請求

保険法では、被保険者は、一定の場合に、保険契約者に対し保険契約を解除するよう請求することができる旨を定めている。

(1) 被保険者による解除請求

保険契約者と被保険者が異なる死亡保険契約または傷害疾病定額保険契約に関し、次のいずれかの場合には、その被保険者は、保険契約者に対し、その保険契約を解除することを請求することができる（保険法58条、87条）。

① 死亡保険契約において、保険契約者または保険金受取人が、保険会社に保険金を支払わせることを目的として、故意に被保険者を死亡させ、または死亡させようとした場合

② 傷害疾病定額保険契約において、保険契約者、被保険者または保険金受取人が、保険会社に保険金を支払わせることを目的として、その保険契約の支払事由を発生させ、または発生させようとした場合

③ 保険金受取人が、その保険契約に基づく保険金の請求にあたって詐欺を行い、または行おうとした場合

④ 上記①～③のほか、被保険者の保険契約者または保険金受取人に対する信頼を損ない、その保険契約の存続を困難とする重大な事由がある場合

⑤　保険契約者と被保険者との間の親族関係の終了等その他の事情により、被保険者が保険契約の締結時に同意をするにあたって基礎とした事情が著しく変更した場合
⑥　傷害疾病定額保険契約のうち、保険契約の締結時における被保険者の同意が保険法上不要とされる契約において、実際にも保険契約の締結時に被保険者の同意を得ていなかった場合

(2) 解除の効力
被保険者による解除請求を受けて保険契約者がした解除は、将来に向かってのみその効力を生じる（保険法59条1項、88条1項）。

(3) 片面的強行規定
上記(2)の規定は片面的強行規定であり、保険法の規定よりも保険契約者、被保険者または保険金受取人に不利な内容の約款の定めは無効となる（保険法65条2号、94条2号）。

11　契約当事者以外の者による解除の効力等（介入権）

保険法では、保険契約の差押債権者や破産管財人等が保険契約を解除しようとした場合に、一定の場合には、解除の効力が1カ月後に生じることとなり、一定の要件のもと、所定の保険金受取人が保険契約を継続できることを定めている（介入権。保険法60条〜62条、89条〜91条）。

(1) 契約当事者以外の者による解除の効力と介入権

保険契約の差押債権者や破産管財人等の保険契約者以外の関係者（以下「差押債権者等」という）が、死亡保険契約または傷害疾病定額保険契約のうち保険料積立金のある保険契約を解除する場合、その通知がされてから1カ月を経過した日にその効力が生じる。この場合に、保険金受取人のうち解除の通知がされた時点で保険契約者もしくは被保険者の親族または被保険者本人であるもの（保険契約者であるものを除く）は、解除の効力が生じるまでの間（解除の通知がされてから1カ月以内）に、次の要件を満たしたときは、保険契約を継続させることができる。

①　介入権の行使について保険契約者の同意を得ること
②　解約返戻金の相当額を差押債権者等に支払うこと
③　保険会社にその旨を通知すること

(2) 介入権行使前における支払事由の発生

　介入権が行使されるまでの間に支払事由が発生したとき（ただし、傷害疾病定額保険については、その支払事由によって保険金が支払われることにより保険契約が終了するときに限定されている）は、保険会社は、保険金のうち解約返戻金相当額を差押債権者等に支払う。この場合には、保険金受取人には、保険金額から差押債権者等に支払った金額を差し引いた残額が支払われる。

12　損害保険契約についてのルールの柔軟化

(1) 超過保険

　保険金額（契約金額）が保険の対象である物の実際の価額（保険価額）を超える超過保険については、その超過部分について、取り消すことができる（無効となるものではない）（保険法9条）。

(2) 重複保険

　同一の目的物に複数の損害保険が締結された重複保険契約については、独立責任額全額支払方式が導入される。すなわち、これにより、他の損害保険契約が締結されている場合には、各保険会社は按分支払をせず、自らが締結した保険契約に基づく保険金の全額を支払う義務を負うこととなる。ただし、損害額を超えて複数の損害保険会社から保険金を受け取ることはできない（保険法20条）。

13　責任保険契約における被害者の優先権の確保——先取特権

　被保険者が倒産した場合であっても、被害者が保険金から優先的に被害の回復を受けられるようにするため、責任保険契約について、債務者である加害者が有する保険金請求権を目的とする特別の先取特権が規定された（保険法22条）。これにより、加害者について破産手続や再生手続が開始したとし

ても、被害者は加害者の保険金請求権につき別除権を有する者として、破産手続・再生手続によらず、先取特権を行使することができる（破産法2条9項、65条、民事再生法53条1項・2項）。

14　保険料の返還の制限
保険法では、保険契約が無効となったり取り消されたりした場合でも、保険会社が保険料を返還しなくてもよい場合について限定的に定めている。

(1)　保険料の返還の制限
次のいずれかの場合には、保険会社は、保険料を返還する必要がない（保険法32条、64条、93条）。

① 保険契約者、被保険者または保険金受取人による詐欺や強迫を理由として、保険契約に係る意思表示が取り消された場合
② 保険契約者、被保険者または保険金受取人が、損害保険契約、死亡保険契約または傷害疾病定額保険契約の申込みまたはその承諾をした時に、すでに支払事由が発生していることを知っていたため、保険契約を締結する前に発生した支払事由に関し保険金を支払う旨の約款の定めが無効となった場合（保険会社が支払事由の発生を知りつつ申込みを承諾した場合を除く）

(2)　片面的強行規定
上記(1)の規定は片面的強行規定であり、保険法の規定よりも保険契約者に不利な内容の約款の定めは無効となる（保険法33条2項、65条3号、94条3号）。

15　消滅時効
保険金等を請求する権利を行使しない状態が一定期間継続すると、その権利は消滅する。保険金受取人が保険金を請求する権利または保険契約者が保険料の返還を請求する権利もしくは保険料積立金の払戻しを請求する権利は、これらを行使することができる時から3年間行使しないときに時効により消滅する（保険法95条1項）。保険会社が保険料を請求する権利は、これを

行使することができる時から1年間行使しないときに時効により消滅する（保険法95条2項）。

16　経過措置の原則、旧保険契約に関する経過措置

　保険法の規定は、原則として、施行の日以後に締結された保険契約に適用される。ただし、施行の日よりも前に締結された保険契約にも適用される規定があり、その一例として次の規定がある（保険法附則2条、4条〜6条）。

① 　重大事由による解除
② 　保険給付の履行期
③ 　契約当事者以外の者による解除の効力
④ 　責任保険契約についての先取特権等

金融サービス提供法(旧金融商品販売法)

1 金融サービス提供法とは

　金融サービスの提供に関する法律(以下「金融サービス提供法」という)は、リスクを伴う金融サービス(暗号資産の販売を含む)について業態横断的に幅広く適用対象とし、金融商品販売業者等に対して、販売時に顧客に対するリスクについての説明義務およびこれに違反した場合の顧客に対する特別の不法行為として損害賠償責任を定めるとともに、金融サービス仲介業を行う者について登録制度を実施し、その業務の健全かつ適切な運営を確保することにより、金融サービスの提供を受ける顧客の保護を図り、もって国民経済の健全な発展に資することを目的とする法律である。従来の題名は「金融商品の販売等に関する法律」であったが、情報通信技術の進展とニーズの多様化に対応し、金融サービスの利用者の利便の向上及び保護を図るため、令和2年6月の改正法により、金融サービス仲介業(Q39参照)の創設とともに題名も「金融サービスの提供に関する法律」に改められた(令和3年11月1日施行)。

　この点、保険契約の締結も同法にいう「金融商品の販売」であり(金融サービス提供法3条1項4号)、保険会社のみならず、生命保険募集人や損害保険代理店も金融商品販売業者等に該当するため、金融サービス提供法の適用を受ける。

2 金融商品販売業者等の説明義務

　金融サービス提供法によれば、金融商品販売業者等は、金融商品の販売等を業として行うときは、当該金融商品の販売等に係る金融商品の販売が行われるまでの間に、顧客に対し、次の重要事項等を説明しなければならない(同法4条1項)。したがって、保険会社、生命保険募集人および損害保険代理店は、保険契約の場合、変額保険や外貨建保険等の特定保険契約は以下のbに加えaについて、また、それ以外の保険契約は以下のbについて、重要

第1章　保険募集を取りまくルール　47

事項の説明義務を果たさなければならない。

a　市場リスク

　金利、通貨の価格、金融商品市場における相場その他の指標に係る変動を直接の原因として元本欠損または元本を上回る損失が生ずるおそれがあるときは、その旨、当該指標および当該金融商品の販売に係る取引の仕組みのうちの重要な部分

b　信用リスク

　金融商品の販売を行う者その他の者の業務または財産の状況の変化を直接の原因として元本欠損または元本を上回る損失が生ずるおそれがあるときは、その旨、当該者および当該金融商品の販売に係る取引の仕組みのうちの重要な部分

c　権利行使期間・契約解除期間の制限

　金融商品の販売の対象である権利を行使することができる期間の制限または当該金融商品の販売に係る契約の解除をすることができる期間の制限があるときは、その旨

　なお、かかる重要事項等の説明は、顧客の知識、経験、財産の状況および金融商品の販売に係る契約を締結する目的に照らして、顧客に理解されるために必要な方法および程度によるものでなければならない（金融サービス提供法4条2項）。

　また、金融商品販売業者等は、金融商品の販売等を業として行おうとするときは、当該金融商品の販売等に係る金融商品の販売が行われるまでの間に、顧客に対し、当該金融商品の販売に係る事項について、不確実な事項について断定的判断を提供し、または確実であると誤認させるおそれのあることを告げる行為（以下「断定的判断の提供等」という）を行ってはならない（金融サービス提供法5条）。したがって、保険会社、生命保険募集人および損害保険代理店は、保険業法300条1項7号と同様、かかる断定的判断の提供等を行ってはならない。

3　金融商品販売業者等の損害賠償責任

　金融商品販売業者等は、顧客に対し重要事項を説明しなかったとき、または断定的判断の提供等を行ったときは、これによって生じた当該顧客の損害を賠償する責任を負うとされ（金融サービス提供法6条）、元本欠損額は、金融商品販売業者等が重要事項について説明をしなかったことまたは断定的判断の提供等を行ったことによって当該顧客に生じた損害の額と推定するとされている（同法7条1項）。したがって、保険会社、生命保険募集人および損害保険代理店が、重要事項の説明義務を果たさなかったとき、または断定的判断の提供等を行ったときは、元本欠損額は顧客の損害と推定され、また、その他にも顧客に損害が生じたときは、これらをあわせて損害賠償責任を負うことになる。

4　勧誘方針の策定と公表

　金融商品販売業者等である保険会社、生命保険募集人および損害保険代理店は、業として金融商品の販売等に係る勧誘をするため、あらかじめ当該勧誘に関する方針を自ら定め（金融サービス提供法10条1項）、これを公表しなければならない（同条3項）。なお、勧誘方針に定める事項としては、①勧誘の対象となる者の知識、経験、財産の状況および当該金融商品の販売に係る契約を締結する目的に照らし配慮すべき事項、②勧誘の方法および時間帯に関し勧誘の対象となる者に対し配慮すべき事項、③その他勧誘の適正の確保に関する事項があげられる（同条2項）。

5　金融サービス仲介業

　金融サービス提供法は、登録制のもと銀行・証券・保険すべての分野のサービス（顧客に対し高度に専門的な説明を必要とする一定範囲の金融サービスを除く）を仲介可能とする業種として、金融サービス仲介業に関する具体的な規律を定めている。金融サービス仲介業については、Q39で詳述する。

Ⅶ 金融商品取引法

1 金融商品取引法の準用規定

　保険契約のうち投資性の高い特定保険契約（金利、通貨の価格、金融商品市場における相場その他の指標に係る変動により損失が生ずるおそれがある保険契約として内閣府令で定めるもの。具体的には、変額保険・年金、外貨建保険・年金、解約返戻金変動型保険・年金を指す）の募集に関しては、金商法の対象となる金融商品の販売・勧誘規制と同様の規制が適用されるため、保険業法に準用規定が設けられることになった（法300条の2）。すなわち、金商法第3章第2節第1款（同法35条～36条の4、37条1項2号、37条の2、37条の3第1項2号・6号・3項、37条の5～37条の7、38条1号・2号・7号・8号、38条の2、39条3項ただし書・4項・6項・7項、40条の2～40条の7を除く）（通則）の規定が、保険会社や保険募集人等が行う特定保険契約の締結またはその代理もしくは媒介について、準用されている（Q36参照）。

2 具体的内容

　具体的には、①特定保険契約の締結またはその代理もしくは媒介の業務の内容について広告その他これに類似するものとして内閣府令で定める行為をするときは、内閣府令で定めるところにより、商号、名称または氏名のほか、当該業務の内容に関する事項であって、顧客の判断に影響を及ぼすこととなる重要なものとして政令で定めるものを表示しなければならず（広告等の規制。準用金商法37条1項）、②特定保険契約を締結しようとするときは、内閣府令で定めるところにより、あらかじめ、顧客に対し、(i)商号、名称または氏名および住所、(ii)特定保険契約の概要、(iii)手数料、報酬その他の当該特定保険契約に関して顧客が支払うべき対価に関する事項であって内閣府令で定めるもの、(iv)顧客が行う特定保険契約の締結について金利、通貨の価格、金融商品市場における相場その他の指標に係る変動により損失が生ずる

こととなるおそれがあるときは、その旨、(v)特定保険契約の締結またはその代理もしくは媒介の業務の内容に関する事項であって、顧客の判断に影響を及ぼすこととなる重要なものとして内閣府令で定める事項を記載した書面を交付しなければならず（契約締結前の書面交付[18]。同法37条の3第1項）、③特定保険契約が成立したときその他内閣府令で定めるときは、遅滞なく、内閣府令で定めるところにより、書面を作成し、これを顧客に交付しなければならず（契約締結時等の書面交付。同法37条の4）、④(i)特定保険契約の締結につき、特定保険契約について顧客に損失[19]が生ずることとなり、またはあらかじめ定めた額の利益が生じないこととなった場合には自己または第三者がその全部または一部を補てんし、または補足するため、当該特定保険契約によらないで、当該顧客または第三者に財産上の利益を提供する旨を、当該顧客またはその指定した者に対し、申込み、もしくは約束し、または第三者に申し込ませ、もしくは約束させる行為、(ii)特定保険契約の締結につき、自己または第三者が当該特定保険契約について生じた顧客の損失の全部もしくは一部を補てんし、またはこれらについて生じた顧客の利益に追加するため、当該特定保険契約によらないで、当該顧客または第三者に財産上の利益を提供する旨を、当該顧客またはその指定した者に対し、申し込み、もしくは約束し、または第三者に申し込ませ、もしくは約束させる行為、(iii)特定保険契約の締結につき、当該特定保険契約について生じた顧客の損失の全部もしくは一部を補てんし、またはこれらについて生じた顧客の利益に追加するため、当該特定保険契約によらないで、当該顧客または第三者に対し、財産上の利益を提供し、または第三者に提供させる行為を禁止し（損失補てん等の禁止。

---

[18] 監督指針Ⅱ-4-2-2(2)③は、「準用金融商品取引法第37条の3関係」と題し、情報提供義務の一環という位置づけのもと、特定保険契約に関する契約締結前交付書面のあり方を具体的に定めている。
[19] 当該特定保険契約が締結されることにより顧客の支払う保険料の合計額が当該特定保険契約が締結されることにより当該顧客の取得する保険金、返戻金その他の給付金の合計額を上回る場合における当該保険料の合計額から当該保険金、返戻金その他の給付金の合計額を控除した金額をいう。以下、金商法39条において同じ。

同法39条1項)、⑤業務の状況が、(i)特定保険契約の締結について、顧客の知識、経験、財産の状況および特定保険契約を締結する目的に照らして不適当と認められる勧誘を行って投資者の保護に欠けることとなっており、または欠けることとなるおそれがあること、(ii)業務に関して取得した顧客に関する情報の適正な取扱いを確保するための措置を講じていないと認められる状況、その他業務の運営が公益に反し、または投資者の保護に支障を生ずるおそれがあるものとして内閣府令に定める状況にあることに該当することのないように、業務を行わなければならない（適合性の原則。同法40条）等とされている。

Ⅷ 独占禁止法

1 独占禁止法とは

　私的独占の禁止及び公正取引の確保に関する法律（以下「独占禁止法」という）は、企業間の公正かつ自由な競争を促進し、事業者の創意を発揮させ、事業活動を盛んにし、雇用および国民実所得の水準を高め、もって、一般消費者の利益を確保するとともに、国民経済の民主的で健全な発達を促進することを目的とした法律である。かかる目的を達成するために、独占禁止法は、事業者に対して、私的独占の禁止（同法3条前段）、不当な取引制限の禁止（同条後段）、不公正な取引方法の禁止（同法19条、2条9項、一般指定1項～15項）のほか、事業支配力の過度の集中防止のための規制（同法9条）、一定の取引分野における競争を実質的に制限することとなる会社による株式保有の制限（同法10条）、金融会社の株式保有の制限（同法11条。銀行の場合は5％ルール、保険会社の場合は10％ルール）、会社合併・会社分割・共同株式移転・事業譲受等の制限（同法15条、15条の2、15条の3、16条）等を設けている。また、事業者団体（生命保険協会や日本損害保険協会等が該当する）に対しても、一定の取引分野における競争を実質的に制限すること、構成事業者の機能または活動を不当に制限すること等を禁止している（同法8条）。

　それらの違反行為がある場合、公正取引委員会による排除措置命令（独占禁止法7条、17条の2、20条等）の対象となるほか、私的独占、不当な取引制限および一定の不公正な取引方法を行った違反事業者に対しては課徴金が課される（同法7条の2、20条の2～20条の6等）。また、排除措置命令に従わないものや、私的独占、不当な取引制限等を行った違反事業者や業界団体の役員に対する罰則の定めもある（同法89条、90条等）。

2 保険業務で留意すべき規制

　保険会社の業務において、独占禁止法上、特に留意を要する代表的な規制

といえば、不当な取引制限に含まれる「カルテル」（典型例としては、保険料の算出基礎となる前提について事業者間で協議・決定し、保険料を高止まりさせる行為をあげることができる）のほか、不公正な取引方法に含まれる「抱合せ販売」（相手方に対し、不当に、保険商品の供給にあわせて他の保険商品等を自己または自己の指定する事業者から購入させ、その自己または自己の指定する事業者と取引するように強制すること）や「優越的地位の濫用」（自己の取引上の地位が相手方に優越していることを利用して、正常な商慣習に照らして不当に、取引の条件または実施について相手方に不利益を与えること等）をあげることができる。

3　ガイドライン

　公正取引委員会が平成16年12月1日に公表した「金融機関の業態区分の緩和及び業務範囲の拡大に伴う不公正な取引方法について」は、銀行等の保険募集業務に係る不公正な取引方法として、保険契約申込みの強制、不当な顧客誘引、委託元保険会社に対する不当な干渉について定めているため、銀行等代理店が存在する場合は、このガイドラインにも留意する必要がある（Q45参照）。

景 表 法

1 景表法とは

　不当景品類及び不当表示防止法（以下「景表法」という）は、商品および役務の取引に関連する不当な景品類および表示による顧客の誘引を防止するため、一般消費者による自主的かつ合理的な選択を阻害するおそれのある行為の制限および禁止について定めることにより、一般消費者の利益を保護することを目的とした法律である。かかる目的を達成するために、景表法は、景品類の制限および禁止（同法3条）のほか、優良誤認や有利誤認といった不当な表示の禁止（同法4条）等について定めるとともに、事業者に対し、自己の供給する商品または役務の取引について、景品類の提供または表示により不当に顧客を誘引し、一般消費者による自主的かつ合理的な選択を阻害することのないよう、景品類の価額の最高額、総額その他の景品類の提供に関する事項および商品または役務の品質、規格その他の内容に係る表示に関する事項を適正に管理するために必要な体制整備[20]を義務づけている（同法7条)[21]。

2 保険業務における留意点

　保険会社の業務において、景表法上、特に留意を要する場面といえば、保険契約の締結または保険募集に関して景品類が提供される場合の取扱いと、保険募集に関して使用されるパンフレット等の作成であろう。これらについ

---

[20] 当該体制整備義務に関し、景表法7条2項に基づき、「事業者が講ずべき景品類の提供及び表示の管理上の措置についての指針」（平成26年11月14日内閣府告示第276号）が定められている。
[21] 平成26年秋の改正法（平成26年法律第118号）により、不当な表示による顧客の誘引を防止することを目的として、不当な表示を行った事業者に対する課徴金制度を導入するとともに、被害回復を促進する観点から返金による課徴金額の減額等の制度が導入された（平成28年4月1日から施行）。

ては後に詳しく述べるので、該当箇所を確認していただきたい（Q42参照）。

3　告示・ガイドライン

　景品類の制限および禁止、不当な表示の禁止については、消費者庁が公表している各種の告示・ガイドラインを理解することが必要であり、その代表的なものとしては、前者については、「不当景品類及び不当表示防止法第2条の規定により景品類及び表示を指定する件（告示）とその運用基準」「景品類の価額の算定基準」「懸賞による景品類の提供に関する事項の制限（告示）とその運用基準」および「一般消費者に対する景品類の提供に関する事項の制限（告示）とその運用基準」を、後者については、「不当景品類及び不当表示防止法第2条の規定により景品類及び表示を指定する件（告示）とその運用基準」および「比較広告に関する景品表示法の考え方」をあげることができる。また、後者については、生命保険会社に対する不当表示に関する行政処分が発令されたことを受けて策定された生命保険協会の「生命保険商品に関する適正表示ガイドライン」のほか、日本損害保険協会の「募集文書等の表示に係るガイドライン」が参考になる。

X 個人情報保護法

1 個人情報保護法とは

　個人情報の保護に関する法律(以下「個人情報保護法」という)は、個人情報を取り扱う事業者の遵守すべき義務等を定めることにより、個人情報の有用性に配慮しつつ、個人の権利利益を保護することを目的とした法律である。かかる目的を達成するために、個人情報保護法は、利用目的の特定(同法15条)、利用目的による制限(同法16条)、適正な取得(同法17条)、取得に際しての利用目的の公表・通知・明示(同法18条)、安全管理措置(同法20条)、従業者の監督(同法21条)、委託先の監督(同法22条)、第三者提供の制限(同法23条)、保有個人データに関する事項の公表等(同法27条)、開示(同法28条)・訂正(同法29条)・利用停止(同法30条)等について定めている[22]。

2 ガイドライン

　保険会社は、その業務上、大量の個人情報を取得・利用・提供・管理することが想定されているため、個人情報保護法は、保険業務にとって非常に重要な法律の1つと考えられる(Q64参照)。また、同法は、平成27年9月に改正され、病歴を含む要配慮個人情報について一般的な個人情報と異なる規制について定められた部分もあるが、金融庁は、金融分野で取り扱われる個人情報の特殊性にかんがみ、以下のとおり、保健医療に関する情報等の機微(センシティブ)情報のより具体的な取扱いのルール(Q66参照)を含めた「金融分野における個人情報保護に関するガイドライン」「金融分野における個人情報保護に関するガイドラインの安全管理措置等についての実務指針」を策定し、監督指針において顧客等に関する情報管理態勢等の体制整備としてこれらに基づく適正な取扱いを求めている(監督指針Ⅱ-4-4-1-2⒀・同

22　個人情報保護法については、本書改訂時点で施行されている内容を前提として解説している。

⑭、監督指針Ⅱ-4-5)ため、これらにも留意する必要がある(Q65参照)。

(1) 金融分野における個人情報保護に関するガイドライン

個人情報保護法の全面施行に先立ち、平成16年4月「個人情報の保護に関する基本方針」(以下「基本方針」という)として、次の内容が閣議決定された。

① 各省庁は、それぞれの事業等の分野の実情に応じたガイドライン等の策定・見直しを早急に検討するとともに、事業者団体等が主体的に行うガイドラインの策定等に対しても、情報の提供、助言などの支援を行う。

② 個人情報の性質や利用方法などから特に適正な取扱いの厳格な実施を確保する必要がある分野については、各省庁において、個人情報を保護するための格別の措置を各分野(医療、金融・信用、情報通信等)ごとに早急に検討し、法の全面施行までに一定の結論を得る。

この基本方針を受け、平成16年12月に金融庁が策定したものが「金融分野における個人情報保護に関するガイドライン」(以下「金融庁ガイドライン」という)であり、その後、平成29年2月、大幅に改訂されている。金融庁ガイドラインに定められた、個人情報保護法よりも厳格な「格別の措置」の主な内容は、次のとおりである。

a 個人生活に係る情報が半ば強制的に事業者に取得され、利用されるという「情報の特性」への対応

・機微(センシティブ)情報の取得等の原則禁止。例外的取得事由を限定的に列挙(5条)

・生体認証情報は本人同意に基づく本人確認目的の取得等に限定(5条1項8号)

など

b 経済的価値が高く、漏えい等による不正利得のおそれが大きいという「情報の特性」への対応

・漏えい等発生時の監督当局および顧客への通知等(17条)

・認定個人情報保護団体による取組みの促進(1条4項)

など
c　グループおよび信用情報機関等における広範な情報共有が行われるという「情報の利用方法」への対応
・信用情報機関への情報提供に際して信用情報機関の会員企業および安全管理措置等を本人に認識させたうえで同意取得（11条2項）
・第三者提供にあたっての本人同意は原則書面（11条1項）
など
d　顧客の継続的資産・負債の管理および運用に利用されるという「情報の利用方法」への対応
・個人データの保有期限の設定および期間終了後の消去（7条）
・本人からの開示、訂正等に応じない場合の根拠および根拠となる事実の明示（14条）
など

(2) 金融分野における個人情報保護に関するガイドラインの安全管理措置等についての実務指針

　金融庁ガイドライン8条において、金融分野における個人情報取扱事業者には、個人データの漏えい、滅失またはき損の防止その他の個人データの安全管理のため、安全管理に係る基本方針・取扱規定等の整備および安全管理措置に係る実施体制の整備等の必要かつ適切な措置を講じることが求められている。

　そこでいう「必要かつ適切な措置」には、「組織的安全管理措置」「人的安全管理措置」および「技術的安全管理措置」を含むものでなければならないとされる。

　安全管理措置の内容については、通信技術等と深く関連を有するものであることから、日進月歩で発達する技術への対応を容易にするため、金融庁ガイドラインでは基本的な考え方を規定するにとどめ、その詳細な内容は、「金融分野における個人情報の保護に関するガイドラインの安全管理措置等についての実務指針」として別途策定された。

3　金融庁の「金融機関における個人情報保護に関するQ&A」

　平成19年10月1日、個人情報保護法の全面施行より2年が経過したことを機に、これまで金融庁および財務局に対して寄せられた個人情報に関する照会を体系的に整理し、Q&Aのかたちで個人情報の取扱いに関する金融庁の考え方が示されており（「金融機関における個人情報保護に関するQ&A」）、その後令和2年12月、大幅に改訂されている。内容は多岐に及ぶが、個人情報が漏えい、滅失、き損した場合における金融庁への報告の要否や本人への通知、公表の要否について、金融庁としての一般的な解釈が示されている点が重要である。

犯罪収益移転防止法

　保険会社にとって、組織的な犯罪の処罰及び犯罪収益の規制等に関する法律（以下「組織的犯罪処罰法」という）は、マネー・ローンダリング防止を単なる本人確認等の事務手続の問題からコンプライアンス（保険会社が犯罪組織に利用され、犯罪収益の拡大に貢献してしまうことを防ぐための態勢整備）の問題へと位置づけた法律である。

　犯罪収益移転防止法は、組織的犯罪処罰法および麻薬特例法[23]による措置と相まって、犯罪による収益の移転防止を図り、あわせてテロリズムに対する資金供与の防止に関する国際条約等の的確な実施を確保し、もって国民生活の安全と平穏を確保するとともに、経済活動の健全な発展に寄与することを目的とする。犯罪収益移転防止法は、テロリズムへの資金供与に関する国際的な厳しい対応姿勢を受け、テロリズムに対する資金供与の疑いがある取引についても同法の「疑わしい取引」の届出対象に含めるとともに、テロ資金供与防止条約の的確な実施、疑わしい取引の届出の実効性の確保、テロ資金の提供が行われることの防止に関する顧客管理体制の整備の促進を目的として、顧客等の取引時確認および確認記録・取引記録の作成・保存を義務づけている（Q73参照）。

　監督指針Ⅱ-4-8においても、保険契約の不正利用について、犯罪収益移転防止法による取引時確認、取引記録等の保存、疑わしい取引の届出等が適切になされるための内部管理体制の構築が求められており、重大な問題があると認められる場合には、行政処分の対象となる旨が明記されている。

　犯罪収益移転防止法の遵守については、令和3年2月、金融庁「犯罪収益移転防止法に関する留意事項について」において、取引時確認、取引記録等の保存、疑わしい取引の届出等を的確に行うために考えられる措置として、

---

23 「国際的な協力の下に規制薬物に係る不正行為を助長する行為等の防止を図るための麻薬及び向精神薬取締法等の特例等に関する法律」

概要、次の例示がなされており、参考にする必要がある。

(1) **取引時確認の完了前に顧客等と行う取引に関する措置**

たとえば、取引の全部または一部に対し通常の取引以上の制限を課したり、顧客等に関する情報を記録したりするなどして、十分に注意を払うこと。

(2) **特定取引に当たらない取引に関する措置**

たとえば敷居値を若干下回るなどの取引は、当該取引がマネー・ローンダリング等に利用されるおそれがあることをふまえ、十分に注意を払うこと。

(3) **非対面取引に関する措置**

たとえば、もう一種類の本人確認書類や本人確認書類以外の書類等を確認することで、顧客等と取引の相手方の同一性判断に慎重を期するなどして、十分に注意を払うこと。

(4) **対面取引に関する措置**

たとえば、取引時確認に写真が貼付されていない本人確認書類を用いて行うなどの取引は、当該取引の顧客等がなりすまし・偽り等を行っているおそれがあることをふまえ、十分に注意を払うこと。

(5) **顧客等の継続的なモニタリング**

上記のほか、すでに確認した取引時確認事項について、顧客等がこれを偽っているなどの疑いがあるかどうかを的確に判断するため、当該顧客等について、最新の内容に保たれた取引時確認事項を活用し、取引の状況を的確に把握するなどして、十分に注意を払うこと。

XII 租税回避を防ぐ目的の国際的な法令等遵守

1 FATCA・CRS

「FATCA」とは、米国納税義務者による米国外の金融口座等を利用した租税回避を防ぐ目的で、米国外の金融機関等に対し、顧客が米国納税義務者であるかを確認すること等を求める米国の法律である。

「CRS」とは、外国の金融機関等を利用した国際的な脱税および租税回避に対処すべく、OECDにおいて、非居住者に係る金融口座情報を税務当局間で自動的に交換するための国際基準として公表された「共通報告基準(CRS: Common Reporting Standard)」のことである。日本の税務当局においても、自国に所在する金融機関等から非居住者が保有する金融口座情報の報告を受け、租税条約等の情報交換規定に基づき、その非居住者の居住地国の税務当局に対しその情報を提供することとなっており、金融機関等においては、所定の顧客から居住地国名等を記載した届出書の提出を受けるなどの対応が求められている。

2 米国法FATCA(外国口座税務コンプライアンス法)対応

(1) 沿 革

2008年、スイス大手銀行の銀行員による米国人の脱税幇助事件が発生したこと等を受けて、2010年、米国法「FATCA(外国口座税務コンプライアンス法)」が成立し、2014年7月から、同法による確認手続が開始された。

FATCAは、米国納税義務者による米国外の金融口座等を利用した租税回避を防ぐ目的で、米国外の金融機関等に対し、顧客が米国納税義務者であるかを確認すること等を求める法律である。

日本の保険会社では、FATCA実施に関する日米関係官庁間の声明に基づき、顧客が生命保険や積立型保険の取引等をする際、顧客が所定の米国納税義務者であるかを確認し、該当する場合には、米国内国歳入庁宛てに契約情

報等の報告を行っている。

(2) FATCAの確認手続

保険会社は、顧客が所定の「米国納税義務者」(米国市民、米国居住者、米国人所有の外国事業体等。ここにいう「外国事業体」とは、米国外の事業体、たとえば日本の内国法人などを指す)であるかを確認するため、生命保険や積立型保険等の取引時において、以下の手続を要請している。

・保険会社所定の書面等により、顧客氏自身により、所定の米国納税義務者であるか否かについて申告を求める場合がある。
・顧客が所定の米国納税義務者であるかを確認するため、各種証明書類(運転免許証、パスポート、登記簿謄本等の公的証明書等)を提示・提出してもらう場合がある。
・顧客が所定の米国納税義務者である場合、上記に加え、「米国納税者番号(TIN)を含む米国財務省様式W-9」「米国内国歳入庁への報告に関する同意書」等の所定の書類を提出してもらう。

(3) 「米国納税義務者」とは

a　特定米国人

米国納税義務者から一定の要件に該当する者を除いた個人・法人をいう。

① 特定米国人に該当する例(報告対象)
　・米国市民
　・米国居住者(一般的に米国での滞在日数が183日以上の者をいう。滞在日数の計算には、対象年度の滞在日数に加え、前年の日数の3分の1に相当する日数と前々年の日数の6分の1に相当する日数も考慮される。また、永住権所有者は米国居住者に含まれる)
　・米国パートナーシップ
　・米国法人
　・米国財団
　・米国信託　　等
② 特定米国人に該当しない例(報告対象外)

- 米国上場法人
- 米国政府
- 米国非課税団体
- 米国銀行　　等

b　米国人所有の外国事業体

　実質的米国人所有者が1人以上いる外国事業体をいう。

　たとえば、法人においては、1人以上の特定米国人が25％を超える議決権または価値を有する場合をいう。なお、外国事業体のうち、一定の条件を満たす事業体は報告が免除されている。金融機関は、事業体に該当しない（原則、報告免除）。

　免除対象となる外国事業体の例として、以下があげられる。
- 上場法人およびその関連会社
- 政府機関等（政府、行政機関、国際組織、中央銀行等）
- 過年度の総所得のうち、投資所得が50％未満の事業体
- 一定の非営利団体、公益法人　　等

(4)　**保険会社において、FATCAの確認手続が必要となる場面**

　主に以下の場合に確認手続が必要となる。
- 生命保険契約や積立型保険契約の締結、契約者の変更、満期保険金の支払等の取引発生時
- 米国への移住等、契約者の状況が変化した場合

　なお、保険会社では、保険契約者に対して、契約期間中に、渡米等の環境の変化等によって、「特定米国人・米国人所有の外国事業体」に該当することとなった場合は、保険会社まで連絡するよう要請している。

(5)　**顧客が、確認手続に応じない、および米国内国歳入庁に対する報告に同意しない場合**

　保険会社は、保険契約の締結を行わないこととしている。

　契約締結後に、顧客が確認手続に応じない場合には、米国内国歳入庁の要請に基づき、該当の契約情報等を日米当局間で交換することとされている。

3 共通報告基準(日本版CRS)

(1) 沿 革

前述のFATCA成立を契機に、外国の金融機関等を利用した国際的な脱税および租税回避に対処するべく、金融口座の残高情報等を自動的に交換することを実施する機運が高まったことを受け、2014年2月、OECDにおいて、非居住者に係る金融口座情報を税務当局間で自動的に交換するための国際基準である「共通報告基準(CRS：Common Reporting Standard)」が公表され、日本を含む各国がその実施を約束した。この基準に基づき、各国の税務当局は、自国に所在する金融機関等①から非居住者が保有する金融口座情報②③の報告を受け、租税条約等の情報交換規定に基づき、その非居住者の居住地国の税務当局に対しその情報を提供することとなった。

① 金融口座情報を報告する義務を負う金融機関

銀行等の預金機関、生命保険会社等の特定保険会社、証券会社等の保管機関および信託等の投資事業体

② 報告の対象となる金融口座

普通預金口座等の預金口座、キャッシュバリュー保険契約・年金保険契約・積立型保険契約、証券口座等の保管口座および信託受益権等の投資持分

③ 報告の対象となる情報

口座保有者の氏名・住所(名称・所在地)、居住地国、外国の納税者番号、口座残高、利子・配当等の年間受取総額等

日本では、平成27年度税制改正において、「租税条約等の実施に伴う所得税法、法人税法及び地方税法の特例等に関する法律」(以下「実特法」という)の改正により、新たに金融機関等に口座開設等を行う者等は、金融機関等へ居住地国名等を記載した届出書の提出が必要となった。国内に所在する金融機関等は、毎年4月30日までに特定の非居住者の金融口座情報を所轄税務署長に報告し、報告された金融口座情報は、租税条約等の情報交換規定に基づき、各国税務当局と自動的に交換されることとなる[24]。

(2) **保険会社を含む報告金融機関等の実務**

　個人や法人等が保険会社を含む「報告金融機関等」と行う保険契約の締結、口座開設等を含む所定の取引（以下「特定取引」という）のうち、次の義務などがある。

① 報告金融機関等に対する新規届出書の提出

　報告金融機関等との間でその営業所等を通じて新規の特定取引を行う者は、特定取引を行う者（以下「特定対象者」という）の氏名または名称、住所または本店もしくは主たる事務所の所在地、居住地国、外国の納税者番号等（日本のマイナンバー（個人番号）は報告対象外)を記載した届出書を、その特定取引を行う際、当該報告金融機関等の営業所等の長に提出しなければならない（実特法10条の5第1号前段）。

② 報告金融機関等による所轄税務署長に対する報告事項の提供

　報告金融機関等は、その年の12月31日において、当該報告金融機関等との間でその営業所等を通じて特定取引を行った者が報告対象となる契約を締結している場合には、その契約ごとに特定対象者の氏名または名称、住所または本店もしくは主たる事務所の所在地、居住地国、外国の納税者番号等および当該契約に係る資産の価額、当該資産の運用、保有または譲渡による収入金額等を、その年の翌年4月30日までに、当該報告金融機関等の本店等の所在地の所轄税務署長に提供しなければならない（実特法10条の6第1号）。

(3) **共通報告基準（日本版CRS）およびFATCAの異同**

	共通報告基準	FATCA
根拠法令	租税条約等の実施に伴う所得税法、法人税法及び地方税法の特例等に関する法律（実特法）	米国法FATCA（外国口座税務コンプライアンス法）
法令等の整備	共通報告基準および共通報	日米共同声明（2012年6月21

24　制度の詳細は、国税庁ホームページ「共通報告基準（CRS）に基づく自動的情報交換に関する情報（「CRSコーナー」）」参照。http://www.nta.go.jp/sonota/kokusai/crs/

（わが国の対応）		基準コメンタリーの内容に合わせて国内法令を整備（2017年1月1日施行）。 ① 実特法 　第10条の5〜第10条の9、第13条第4項 ② 実特法政令 　第6条の2〜第6条の12 ③ 実特法省令 　第16条の2〜第16条の14	日、2013年6月11日、2013年12月18日） ※ＦＡＴＣＡ対応のための国内法令の整備は不要。不同意口座等に係る米国からの情報交換要請については、租税条約等実施特例法第8条の2および第9条を根拠として対応。
報告対象 金融口座		非居住者・外国法人が保有する金融口座（預金口座、保管口座、投資持分、特定の保険契約）	米国人（米国市民・米国居住者・米国法人等）が保有する米国外金融口座（預金口座、保管口座、投資持分、特定の保険契約）
報告対象情報			
	対象者の特定	氏名・名称、住所、居住地国、納税者番号、生年月日（さらに、法令上可能な場合、生誕地）	氏名・名称、住所、納税者番号
	保有口座	口座番号等および報告金融機関の名称（あれば、識別番号）	口座番号等、報告金融機関の名称および識別番号
	ストック	暦年末の時点の口座残高または価値 ※共通報告基準では、解約の事実の報告が求められる。	暦年末の時点もしくは解約時の口座残高または価値
	フロー	口座に保有する資産から生じた利子・配当等それぞれの年間総額	同左
	閾　　値	個人口座に閾値は設けない。法人の既存口座については、閾値（25万ドル）以下の口座は対象外とすることが可。	閾値（個人口座5万ドル、法人の既存口座25万ドル）以下の口座は対象外とすることが可。

全国判定	個人の既存口座のうち、低額口座（100万ドル以下）については、居住国判定にあたり、金融機関の選択により、居住地テスト（注）を採用可。	簡便法はない。
不遵守金融機関への対応策	各国税務当局による法的・行政的手続を通じた遵守の確保	外国金融機関に対して支払われる米国源泉支払に対して30％の源泉課税

（注） 原則として、既存口座については、口座保有者が報告先国の居住者であることを示唆する情報（個人に関してはID、住所、電話番号等、法人に関しては設立地等）を検索した結果、判定が困難な場合、本人より自己宣誓書を入手することが必要となるが、居住地テストでは、金融機関が現に保有している現住所の記録で居住地図の判定を行う。なお、新規口座については、口座開設者が提出する自己宣誓書による。

XIII　その他

1　民　　法

　保険会社やその代理店が、保険業務を遂行するうえで、さまざまな契約を締結することがあるが、これに違反すれば、当該契約の条項としてなんら明記されていなかったとしても、債務不履行を理由として損害賠償責任を負うことになる（民法415条）。また、契約関係になかったとしても、保険会社やその代理店の役職員が、故意または過失により、第三者に損害を生じさせた場合には、当該役職員のみならず、使用者である保険会社やその代理店も不法行為を理由として損害賠償責任を負うことになる（同法715条、709条）。

　また、保険契約は保険約款により規律されるが、保険約款には民法上の「定型約款」のルールが適用される（同法548条の2～548条の4）。

　高齢者が保険契約者となる場合も多いため、保険契約者側の行為を法的効力のあるものとして取り扱うために、成年後見や保佐・補助に関する規定（民法7条～18条）にも留意すべき場合がある。

　さらに、保険会社と代理店の関係は委任または準委任と考えられるため、民法上の委任の規定が適用されることになる（民法643条～656条）。もっとも、保険会社と代理店との間で締結される代理店業務委託契約書に民法上の委任の規定と異なる条項が定められた場合には、当該条項が優先的に適用されることになる。

　そして、保険会社の運用業務の内容いかんによっては、質権や（根）抵当権のほか、保証に関する規定（質権については民法342条～366条、（根）抵当権については同法369条～398条の22、（根）保証については同法446条～465条の10）が適用される場合もあるため、こうした規定にも留意すべき場合がある。

2　消費者契約法

　消費者契約法は、消費者と事業者との間の情報の質および量ならびに交渉

力の格差にかんがみ、事業者の一定の行為により消費者が誤認し、または困惑した場合について契約の申込み等を取り消すことができることとするとともに（同法4条）、事業者の損害賠償責任を免除する条項その他の消費者の利益を不当に害する条項の全部または一部を無効とするほか（同法8条〜10条）、消費者の被害の発生または拡大を防止するため適格消費者団体が事業者等に対し差止請求をすること（同法12条）などを定め、消費者の利益の擁護を図り、国民生活の安定向上と国民経済の健全な発展に寄与することを目的とした法律である。消費者契約法は、保険契約についても適用される。したがって、保険会社やその代理店としては、保険契約の締結について勧誘をするに際し、たとえば、重要事項について事実と異なることを告げたり、将来において契約者等が受け取るべき金額や、将来における変動が不確実な事項につき断定的判断を提供したりすること等によって、消費者を誤認させた結果、保険契約の申込みが取り消されることのないよう（同法4条1項）、保険募集にあたって留意する必要がある。

　なお、保険契約は金融庁の認可を受ける保険約款により規律され、実務的には、認可を受ける際に、消費者の利益を不当に害する条項がないことを確認しているが、万が一にも、保険約款の全部または一部が無効になることがないよう、保険約款の作成にあたって留意する必要がある。

3　会 社 法
(1)　会社法と株式会社・相互会社
　会社法については、保険会社が株式会社であれば、特に株式（同法第2編第2章）、機関（同法第2編第4章）および計算等（同法第2編第5章）に関する条項に留意する必要があり、また、保険会社が相互会社であっても、基本的には保険業法が適用されるものの（法18条〜67条の2）、保険業法上、会社法の条文が多数準用されているため、会社法にも留意する必要がある。

(2)　内部統制システムの構築義務
　会社法の規律は多岐にわたるため、本書の趣旨にかんがみ逐一言及するこ

とは控えるが、保険会社の経営上、重要なポイントの1つとして、内部統制システムの構築義務をあげることができる。会社法は、大会社について、内部統制システムの体制確立に関する事項を取締役会の決定事項としたため（同法362条5項）、具体的には、①取締役の職務の執行が法令および定款に適合することを確保するための体制（同法362条4項6号）、②取締役の職務の執行に係る情報の保存および管理に関する体制（同法施行規則100条1項1号）、③損失の危険の管理に関する規程その他の体制（同項2号）、④取締役の職務の執行が効率的に行われることを確保するための体制（同項3号）、⑤使用人の職務執行が法令および定款に適合することを確保するための体制（同項4号）、⑥子会社の取締役等の職務の執行に係る事項の当該株式会社への報告に関する体制、子会社の損失の危険の管理に関する規程その他の体制、子会社の取締役等の職務の執行が効率的に行われることを確保するための体制、子会社の取締役等および使用人の職務の執行が法令および定款に適合することを確保するための体制、その他の当該株式会社ならびにその親会社および子会社からなる企業集団における業務の適正を確保するための体制（同項5号）、⑦監査役がその職務を補助すべき使用人を置くことを求めた場合における当該使用人に関する事項（同条3項1号）、⑧同項1号の使用人の取締役からの独立性に関する事項（同項2号）、⑨監査役の同項1号の使用人に対する指示の実効性の確保に関する事項（同項3号）、⑩取締役および会計参与ならびに使用人が監査役に報告をするための体制、子会社の取締役、会計参与、監査役、執行役、業務を執行する社員等その他これらの者に相当する者および使用人またはこれらの者から報告を受けた者が当該監査役設置会社の監査役に報告をするための体制その他の監査役への報告に関する体制（同法施行規則100条3項4号）、⑪同項4号の報告をした者が当該報告をしたことを理由として不利な取扱いを受けないことを確保するための体制（同項5号）、⑫監査役の職務の執行について生ずる費用の前払いまたは償還の手続その他の当該職務の執行について生ずる費用または債務の処理に係る方針に関する事項（同項6号）、⑬その他監査役の監査が実効的に行われる

ことを確保するための体制（同項7号）について、取締役会設置の大会社である保険会社の取締役会においても決定する必要がある（相互会社についても保険業法53条の14第5項等において同様の規定が設けられている）。また、これらの事項は一度決定すればよいというものではなく、保険会社の置かれた状況に応じて適宜変更していく必要があるため、法令および社会情勢等の変化に応じた体制整備が求められることに留意する必要がある。なお、取締役がかかる義務を果たさなかった場合は、善管注意義務違反を問われ、当該義務懈怠により保険会社に生じさせた損害を個人的に賠償する義務を負わなければならない。

4 刑　　法

保険会社の業務遂行にあたり、犯罪行為が行われるリスクは皆無ではなく、後述するとおり、保険会社の業務を遂行するに際しての詐欺、横領、背任その他の犯罪行為は不祥事件届出の対象にもなっていることからすれば（規則85条5項1号、Q68参照）、保険会社やその代理店は、保険業務の遂行にあたり、保険料の費消・流用に代表されるような犯罪行為が行われることがないよう、役職員に対する教育・管理・指導を徹底する必要がある。

5 労働関係法規

労働基準法は、労働時間や休日・休暇などについて労働条件の最低基準を定めている法律で、日本で行われるすべての労働関係において必ず守られなければならない強行法規である。労働基準法は、労働条件の基準を定めるほか、均等待遇原則（同法3条）、男女同一賃金の原則（同法4条）、強制労働の禁止（同法5条）等の総則のほか、労働契約の期間（同法14条）、解雇予告（同法20条）等の労働契約に関する事項、賃金、労働時間、休憩、休日、年次有給休暇、年少者や女子に対する保護規定、就業規則に関する事項等が定められている。したがって、保険会社やその代理店において、労務管理を担当する役職員は、かかる労働基準法の規制を理解し、これを遵守しなければ

ならない。

　また、労働契約法は、就業規則で定める基準に達しない労働条件を定める労働契約を無効とし（同法12条）、客観的に合理的な理由を欠き、社会通念上相当であると認められない解雇を無効とするほか（同法16条）、2回以上契約期間通算5年を超える有期契約労働者の無期契約労働者への転換権（同法18条）や、いわゆる雇止め法理（同法19条）を定めるなど労働契約に関する基本的かつ重要なルールを定めている。短時間労働者および有期雇用労働者の雇用管理の改善等に関する法律（以下「パートタイム・有期雇用労働法」という）は、職務の内容、職務の内容および配置の変更の範囲、その他の事情を考慮して、正社員・非正規労働者間の不合理な待遇差を禁止している。これらの規律も留意する必要がある。

　その他の留意すべき労働関係法規としては、最低賃金法、労働安全衛生法、高年齢者雇用安定法、労働者派遣事業法、雇用保険法、労働者災害補償保険法のほか、パワー・ハラスメントの予防・防止のための事業者の体制整備義務や労使の責務を定めた労働施策総合推進法[25]、セクシュアル・ハラスメントおよびマタニティ・ハラスメントの予防・防止のための事業者の体制整備義務や労使の責務を定めた男女雇用機会均等法等[26]をあげることができる。

25　労働施策の総合的な推進並びに労働者の雇用の安定及び職業生活の充実等に関する法律
26　雇用の分野における男女の均等な機会及び待遇の確保等に関する法律

第2章

顧客本位の業務運営に関する原則

Ⅰ 顧客本位の業務運営に関する原則

Q1 「顧客本位の業務運営に関する原則」は、どのような経緯で定められたのか。

A 金融審議会に設置された市場ワーキング・グループにおける審議の過程で、国民の安定的な資産形成と顧客本位の業務運営（フィデューシャリー・デューティー）等について提言がなされた。この提言をふまえ、金融事業者が顧客本位の業務運営におけるベスト・プラクティスを目指すうえで有用と考えられる原則が定められた。

=== 解　説 ===

　2016年4月19日の金融審議会総会の諮問を受けて、金融審議会に市場ワーキング・グループが設置され、国民の安定的な資産形成とフィデューシャリー・デューティー[1]等について審議が行われた。金融庁は、「金融事業者が、当局に目を向けるのではなく、顧客と向き合い、各社横並びではない主体的で多様な創意工夫を通じて、顧客に各種の情報を分かりやすく提供するなど、顧客の利益に適う金融商品・サービスを提供するためのベスト・プラクティスを不断に追求することが求められる」とし、また、「全ての金融事業者において、顧客本位の業務運営（最終的な資金提供者・受益者の利益を第一に考えた業務運営）を行うべきとのプリンシプルが共有され、実行されていく必要がある」とした。金融事業者は、真に顧客のために主体的に行動し、顧客本位の業務運営を行っているかが検証されることとなったのであ

---

[1] 金融事業者が負うべき「フィデューシャリー・デューティー」とは、「他者の信任に応えるべく一定の任務を遂行する者が負うべき幅広い様々な役割・責任の総称」である。

る。

　市場ワーキング・グループは、国民の安定的な資産形成を図るためには、金融商品の販売、助言、商品開発、資産管理、運用等を行うすべての金融機関等（以下「金融事業者」という）が、顧客本位の業務運営に努めることが重要との観点から審議を行い、2016年12月22日に報告書を公表した[2]。この報告書の提言を受け、2017年３月30日、「顧客本位の業務運営に関する原則」[3]が策定された。

　なお、同原則策定後、金融事業者の取組状況や同原則を取り巻く環境の変化をふまえ、2019年10月から市場ワーキング・グループが再開され、顧客本位の業務運営のさらなる進展に向けた方策について検討が行われた。同ワーキング・グループにおいては、本原則の具体的内容の充実や金融事業者の取組みの「見える化」の促進などに関する議論があり、本原則の改訂案について提言が行われた。当該提言を受け、2021年１月15日、本原則が改訂された。

Q2 「顧客本位の業務運営に関する原則」の内容はどのようなものか。

A　　金融庁「顧客本位の業務運営に関する原則」は、顧客本位の業務運営に関する方針の策定・公表等（原則１）、顧客の最善の利益の追求（原則２）、利益相反の適切な管理（原則３）、手数料等の明確化（原則４）、重要な情報の分かりやすい提供（原則５）、顧客にふさわしいサービスの提供（原則

---

[2] 金融審議会市場ワーキング・グループ報告「国民の安定的な資産形成に向けた取組みと市場・取引所を巡る制度整備について」（2016年12月22日）
[3] 「フィデューシャリー・デューティー」に関する原則の頭文字をとって、実務家の間では「FD原則」と称されることがある。

6)、従業員に対する適切な動機づけの枠組み等（原則7）の7原則からなる。

=== 解　説 ===

2017年3月30日公表（2021年1月15日改訂）の金融庁「顧客本位の業務運営に関する原則」は、後述の7つの原則からなる。

保険会社や保険代理店ら「金融事業者」においては、顧客本位の業務運営に関する原則を採択したときは、
・顧客本位の業務運営を実現するための明確な方針を策定・公表したうえで、
・当該方針に係る取組状況を定期的に公表するとともに、
・当該方針を定期的に見直す
ことが求められる（原則1）。

さらに、当該方針には、原則2～7、すなわち、顧客の最善の利益の追求（原則2）、利益相反の適切な管理（原則3）、手数料等の明確化（原則4）、重要な情報の分かりやすい提供（原則5）、顧客にふさわしいサービスの提供（原則6）、従業員に対する適切な動機づけの枠組み等（原則7）（各々の原則に付されている（注）を含む）に示されている内容ごとに、
・実施する場合にはその対応方針
・実施しない場合にはその理由や代替策
を、わかりやすい表現で盛り込むとともに、これに対応したかたちで取組状況を明確に示すことが求められる。

原則	内容	（注）
原則1 顧客本位の業務運営に関する方針の策定・公表等	金融事業者は、顧客本位の業務運営を実現するための明確な方針を策定・公表するとともに、当該方針に係る取組状況を定期的に公表	（注） 金融事業者は、顧客本位の業務運営に関する方針を策定する際には、取引の直接の相手方としての顧客だけでなく、インベストメント・チェーンにおける最終受益者としての顧客をも念頭に置くべきである。

	すべきである。 当該方針は、より良い業務運営を実現するため、定期的に見直されるべきである。	
原則2 顧客の最善の利益の追求	金融事業者は、高度の専門性と職業倫理を保持し、顧客に対して誠実・公正に業務を行い、顧客の最善の利益を図るべきである。 金融事業者は、こうした業務運営が企業文化として定着するよう努めるべきである。	（注） 金融事業者は、顧客との取引に際し、顧客本位の良質なサービスを提供し、顧客の最善の利益を図ることにより、自らの安定した顧客基盤と収益の確保につなげていくことを目指すべきである。
原則3 利益相反の適切な管理	金融事業者は、取引における顧客との利益相反の可能性について正確に把握し、利益相反の可能性がある場合には、当該利益相反を適切に管理すべきである。 金融事業者は、そのための具体的な対応方針をあらかじめ策定すべきである。	（注） 金融事業者は、利益相反の可能性を判断するに当たって、例えば、以下の事情が取引又は業務に及ぼす影響についても考慮すべきである。 ・販売会社が、金融商品の顧客への販売・推奨等に伴って、当該商品の提供会社から、委託手数料等の支払を受ける場合 ・販売会社が、同一グループに属する別の会社から提供を受けた商品を販売・推奨等する場合 ・同一主体又はグループ内に法人営業部門と運用部門を有しており、当該運用部門が、資産の運用先に法人営業部門が取引関係等を有する企業を選ぶ場合
原則4 手数料等の明確化	金融事業者は、名目を問わず、顧客が負担する手数料その他の費用の詳細を、当該手数料等がどのようなサービスの対価に関するもの	

	かを含め、顧客が理解できるよう情報提供すべきである。	
原則5 重要な情報の分かりやすい提供	金融事業者は、顧客との情報の非対称性があることを踏まえ、上記原則4に示された事項のほか、金融商品・サービスの販売・推奨等に係る重要な情報を顧客が理解できるよう分かりやすく提供すべきである。	（注1） 重要な情報には以下の内容が含まれるべきである。 ・顧客に対して販売・推奨等を行う金融商品・サービスの基本的な利益（リターン）、損失その他のリスク、取引条件 ・顧客に対して販売・推奨等を行う金融商品の組成に携わる金融事業者が販売対象として想定する顧客属性[4] ・顧客に対して販売・推奨等を行う金融商品・サービスの選定理由（顧客のニーズ及び意向を踏まえたものであると判断する理由を含む） ・顧客に販売・推奨等を行う金融商品・サービスについて、顧客との利益相反の可能性がある場合には、その具体的内容（第三者から受け取る手数料等を含む）及びこれが取引又は業務に及ぼす影響 （注2） 金融事業者は、複数の金融商品・サービスをパッケージとして販売・推奨等する場合には、個別に購入することが可能であるか否かを顧客に示すとともに、パッケージ化する場合としない場合を顧客が比較することが可能となるよう、それぞれの重要な情報について提供すべきである（（注2）～（注5）は手数料等の情報を提供する場合においても同じ）。 （注3）

---

[4] 2021年1月15日に改訂された箇所である。

		金融事業者は、顧客の取引経験や金融知識を考慮の上、明確、平易であって、誤解を招くことのない誠実な内容の情報提供を行うべきである。 （注4） 金融事業者は、顧客に対して販売・推奨等を行う金融商品・サービスの複雑さに見合った情報提供を、分かりやすく行うべきである。単純でリスクの低い商品の販売・推奨等を行う場合には簡潔な情報提供とする一方、複雑又はリスクの高い商品の販売・推奨等を行う場合には、顧客において同種の商品の内容と比較することが容易となるように配意した資料を用いつつ[5]、リスクとリターンの関係など基本的な構造を含め、より分かりやすく丁寧な情報提供がなされるよう工夫すべきである。 （注5） 金融事業者は、顧客に対して情報を提供する際には、情報を重要性に応じて区別し、より重要な情報については特に強調するなどして顧客の注意を促すべきである。
原則6 顧客にふさわしいサービスの提供	金融事業者は、顧客の資産状況、取引経験、知識及び取引目的・ニーズを把握し、当該顧客にふさわしい金融商品・サービスの組成、販売・推奨等を行	（注1）[6] 金融事業者は、金融商品・サービスの販売・推奨等に関し、以下の点に留意すべきである。 ・顧客の意向を確認した上で、まず、顧客のライフプラン等を踏まえた目標資産額や安全資産と投資性資産の適切な割合を

---

[5] 2021年1月15日に改訂された箇所である。この点、2020年8月の市場ワーキング・グループ報告書20～22頁では、「重要情報シート」の活用が示唆されている。
[6] 2021年1月15日に改訂された箇所である。顧客にふさわしいサービスの提供（原則6）の留意点として、新たに、①ポートフォリオの追加、②類似・代替商品を横断的に比較、③長期的な視点に配慮した適切なフォローアップの観点が追加された。

	うべきである。		検討し、それに基づき、具体的な金融商品・サービスの提案を行うこと ・具体的な金融商品・サービスの提案は、自らが取り扱う金融商品・サービスについて、各業法の枠を超えて横断的に、類似商品・サービスや代替商品・サービスの内容（手数料を含む）と比較しながら行うこと ・金融商品・サービスの販売後において、顧客の意向に基づき、長期的な視点にも配慮した適切なフォローアップを行うこと （注2） 金融事業者は、複数の金融商品・サービスをパッケージとして販売・推奨等する場合には、当該パッケージ全体が当該顧客にふさわしいかについて留意すべきである。 （注3） 金融商品の組成に携わる金融事業者は、商品の組成に当たり、商品の特性を踏まえて、販売対象として想定する顧客属性を特定・公表するとともに、商品の販売に携わる金融事業者においてそれに沿った販売がなされるよう留意すべきである。 （注4） 金融事業者は、特に、複雑又はリスクの高い金融商品の販売・推奨等を行う場合や、金融取引被害を受けやすい属性の顧客グループに対して商品の販売・推奨等を行う場合には、商品や顧客の属性に応じ、当該商品の販売・推奨等が適当かより慎重に審査すべきである。

		(注5) 金融事業者は、従業員がその取り扱う金融商品の仕組み等に係る理解を深めるよう努めるとともに、顧客に対して、その属性に応じ、金融取引に関する基本的な知識を得られるための情報提供を積極的に行うべきである。
原則7 従業員に対する適切な動機づけの枠組み等	金融事業者は、顧客の最善の利益を追求するための行動、顧客の公正な取扱い、利益相反の適切な管理等を促進するように設計された報酬・業績評価体系、従業員研修その他の適切な動機づけの枠組みや適切なガバナンス体制を整備すべきである。	(注) 金融事業者は、各原則(これらに付されている注を含む)に関して実施する内容及び実施しない代わりに講じる代替策の内容について、これらに携わる従業員に周知するとともに、当該従業員の業務を支援・検証するための体制を整備すべきである。

Q3 「KPI」とは何か。

A KPI(Key Performance Indicator)とは、取組方針や顧客本位の業務運営の定着度合いを客観的に評価できるようにするための成果指標のことであり、目的達成のための重要な活動過程を数値目標で表したものである。金融事業者としては、「顧客本位の業務運営」を定着させるために、どのような活動をしていくべきかを考え、これに関する具体的な数値目標であるKPIを設定・公表し、実際に活動していくことが重要となる。

=== 解　説 ===

1　KPIとは

「KPI」とは、「顧客本位の業務運営の定着度合いを客観的に評価できるようにするための評価指標」と定義されている[7]。

KPIとは、ゴールの「状態」を表す数字ではなく、ゴール達成のための重要な「活動過程（活動プロセス）」を数値目標で表したものである。

2　共通KPIと自主的なKPI

KPIには、「共通KPI」と、共通KPI以外の「自主的なKPI」がある。

共通KPIとは、現時点において販売会社が保有するデータから算出可能であり、ビジネスモデルによらず金融事業者間で比較可能かつ端的な指標として金融庁が示した、以下の3つの指標である。

共通KPI
① 運用損益別顧客比率
② 投資信託預り残高上位20銘柄のコスト・リターン
③ 投資信託預り残高上位20銘柄のリスク・リターン

金融庁は、顧客本位の業務運営に関する原則に基づき、顧客が優れた金融事業者を選別しやすい環境を整備するために、金融事業者の取組みの「見える化」を促進する観点から、顧客本位の業務運営に関する原則を採択し、顧客本位の業務運営への取組方針や取組成果（自主的なKPI・共通KPIのいずれかまたは両方）を公表している金融事業者のみをリスト化し、四半期に一度、金融庁ウェブサイトで公表情報を更新している。もっとも、共通KPIまたは自主的なKPIのいずれかを公表しなければ、顧客本位の業務運営に向け

---

[7]　平成30年6月29日金融庁「投資信託の販売会社における比較可能な共通KPIについて」参照。

た取組成果を公表している金融事業者とは認められないとされている。

　投資信託等を販売せず共通KPIを採択しない多くの一般保険代理店では、顧客本位の業務運営の観点から、自主的KPIを定め公表している[8]、[9]。

Q4 近時の行政処分のうち、「顧客本位の業務運営の原則」に関して言及されたものはあるか。

A 　保険会社に対するものではないが、「顧客本位の業務運営に関する意識が乏しい企業文化となっている」「顧客本位の業務運営上の問題が認められる」旨を厳しく指摘するものがある。

=========================　解　説　=========================

　顧客本位の業務運営に関する原則は、金融事業者がとるべき行動について詳細に規定する「ルールベース・アプローチ」ではなく「プリンシプル・

---

[8] 共通KPI以外に定量的な取組成果を公表した場合にはじめて、自主的なKPIを公表した事業者として集計される。自主的なKPIの指標を策定したものの、自主的なKPIを公表していない場合、または、定性的な取組成果のみを公表した場合等、共通KPI以外に定量的な取組成果を公表していない場合には、自主的なKPIを公表したとは認められない（令和元年11月6日金融庁ウェブサイト「金融事業者リストの今後の公表方法及び取組成果の公表に関する留意事項について」参照）。

[9] KPIとは異なるが、保険代理店の業務品質について、各保険会社・保険代理店における顧客本位の業務運営の観点から、2018年6月以降、代理店手数料の評価基準に、代理店の業務品質を加える取組みを進めてきている。生命保険協会は、顧客本位の業務運営の後押しに資する代理店業務品質のあり方等に関する調査・研究を目的に、「代理店業務品質のあり方等に関するスタディーグループ」を設置している。

　代理店業務品質のあり方等に関するスタディーグループは、「保険加入を判断するにあたり顧客が代理店に求めるもの」を業務品質と定義づけ、①理想的な代理店に求められる「4つの業務品質の要素（＝評価軸）」として「顧客対応」「ガバナンス」「個人情報保護」「アフターフォロー」を定義し、②「4つの業務品質の要素」ごとに、顧客が求める理想的な代理店となるために必要な取組みとして、業務品質評価項目（案）を設定し、③業務品質評価項目ごとに、必要な具体的取組みの観点を「評価の視点」として設定することを提案し、業務品質評価項目の精緻化を進めている。

ベース」の原則であることから、これに違反したことが直ちに法令違反となるものではない。しかしながら、近時、金融当局は、不祥事件の発生原因として「役職員全体の法令等遵守や顧客保護及び顧客本位の業務運営に関する意識が乏しい企業文化となっている」ケースにおいて、この旨を厳しく指摘したうえで大きな行政処分を課している。常日頃から、顧客本位の業務運営態勢を確立し、全社的な意識を向上する取組みが重要であることを強く示唆しているものといえる。

(行政処分例1) 平成30年7月13日関東財務局・東日本銀行

> 当行に対して実施した検査結果や銀行法第24条第1項に基づき求めた報告を検証したところ、当行の法令等遵守態勢、顧客保護及び**顧客本位の業務運営態勢**、経営管理態勢について、以下の問題が認められた。
> (1) 顧客の利益を害する業務運営
>   数多くの支店において広範に（略）しているなど、顧客に不必要な負担を強いるといった顧客保護及び**顧客本位の業務運営上の問題**が認められる。
>   （中略）
> (5) 上記(1)から(4)までの問題発生の要因としては、役職員の法令等遵守や顧客保護及び**顧客本位の業務運営に関する意識が乏しい企業文化**となっている中、経営陣が、新規取引獲得に偏重した営業姿勢の下、収益確保やOHRの低下を優先し、業務の適切性を確保するための内部管理態勢の整備を十分に行ってこなかったことが根本原因であると認められる。

(行政処分例2) 平成30年10月5日金融庁・スルガ銀行

> (3) 健全かつ適切な業務運営を確保するため、以下を実行すること。
>   ② 法令等遵守、顧客保護及び**顧客本位の業務運営態勢**の確立（当

> 局への正確な報告の実施にかかるものや過去の不正行為等に関する必要な実態把握を含む）と全行的な意識の向上及び健全な企業文化の醸成
>
> 　　　　　（中略）
>
> 　当庁による立入検査の結果や銀行法第24条第1項に基づき求めた報告を検証したところ、当行の法令等遵守態勢、顧客保護及び**顧客本位の業務運営態勢**、信用リスク管理態勢、経営管理態勢等について、以下の問題が認められた。

第 3 章

保険募集に関する
コンプライアンス

第 1 節　募集管理

I　募集人の登録・届出

Q5　保険募集をする者の登録・届出制度はどのようになっているか。

A　生命保険募集人は、すべての者に登録が義務づけられている。損害保険募集人については、損害保険代理店は登録、損害保険代理店の役職員は届出が義務づけられているが、損害保険会社の役職員は登録・届出を行う必要がない。

―― 解　説 ――

1　保険募集をする者に対する登録制度・届出制度

　保険業法は、保険商品および保険募集の形態ごとに保険募集ができる者を規定し（生命保険募集人・損害保険募集人・保険仲立人）、それらの者以外の者が保険募集を行うことを禁止している（法275条）。

　加えて、それらの者のうち、生命保険募集人、損害保険代理店および保険仲立人には登録義務（法276条、286条）、損害保険代理店または保険仲立人の役員または使用人には届出義務（法302条）を課している[1]。

---

[1]　生命保険募集人、損害保険代理店または少額短期保険募集人（特定少額短期保険募集人を除く）をまとめて特定保険募集人という（法276条）。なお、法303条により、帳簿・書類作成・保管業務等が課される特定保険募集人（Q24参照）とは異なるものである。

2 生命保険募集人

生命保険募集人とは、以下の①～④の者で、その生命保険会社のために保険契約の締結または媒介を行うものをいう（法2条19項）。

---
① 生命保険会社の役員もしくは使用人（代表権を有する役員、監査役および監査委員は除く）
② ①の使用人
③ 生命保険会社の委託を受けた者（いわゆる生命保険代理店）もしくはその者の再委託を受けた者
④ ③の役員もしくは使用人

生命保険募集人は、すべての者に登録が義務づけられており（法276条）、登録後、初めて保険募集を行うことができる。

3 損害保険募集人・損害保険代理店

損害保険募集人とは、以下の①～③の者をいう（法2条20項）。

---
① 損害保険会社の役員もしくは使用人（代表権を有する役員、監査役および監査委員は除く）
② 損害保険代理店（損害保険代理店から再委託を受けた者を含む）
③ ②の役員もしくは使用人

損害保険募集人については、損害保険代理店は登録することが求められているが（法276条）、損害保険代理店の役員もしくは使用人は届出をすることで足り（法302条）、損害保険会社の役員もしくは使用人はなんらの登録・届出することも求められていない。このように生命保険募集人と損害保険募集人とでその登録範囲が異なるのは、歴史的な経緯（戦後、生命保険会社の使用人による不適切募集が多発した）、および主たる募集チャネルの違い（生命保険

会社の使用人である営業職員は主たる募集チャネルであるが、損害保険会社の使用人は特に個人向けの保険を取り扱うことは少なく、損害保険代理店が主たる募集チャネルである）等に基づく[2]。

4　保険仲立人

　保険仲立人とは、保険契約の締結の媒介であって生命保険募集人、損害保険募集人がその所属保険会社等のために行う保険契約の締結の媒介以外のものを行う者をいう（法2条25項）。生命保険募集人および損害保険募集人は、「保険会社のために」保険募集を行う者であるのに対し、保険仲立人は「保険会社から独立した立場」で、顧客のために保険募集を行う唯一の者である。これは、平成7年保険業法改正において、旧募取法のもとで認められていなかった保険ブローカーの制度をわが国に導入したものである。もっとも、厳格すぎるとも思える規制が保険仲立人に課された結果、現在までのところ、保険仲立人は法人向けの損害保険商品において利用される程度となってしまっている。

　損害保険仲立人または生命保険仲立人は登録が求められており（法286条）、その役員もしくは使用人は届出をすることで足りる（法302条）。

5　罰則（無登録・無届募集）

　生命保険募集人・損害保険代理店・保険仲立人以外の者が保険募集を行った場合は、無登録募集として1年以下の懲役もしくは100万円以下の罰金となる（法317条の2第4号）。また、違反行為を行った者の当該法人等（保険会社もしくは代理店等）に対しても罰金が科される（法321条1項4号）。

　これに対して、損害保険代理店の役員もしくは使用人が募集人届出をすることなく保険募集を行った場合には、無届募集として、50万円以下の過料が

---

[2] 生命保険会社と損害保険会社との取扱商品の垣根が低くなっているなかで（いわゆる第三分野保険）、このような登録制度の違いを維持すべきかについては検討の余地があろう。

科される（法337条2号）。

Ⅱ 保険募集の意義

Q6 保険募集とは、どのような行為をいうか。

　保険募集とは、保険契約の締結の代理または媒介を行うことをいう。監督指針において、保険契約の締結の勧誘、勧誘を目的とした保険商品の内容説明、保険契約の申込みの受領が、募集行為として例示されているほか、保険募集の該当性基準として、①保険会社や保険募集人などからの報酬を受け取る場合やそれらの者と資本関係等を有する場合など、保険会社または保険募集人が行う保険募集行為と一体性・連続性を推測させる事情があること、②具体的な保険商品の推奨・説明を行うものであること、の要件に照らして総合的に判断する旨が規定されている。

なお、商品案内チラシの単なる配布、コールセンターのオペレーターが行う、事務手続等についての説明、一般的な保険商品の仕組みなどのセミナー、保険会社または保険募集人の広告については、基本的に保険募集に該当しない旨もあわせて規定されている。

=== 解　説 ===

1　保険募集の定義

保険募集とは、保険契約の締結の代理または媒介を行うことをいう（法2条26項）。保険契約の締結の「代理」とは、保険会社の名において保険会社のために保険契約の締結を行うことをいい、保険契約の締結の「媒介」とは、保険会社と契約者との間の保険契約の締結へ向けて仲介・あっせんを行うことをいう。保険募集には勧誘行為といったものを広く含むと解されており、法的にみれば、保険募集は、保険契約の申込みの勧誘、当該申込みの受

領、当該申込みの承諾という、保険契約の締結に至るまでの一連の法律行為の全部または一部の代理または媒介であると解されている[3]。

近時、コールセンターやインターネットなどを利用した募集行為のアンバンドリング化が進み、個々の行為が「保険募集」に該当するかが、種々の保険募集規制[4]の適用を判断するうえで重要となっている。加えて、いわゆる比較サイトや紹介行為のように、見込客の発掘から契約成立に至るまでの広い意味での保険募集プロセス（広義の保険募集プロセス）のうち、必ずしも保険募集の定義に該当することが明らかでない行為について、保険募集人以外の者が増加している[5]。

そこで、平成26年保険業法改正において、保険募集の該当性についての判断基準が示されるとともに、広義の保険募集プロセスのうち保険募集に該当しない行為を新たに「募集関連行為」と定義し規制対象とした（募集関連行為についてはQ7参照）。

2　保険募集に該当する行為

以下の行為が保険募集に該当する（監督指針Ⅱ-4-2-1(1)①）。

ア．保険契約の締結の勧誘
イ．保険契約の締結の勧誘を目的とした保険商品の内容説明
ウ．保険契約の申込みの受領
エ．その他の保険契約の締結の代理または媒介

---

[3] 安居孝啓『改訂版　最新保険業法の解説』（大成出版社、平成22年）940頁。
[4] 保険募集人としての登録・届出の要否（法275条）のほか、保険募集に関する禁止行為を定めた法300条1項「保険募集」や銀行窓販における弊害防止措置など。
[5] 平成25年WG報告書22頁。

3 保険募集の該当性基準

上記2「エ．その他の保険契約の締結の代理または媒介」は、いわゆるバスケットクローズであり、いかなる行為が該当するかについては、一連の行為のなかで、当該行為の位置づけをふまえたうえで、以下のアおよびイの要件に照らして、総合的に判断される（監督指針Ⅱ－4－2－1(1)②）。

> ア．保険会社または保険募集人などからの報酬を受け取る場合や、保険会社または保険募集人と資本関係等を有する場合など、保険会社または保険募集人が行う募集行為と一体性・連続性を推測させる事情があること。
> イ．具体的な保険商品の推奨・説明を行うものであること。

アの要件は、報酬の受領などにより過度・不適切な勧誘・推奨がなされる可能性が高まることを考慮したものであり、イの要件は、前段階で具体的な説明がなされると保険募集人による保険商品等の説明の理解を困難にするおそれがあることを考慮したものである[6]。

(1) 報酬や資本関係等から、保険会社または保険募集人が行う募集行為と一体性・連続性を推測させる事情があること（アの要件）

ここでいう「報酬」には、いかなる体系の報酬も含まれうる[7]。つまり、成功報酬制（インセンティブ報酬[8]）だけでなく、紹介1件につき定額の紹介料を支払う定額制も含まれうる。なお、監督指針において、「保険募集人が、高額な紹介料やインセンティブ報酬を払って募集関連行為従事者から見込客の紹介を受ける場合、一般的にそのような報酬体系は保険募集関連行為従事者が本来行うことができない具体的な保険商品の推奨・説明を行う蓋然

---

[6] 平成25年WG報告書23頁。
[7] 平成27年パブコメ243番。
[8] インセンティブ報酬とは、紹介者数や紹介者の保険契約の手数料等に応じて増加する報酬をいう（平成27年パブコメ248・249番）。

性を高めると考えられることに留意する」(監督指針Ⅱ-4-2-1(2)(注))とされている点に注意する必要がある。

ここでいう「資本関係等」でいう「等」には、役職員の出向・派遣などの人的関係も含まれる[9]。なお、資産運用の観点からわずかな資本関係を有するに至ったことは、ここでいう資本関係に該当しないが、たとえば、平成10年大蔵省告示第238号第1条第1号イ〜ニに掲げる法人に該当するような場合には、一定程度、一体性・連続性を推測させる事情があるとみなされうる[10]。

(2) **具体的な保険商品の推奨・説明を行うものであること(イの要件)**

ここでいう「推奨」に該当するか否かは、事案に応じてさまざまであり、一連の行為のなかで、当該行為の位置づけや内容をふまえ総合的に判断する必要があるとされている[11]。なお、特定の保険会社や保険商品を推奨するような意味合いで保険会社名等を告げる行為は、ここでいう「推奨」に該当する場合もありうる[12]。

(3) **「総合的に判断」の意味**

「総合的に判断」とは、アとイのいずれにも該当するか否かを判断し、アとイの両方に該当する場合には、具体的な報酬額の水準や商品の推奨、説明の程度などを総合的に判断することをいう[13]。

注意すべき点としては、アとイの両方の要件を満たしていなくとも、いずれかの要件さえ満たしていれば保険募集に該当する場合があるということである。具体的には、紹介者が社会通念上の紹介料の範囲を超えた手数料(報酬)を受け取っている場合は、たとえ具体的な保険商品の推奨・説明を行っていない場合であっても、その紹介者は保険募集を行っているとみなされるおそれがあるということである。

---

9 平成27年パブコメ189番等。
10 平成27年パブコメ192番。
11 平成27年パブコメ251番等。
12 平成27年パブコメ257番。
13 平成27年パブコメ203〜207番。

4 募集関連行為のうち留意を要する場合

紹介行為や比較サイトは、基本的に保険募集ではなく、募集関連行為（Q7参照）に該当するが、以下の行為については、保険募集に該当しうる（監督指針Ⅱ-4-2-1(2)（注2））。

> ア．業として特定の保険会社の商品（群）のみを見込み客に対して積極的に紹介して、保険会社または保険募集人などから報酬を得る行為
> イ．比較サイト等の商品情報の提供を主たる目的としたサービスを提供する者が、保険会社または保険募集人などから報酬を得て、具体的な保険商品の推奨・説明を行う行為

なお、比較サイトの保険募集該当性について、「比較サイトに商品情報を掲載したうえで、保険会社等のサイトに遷移する仕組みを構築して報酬を得る行為が、保険募集または募集関連行為に該当するかは、報酬の多寡や当該サイトの画面、具体的な表示内容等をふまえたうえで、総合的に判断する必要がある」とされる[14]。

5 保険募集・募集関連行為に該当しない行為

基本的に保険募集・募集関連行為（Q7参照）に該当しない行為として、以下の行為が監督指針に例示されている（監督指針Ⅱ-4-2-1(2)（注3））。

> ア．保険会社または保険募集人の指示を受けて行う、商品案内チラシの単なる配布
> イ．コールセンターのオペレーターが行う、事務的な連絡の受付や事務手続等についての説明
> ウ．金融商品説明会における、一般的な保険商品の仕組み、活用法等に

---

14 平成27年パブコメ224番。

> についての説明
> エ．保険会社または保険募集人の広告を掲載する行為

　注意しなければならないのは、ア〜エの行為が無条件に保険募集に該当しないとされているわけではなく（この点を明確にするために「基本的に」と明記されている）、これらの行為のみを行う場合は、上記アおよびイの要件（保険募集該当性の要件）に照らして、基本的に保険募集に該当しないとされていることである。

　「保険会社または保険募集人の指示を受けて行う、商品案内チラシの単なる配布」とは、たとえば、保険募集資格を有する銀行員の指示に基づいて、保険募集資格を有しない銀行員が商品案内チラシを配布する行為をいう。この点、「この商品は元本保証商品ですので安心です」といいながら配布する場合は、「チラシの単なる配布」の範囲を超え、保険募集に該当するおそれがある点に注意する必要がある。

　「コールセンターのオペレーターが行う、事務的な連絡の受付や事務手続等についての説明」とは、コールセンターにおいて、特定商品についての資料請求の申出を受け付ける行為や契約申込みに必要となる書類に関する問合せへ回答する行為等をいう。なお、ここでの業務が「事務的な」ものに限定されているのは、商品内容の説明は保険募集そのものであり、たとえマニュアルどおりの説明を行ったとしても保険募集に該当すると考えられるからである。

　「金融商品説明会における、一般的な保険商品の仕組み、活用法等についての説明」とは、たとえば、ファイナンシャルプランナーなどが、セミナーで保険選びのポイントなどを啓もうする行為をいう。もっとも、金融セミナー等の形式をとりながら、実際には特定商品の販売を目的としたセミナーである場合、当該セミナーにおける保険商品の説明も保険募集に該当するおそれがある点に注意する必要がある。

6 具体的事例（保険募集該当性）

「保険商品・サービスの提供等の在り方に関するワーキング・グループ」においては、以下の3つの例が示されている（出典「保険商品・サービスの提供等の在り方に関するワーキング・グループ　第4回（平成24年9月27日）」事務局説明資料3～5頁）。

図表3-1-Ⅱ-1　保険募集への該当性〜具体的な事例(1)〜

[保険募集人でない事業者が、対価を得て、店頭に商品案内チラシを備え置く行為]

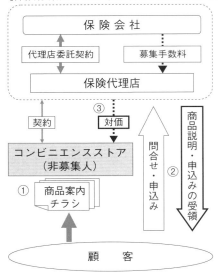

●概　要
① コンビニエンスストアの店頭に保険商品の案内チラシを備え置く。
② 顧客からの自発的な問合せ等を受けて、保険募集人が保険契約の勧誘・内容説明を実施
③ 保険会社（または保険代理店）から店舗へは、商品案内チラシの設置に係る対価を支払う。

【ポイント】
➤コンビニ（店員を含む）が保険契約の勧誘や内容説明および申込みの受領を行うこととなっていないか。
➤保険会社からコンビニ業者へ支払われる対価は、保険募集のインセンティブを与えるものとなっていないか。

図表3-1-Ⅱ-2　保険募集への該当性～具体的な事例(2)～

[比較サイトが、閲覧者を保険会社（保険代理店）のホームページ等に誘導する行為]

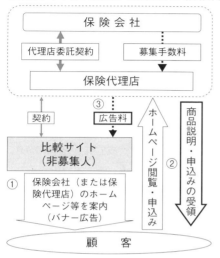

● 概　要
① 比較サイト内に保険会社（または保険代理店）のリンク先を表示する。
② 顧客がリンク先をクリックし、保険会社（または保険代理店）のホームページで保険契約の詳細な説明等を閲覧または契約の申込み等を行う。
③ 保険会社（または保険代理店）から比較サイトへは、広告料を支払う。

【ポイント】
➤比較サイトでは、特定の保険契約を推奨することとなっていないか。
➤比較サイトでは、商品内容の説明をどの程度詳細に行っているか。
➤保険会社から比較サイトへ支払われる対価は、保険募集のインセンティブを与えるものとなっていないか。

図表3-1-Ⅱ-3　保険募集への該当性～具体的な事例(3)～

[コンサルティングを実施し、顧客が保険加入を希望した場合に、提携代理店へ紹介する行為]

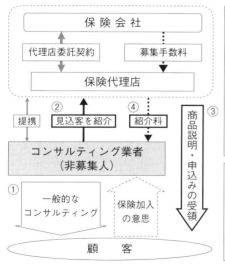

● 概　要
① コンサルティング業者が、一般的なコンサルティングを実施
② 顧客のニーズをふまえ、同意を得て顧客の連絡先等を保険会社（または保険代理店）へ伝達（紹介）
③ コンサルティング業者から紹介を受けた保険募集人が顧客に対して、保険契約の勧誘、内容説明を実施
④ 保険会社（または保険代理店）からコンサルティング業者へは、紹介料を支払う。

【ポイント】
➤コンサルティング業者自身が、特定の保険契約の勧誘や内容説明および申込みの受領を行うこととなっていないか。
➤保険会社からコンサルティング業者へ支払われる対価は、保険募集のインセンティブを与えるものとなっていないか。

III　募集関連行為

　募集関連行為とは、どのような行為をいうか。また、保険会社または保険募集人が募集関連行為を第三者に委託する場合の留意点は何か。

　募集関連行為とは、契約見込客の発掘から契約成立に至るまでの広い意味での保険募集のプロセスのうち、保険募集に該当しない行為をいう。たとえば、保険商品の推奨・説明を行わず契約見込客の情報を保険会社または保険募集人に提供するだけの行為や、比較サイト等の商品情報の提供を主たる目的としたサービスのうち保険会社または保険募集人からの情報を転載するにとどまるものをいう。

　保険会社または保険募集人は、募集関連行為従事者が不適切な行為を行わないよう、適切に管理・指導を行う必要がある。

=== 解　説 ===

1　募集関連行為が規制化された理由

　以前より見込客を保険会社または保険募集人に紹介する行為については、一定の規制の必要性が指摘されていたが、これまでは業界の自主的対応に委ねられてきた。しかしながら、近時、比較サイトや成功報酬型広告などが広く行われるに至り、これらの媒体等において、過度・不適切な勧誘・推奨や誤った商品説明がなされ、いったん顧客に誤った印象が与えられた場合には、たとえ保険募集人が事後的に適切な商品説明を行っても顧客の誤解を解くことは困難となるおそれがあるとの指摘がなされていた。そこで、保険募集人による顧客アプローチの前段階に行われる行為についても、保険契約者等の保護の観点から、一定のルールを定めたものである。

2 募集関連行為に該当する行為

募集関連行為とは、契約見込客の発掘から契約成立に至るまでの広い意味での保険募集のプロセスのうち、保険募集に該当しない行為をいう（監督指針Ⅱ-4-2-1(2)）。

たとえば、保険商品の推奨・説明を行わず契約見込客の情報を保険会社または保険募集人に提供するだけの行為（いわゆる紹介行為）や比較サイト等の商品情報の提供を主たる目的としたサービスのうち保険会社または保険募集人からの情報を転載するにとどまるなどの行為があげられる（監督指針Ⅱ-4-2-1(2)（注1））。

3 募集関連行為に該当しない行為

(1) 保険募集に該当しうる行為

紹介行為や比較サイト等であっても、たとえば、以下の行為については、保険募集に該当しうることに留意する必要がある（監督指針Ⅱ-4-2-1(2)（注2））。

ア．業として特定の保険会社の商品（群）のみを見込み客に対して積極的に紹介して、保険会社または保険募集人などから報酬を得る行為
イ．比較サイト等の商品情報の提供を主たる目的としたサービスを提供するものが、保険会社または保険募集人などから報酬を得て、具体的な保険商品の推奨・説明を行う行為
---

(2) 保険募集・募集関連行為に該当しない行為

保険募集にも、募集関連行為にも該当しない行為として、以下の行為が監督指針に例示されている（監督指針Ⅱ-4-2-1(2)（注3））。

ア．保険会社または保険募集人の指示を受けて行う、商品案内チラシの単なる配布

> イ．コールセンターのオペレーターが行う、事務的な連絡の受付や事務手続等についての説明
> ウ．金融商品説明会における、一般的な保険商品の仕組み、活用法等についての説明
> エ．保険会社または保険募集人の広告を掲載する行為

　これらの行為の解釈については、前述の「保険募集の意義」（Q6）を参照されたい。

4　募集関連行為に関する体制整備（委託先管理）

　保険会社または保険募集人は、募集関連行為を第三者に委託し、またはそれに準じる関係に基づいて行わせる場合には、当該募集関連行為を受託した第三者（以下「募集関連行為従事者」という）が不適切な行為を行わないよう、たとえば、以下の①〜③の点に留意しなければならない（監督指針Ⅱ－4－2－1(2)）。

① 　募集関連行為従事者において、保険募集行為または特別利益の提供等の募集規制の潜脱につながる行為が行われていないか。

② 　募集関連行為従事者が運営する比較サイト等の商品情報の提供を主たる目的としたサービスにおいて、誤った商品説明や特定商品の不適切な評価など、保険募集人が募集行為を行う際に顧客の正しい商品理解を妨げるおそれのある行為を行っていないか。

③ 　募集関連行為従事者において、個人情報の第三者への提供に係る顧客同意の取得などの手続が個人情報の保護に関する法律等に基づき、適切に行われているか。

　「募集関連行為を第三者に委託し、またはそれに準じる関係」でいう「これに準じる行為」とは、たとえば、両者が一定の関係のもとにおいて指図を受ける関係（親会社・子会社の関係者等）をいう[15]。

　なお、留意点①「募集規制の潜脱につながる行為が行われていないか」に

関し、パブコメにおいて、以下のケースが、「募集規制の潜脱につながる行為」に該当する場合があるとされた点に留意する必要がある[16]。

・保険代理店等が法300条、規則234条により自らが募集できない分野の保険商品について、外部の保険代理店等に自社の従業員等を紹介し、紹介手数料等の対価を得るようなケース(報酬の名目が異なるケースも含む)
・規則212条等の潜脱を目的として、銀行等が外部の保険代理店等に融資先企業の従業員等を紹介し、紹介手数料等の対価を得るようなケース(報酬の名目が異なるケースも含む)
・法282条等の潜脱や保険募集人への教育・管理・指導コストの軽減を目的とし、保険代理店と募集関連行為従事者(紹介業者等)を兼業し、状況に応じ保険募集人と募集関連行為従事者の立場を使い分けるといったケース

　上記①～③の留意点に加えて、募集関連行為従事者への支払手数料の設定についても、慎重な対応を行わなければならない。たとえば、保険募集人が、高額な紹介料やインセンティブ報酬を払って募集関連行為従事者から見込客の紹介を受ける場合、一般的にそのような報酬体系は募集関連行為従事者が本来行うことができない具体的な保険商品の推奨・説明を行う蓋然性を高めると考えられることに留意する(監督指針Ⅱ-4-2-1(2)(注))。

15　平成27年パブコメ237番等。
16　平成27年パブコメ265～267番。

Ⅳ 団体保険の加入勧奨

Q8 団体保険とはどのような保険か。加入勧奨はどのような行為か。加入勧奨に関して、どのような規制があるか。

　団体保険とは、団体またはその代表者を保険契約者とし、当該団体に所属する者を被保険者とする保険をいう。加入勧奨とは、団体（＝団体保険の契約者）による団体構成員（＝団体保険の被保険者となる者）に対する団体保険への加入の勧奨をいう。団体と構成員との間に一定の密接性が認められ、団体から被保険者への適切な情報提供が期待できる場合（規則227条の2第2項に該当する場合）は、被保険者への情報提供・意向把握に係る義務は適用除外となるが、そうでない場合（規則227条の2第2項に該当しない場合）は、当該団体保険を締結したまたは取り扱った保険会社または保険募集人が、加入勧奨における情報提供および意向把握・確認義務を履行しなければならない。

=========　解　説　=========

1　団体保険とは

　団体保険とは、団体またはその代表者を保険契約者とし、当該団体に所属する者を被保険者とする保険をいう（法294条1項）。具体的には、会社などの団体を保険契約者、その団体の構成員全員を被保険者とする全員加入型の死亡保険である総合福祉団体定期保険や、会社などの団体を保険契約者、その団体の構成員のうち希望者のみを被保険者とする任意加入型の死亡保険である団体定期保険（いわゆる「Bグループ保険」）、銀行を保険契約者、住宅ローンの債務者を被保険者とする団体信用生命保険などがある。ここでいう「団体」は法人等の組織体に限定されず、商品・サービスの提供者およびこ

れらの受給者から構成される団体、たとえば、団体信用生命保険における債務者集団、自転車保険の購入者の集団、預金者団体が団体保険の団体に含まれる[17]。

　平成26年改正保険業法において、団体保険を、団体（契約者）から団体構成員（被保険者）への適切な情報提供が期待できる場合と、その性質から類型的に団体から団体構成員への適切な情報提供が期待できない場合に分け、後者については、保険募集人等に被保険者に対する情報提供義務（法294条）、意向把握・確認義務（法294条の２）および重要事項の不告知等の禁止（法300条１項１号）を課すこととした。

2　加入勧奨とは

　団体（＝団体保険の契約者）による団体構成員（＝団体保険の被保険者となる者）に対する団体保険への加入の勧奨をいう。加入勧奨は、保険契約の締結の代理または媒介という意味での保険募集には該当しない[18]。したがって、加入勧奨に募集人資格等は不要である。しかしながら、平成26年保険業法改正により、保険契約者と被保険者との間に一定程度の密接な関係が認められない団体を保険契約者とする保険については、被保険者保護の観点から、加入勧奨についても保険募集に準じたルールが定められた。

3　団体から被保険者への適切な情報提供が期待できる場合（規則227条の２第２項に該当する場合）

(1)　規則227条の２第２項に該当する場合

　規則227条の２第２項において、団体から構成員に必要な情報が適切に提供されると期待できる場合として、以下の団体保険が規定されている。

17　細田浩史「保険業法等の一部を改正する法律の概要─保険募集・販売に関するルールの見直しに関する部分を中心に─」（金融法務事情1999号）126頁。
18　平成27年パブコメ430・432番。

a　仮に保険契約者たる団体が、当該団体を保険者として共済事業を行うこととした場合には保険業法の適用除外に該当するような団体（人数要件による場合を除く）

① 地方公共団体を保険契約者とし、その住民を被保険者とする団体保険（1号）
② 一の会社等またはその役職員が構成する団体を保険契約者とし、その役職員・親族を被保険者とする団体保険（2号）
③ 一の労働組合を保険契約者とし、その組合員・親族を被保険者とする団体保険（3号）
④ 会社を保険契約者とし、同一の会社集団に属する他の会社を被保険者とする団体保険（4号）
⑤ 一の学校またはその学生が構成する団体を保険契約者とし、その学生等を被保険者とする団体保険（5号）
⑥ 一の地縁による団体を保険契約者とし、その構成員を被保険者とする団体保険（6号）
⑦ 地方公共団体を保険契約者とし、区域内の事業者・その役職員を被保険者とする団体保険（7号）
⑧ 宗教法人法上の一の包括宗教法人、被包括宗教法人またはそれらの役職員が構成する団体を保険契約者とし、その構成員・親族を被保険者とする団体保険（8号）
⑨ 一の国家公務員共済組合、同一の任命権者により任用された一の地方公務員等共済組合の組合員が構成する団体を保険契約者とし、その構成員・親族を被保険者とする団体保険（9号）
⑩ 国会議員、同一の地方議会の議員が構成する団体を保険契約者とし、それぞれに属する議員・親族を被保険者とする団体保険（10号）
⑪ 一の学校を保険契約者とし、児童・幼児を被保険者とする団体保険（11号）

⑫　一の専修学校、一部の一の各種学校またはそれらの生徒が構成する団体を保険契約者とし、それぞれの生徒を被保険者とする団体保険（12号）

⑬　同一の学校法人が設置した複数の学校の学生等が構成する団体を保険契約者とし、その学生等を被保険者とする団体保険（13号）

⑭　同一の学校または同一の学校法人が設置した複数の学校のPTAを保険契約者とし、当該PTAの構成員またはその学生等を被保険者とする団体保険（14号）

b　上記以外の団体で、団体から構成員への適切な情報提供が期待できると認められる場合

⑮　団体と加入させるための行為の相手方との間に、(i)当該団体に係る保険に関する利害関係、(ii)当該団体の構成員となるための要件、(iii)当該団体の活動と保険に係る補償内容との関係等に照らして、一定の密接な関係があることにより、当該団体から構成員への適切な情報提供が期待できると認められる場合（15号）

具体的には、団体信用生命保険や団体信用就業不能保障保険でいうところの債務者団体は、ここでいう団体から構成員への適切な情報提供が期待できると認められる場合に該当する[19]。

(2) 団体が加入勧奨を第三者に委託する場合

団体が、団体の構成員に対する加入勧奨を第三者に委託して行わせる場合であっても、第三者から被保険者に対して適切な情報提供が期待できるとして、団体に対して法律上の情報提供義務等は課されない（法294条1項、規則

19　平成27年パブコメ37番。なお、金融庁から生命保険協会と日本損害保険協会宛てに「保険業法施行規則第227条の2第2項に該当する場合を判断するための基準について」（平成28年1月26日金監72号）という通達が発出されている。

227条の2第1項本文）。しかしながら、委託する第三者が「当該団体保険を募集した保険会社または保険募集人である場合」は、被保険者に対して適切な情報提供が期待できないとして、法律上、それらの募集人に対して情報提供義務等が課されている（規則227条の2第1項カッコ書）[20]。

(3) 保険会社または保険募集人による体制整備

団体から被保険者への適切な情報提供が期待できる場合、法律上、あらためて保険募集人等に、被保険者に対する情報提供等を義務づける必要はないことから、情報提供義務、意向把握義務および重要事項の不告知等の禁止の適用はない。ただし、従前どおり、保険会社または保険募集人は、団体（契約者）からの必要な情報提供・適切な意向確認を確保する体制整備を行わなければならない（規則53条1項5号、227条の8、監督指針Ⅱ-4-2-2(2)⑩キ、Ⅱ-4-2-2(3)④イ（注））。

4 団体から被保険者への適切な情報提供が期待できない場合（規則227条の2第2項に該当しない場合）

(1) 規則227条の2第2項に該当しない団体

規則227条の2第2項に該当しない団体としては、たとえば、クレジットカード会社が契約者となり、その会員が被保険者となるクレジットカード団体や、金融機関等が契約者となり、預金者等が被保険者となる預金者団体等があげられる。

(2) 情報提供義務、意向把握・確認義務等

規則227条の2第2項に該当しない団体については、保険契約者から被保険者への説明は一概に期待できないことから、被保険者保護の観点から、加入勧奨も保険募集と同等の行為として取り扱い、当該団体保険を締結したま

---

[20] 細田・前掲（注17）126頁。ただし、一般の第三者に委託する場合は適切な情報提供が期待できるが、当該団体保険を募集した保険募集人に委託する場合は適切な情報提供が期待できないとする論理は非常に疑問である。この問題について、平成27年パブコメ21番参照。

たは取り扱った保険会社または保険募集人に対して、情報提供義務（法294条）、意向把握・確認義務（法294条の2）および重要事項の不告知等の禁止（法300条1項1号）が課されている。

なお、加入勧奨自体は保険募集ではないことから、加入勧奨を行うことについて募集人資格は不要である[21]。

(3) 加入勧奨の体制整備義務

団体から被保険者への適切な情報提供が期待できない団体保険の加入勧奨については、以下のような体制整備をしなければならない（監督指針Ⅱ-4-2-2(4)）。

---

① 加入勧奨にあたっては、たとえば、法300条1項に規定する禁止行為の防止など、募集規制に準じた取扱いが求められ、募集規制の潜脱が行われないような適切な措置が講じられているか。

② カード会社や金融機関等が契約者となり、その会員や預金者等が被保険者となるような団体等においては、当該団体保険の被保険者のクレジットカードや預金口座の解約等により保障（補償）が喪失する場合は、その旨を「注意喚起情報」を記載した書面に記載し、被保険者に適切に説明する体制を整備し、対応しているか。

　また、クレジットカードや預金口座を解約等した場合、当該解約により、保障（補償）が喪失する場合は、その旨を適切に説明する体制を整備し、対応しているか。

③ 保険募集を行う銀行等が契約者となり、その預金者が被保険者となる団体保険の加入勧奨にあたっては、監督指針Ⅱ-4-2-6-2からⅡ-4-2-6-10をふまえた適切な措置が講じられているか。

④ 電話による加入勧奨を行う場合には、監督指針Ⅱ-4-4-1-1(5)をふまえた適切な措置が講じられているか。

21　平成27年パブコメ432・437番。

V 募集人の要件・権限

Q9 生命保険募集人や損害保険代理店が登録する際、注意しなければならない点は何か。

　生命保険募集人や損害保険代理店が登録する際には、法定されている登録拒否要件に該当しないことを確認する必要がある。

=== 解　説 ===

1　生命保険募集人・損害保険代理店の登録拒否要件

　生命保険募集人および損害保険代理店は、登録しなければ保険募集を行うことができない（法276条）。また、保険募集を行うに不適格な者は登録させるべきでないことから、内閣総理大臣（金融庁長官）は、次の要件（登録拒否要件）に該当するときは、登録を拒否しなければならない（法279条1項）。

【登録拒否要件】
① 破産者で復権を得ない者または外国の法令上これと同様に取り扱われている者
② 禁錮以上の刑（これに相当する外国の法令による刑を含む）に処せられ、その刑の執行を終わり、または刑の執行を受けることがなくなった日から3年を経過しない者
③ 保険業法もしくは金融サービス提供法（令和3年11月1日施行）またはこれらに相当する外国の法令の規定に違反し、罰金の刑（これに相当する外国の法令による刑を含む）に処せられ、その刑の執行を終わり、または刑の執行を受けることがなくなった日から3年を経過しない者

④　内閣総理大臣により登録を取り消され、その取消しの日から3年を経過しない者
⑤　精神の機能の障害により保険募集に係る業務を適正に行うに当たって必要な認知、判断および意思疎通を適切に行うことができない者[22]
⑥　申請の日前3年以内に保険募集または保険媒介業務に関し著しく不適当な行為[23]をした者
⑦　保険仲立人もしくはその役員もしくは保険募集を行う使用人または金融サービス仲介業者（保険媒介業務を行う者に限る）の役員もしくは保険契約の締結の媒介を行う使用人
⑧　営業に関し成年者と同一の行為能力を有しない未成年者でその法定代理人が上記①～⑦または⑨のいずれかに該当するもの
⑨　法人でその役員のうち次のいずれかに該当する者のあるもの
（ⅰ）⑤に該当する者[24]
（ⅱ）①～④または⑥のいずれかに該当する者
⑩　個人でその保険募集を行う使用人のうちに上記⑦または金融サービス仲介業者（保険媒介業務を行う者に限る）に該当する者のあるもの
⑪　法人でその役員または保険募集を行う使用人のうちに上記⑦または金融サービス仲介業者（保険媒介業務を行う者に限る）に該当する者のあるもの

加えて、登録申請書や添付書類の重要な事項について虚偽の記載があり、もしくは重要な事実の記載が欠けているときも、登録は拒否される（法279条1項）。

---

[22] 法279条1項5号、規則214条の3第1項。
[23] 「著しく不適当な行為」とは、たとえば、保険料を費消、流用した場合や、無断契約がこれに該当する。
[24] 法279条1項9号イ、規則214条の3第2項。

第3章　保険募集に関するコンプライアンス　113

2　損害保険代理店の役員・使用人

　損害保険代理店の役員もしくは使用人は、届け出なければ保険募集を行うことができない（法302条）。当該届出に関しては、法律レベルでは上記1で述べたような拒否要件は定められていない。もっとも、損害保険代理店の役員については、上記1で述べた損害保険代理店の登録の要件（⑨および⑪）に該当しないこと、損害保険代理店の使用人については、保険仲立人ではないこと（⑩および⑪）をチェックする必要がある。

　また、監督指針Ⅱ-4-2-1(3)①エによれば、保険代理店において、保険募集に従事する役員または使用人については、以下の要件を満たすことに留意する必要があるとされている。

(ア)　保険募集に従事する役員または使用人とは、保険代理店から保険募集に関し、適切な教育・管理・指導を受けて保険募集を行う者であること

(イ)　使用人については、上記(ア)に加えて、保険代理店の事務所に勤務し、かつ、保険代理店の指揮監督・命令のもとで保険募集を行う者であること

(ウ)　法302条に規定する保険募集に従事する役員または使用人は、他の保険代理店または損害保険会社において保険募集に従事する役員または使用人にはなれないこと

3　募集人の権限（代理か媒介か）

　旧募取法時代は、生命保険募集の場合は「媒介」、損害保険募集の場合は「代理」と法律上決められていた。これは、保険商品の特性に応じた募集実態や歴史的経緯をふまえたものであったが、商品の多様化が進み、募集人の権限を一方に限定しておくことはかえって消費者の利便を損なうことから、法律レベルにおいては、生命保険募集人と損害保険募集人はともに「代理」

および「媒介」のどちらも行えることとした。

　「代理」か「媒介」かで契約締結権等に差異が生じるため、当該募集人の権限を誤信した顧客においては不測の損害を被るおそれがある。そこで、募集人は、あらかじめ、顧客に対して、自己の権限が「代理」であるか、「媒介」であるかを明示しなければならないこととされた（法294条3項2号）。

Ⅵ 保険募集の再委託禁止

 保険募集の再委託は、なぜ、原則として禁止されるのか。また、例外的に認められるのは、どのような場合なのか。

A 　同一グループ内の保険会社を再委託者とし、再委託者が自らも保険募集の委託をしている保険募集人を再受託者とする場合に限り、法275条3項の規定に基づく認可を前提として、保険募集の再委託が認められる（法275条3項〜5項）。逆に、かかる場合以外には、保険募集の再委託は禁止される。

――― 解　説 ―――

1　保険募集の再委託の原則禁止

保険募集の際には、保険契約者が正しい理解に基づく適切な判断ができるよう適切な説明等が行われることが重要であり、適正かつ公正な保険募集を確保するため、法令上、保険募集が行える主体は、当局の登録を受けた保険募集人等に限定するなどの規制が設けられている。こうした適正かつ公正な保険募集を確保し、保険契約者等を保護する観点から、保険募集人が第三者に保険募集を委託することについては、原則として禁止されている[25]。

2　保険募集の再委託が例外的に認められる場合

保険会社のグループ化が進展するなかで、グループ内の他の保険会社の販売基盤を活用するために、他の保険会社を再委託者とする再委託のニーズがあったところ、同一グループ内の保険会社であれば、適切な対応が可能であ

---

[25] 監督指針Ⅱ-4-2-1(3)①エ(ウ)（注）。平成26年3月18日金融庁パブリックコメント6〜16番。

ると考えられた[26]。そこで、平成24年3月31日公布の保険業法改正により、同一グループ内の保険会社を再委託者とし、再委託者が自らも保険募集の委託をしている保険募集人を再受託者とする場合に限り、認可を前提として保険募集の再委託が認められる旨の制度の導入が行われた（法275条3項～5項）。すなわち、以下の各要件のいずれにも該当する場合において、保険募集再委託者およびその所属保険会社等が、あらかじめ、再委託に係る事項の定めを含む委託に係る契約の締結について、内閣総理大臣の認可を受けたときに限り、保険募集の再委託が認められる。

①　保険募集再委託者が、法275条1項1号～3号までに掲げる者（1号：登録を受けた生命保険募集人、2号：損害保険会社の役員・使用人、3号：特定少額短期保険募集人または登録を受けた少額短期保険募集人）のうち保険会社または外国保険会社等であって、その所属保険会社等と内閣府令で定める密接な関係を有する者であること
②　再委託を受ける者が、保険募集再委託者の生命保険募集人または損害保険募集人であること
③　保険募集再委託者が、再委託について、所属保険会社等の許諾を得ていること

また、認可を受けるためには、保険募集再委託者および所属保険会社等が、再委託に係る保険募集の的確、公正かつ効率的な遂行を確保するために必要な体制の整備その他の措置を講じていることが必要となる。

---

[26] 平成23年12月2日付「保険会社のグループ経営に関する規制の在り方ワーキング・グループ」の「保険会社のグループ経営に関する規制の見直しについて」と題する報告書参照。

Q11 保険代理店の委託型募集人は、どのように適正化される必要があるのか。

A 保険代理店の保険募集人は、保険代理店の「使用人」であること、すなわち「雇用」「派遣」「出向」の形態をとり、それぞれ労働関係法規を遵守している者である必要がある。使用人要件を満たしていない場合、その者は、①使用人要件および労働関係法規を遵守したうえで、「雇用」「派遣」「出向」といった契約形態となる、②個人代理店となる、③新たな法人代理店を設立し、その役員または使用人となる、④廃業する等の対応が必要となる。

═══════════ 解　説 ═══════════

1　委託型募集人の適正化の経緯
(1)　平成26年の実態調査

　法2条19項および同条20項は、保険代理店の保険募集人の要件としては、保険代理店の役員または「使用人」であることを要件としている。この点、かつては、保険募集人の要件として代理店との雇用関係が必要とされていた時代があったが、平成12年の規制緩和要望を受けて基準が見直された結果、代理店との雇用関係は使用人たる要件から削除され、いわゆる「委託型募集人」制度を導入する保険会社・保険代理店が出現するに至った。

　しかしながら、その結果、代理店は本来その使用人が行う募集業務について、教育・指導・管理を行うことを当然に求められるにもかかわらず、代理店と第三者の間に形式的に委託契約等の関係があることをもって当該第三者を使用人として届出を行い、適切な教育・指導・管理を行うことなく当該第三者に募集業務を行わせている事態が懸念されることとなった[27]。また、平

27　平成25年WG報告書24頁。

成24年保険業法改正（法275条3項）により、保険募集の再委託がグループ会社間でかつ法定の要件を満たした場合に限り認められ、これ以外の再委託は禁じられることが明確化されたことから、保険代理店の委託型募集人は、保険募集の再委託に該当するとの懸念が示された。

かかる状況をふまえ、金融庁は、募集実態の調査と適正化に向けて、すべての保険会社に対して、自社が代理申請会社（以下「代申会社」という）である全保険代理店の使用人について、その契約形態等の実態を調査し、仮に適切な契約形態でない場合には、新たな募集体制への移行等の措置を行い、その結果を報告するよう求めるべく、平成26年1月16日、法128条に基づく報告徴求命令を発令した。

(2) **金融庁の考え方**

金融庁は、保険代理店に従事する役員または使用人について、監督指針に以下の定めを設け、保険募集・販売ルールの見直しに係る監督上の対応を図る一環として、保険代理店の使用人要件の明確化を図った。そして、金融庁は、保険代理店と委託契約を締結している使用人が保険募集を行うことが、従来から禁止されている保険募集の再委託に該当すると解する旨を明確にしている[28]。

> **監督指針Ⅱ-4-2-1(3)①エ**
> 　保険代理店において、保険募集に従事する役員または使用人については、以下の要件を満たすことに留意する必要がある。
> (ｱ)　保険募集に従事する役員または使用人とは、保険代理店から保険募集に関し、適切な教育・管理・指導を受けて保険募集を行う者であること。
> (ｲ)　使用人については、上記(ｱ)に加えて、保険代理店の事務所に勤務し、かつ、保険代理店の指揮監督・命令のもとで保険募集を行う者で

---

[28] 平成26年3月18日金融庁パブリックコメント6～16番参照。

あること。
(ｳ)　法302条に規定する保険募集に従事する役員または使用人は、他の保険代理店または損害保険会社において保険募集に従事する役員または使用人にはなれないこと。
　（注）　法275条3項に規定する場合を除き、保険募集の再委託は禁止されていることに留意する必要がある。

2　委託型募集人適正化の内容
(1)　保険代理店の保険募集人

　保険代理店の保険募集人は、「使用人」要件および労働関係法規を遵守している者である必要があり、その契約形態としては、「雇用」「派遣」「出向」の形態が考えられる。

　保険代理店の使用人については、保険代理店の指揮監督・命令のもとで保険募集を行う者である必要があり、その実態が伴っていないケースは認められない。たとえば、形式的には「出向」の契約形態であっても、出向元の法人において保険募集を行うような実態であれば、保険代理店（出向先）の指揮監督・命令のもとにあるとはいえず、使用人要件を満たしているとは認められない。

　「雇用」「派遣」「出向」に該当するか否かは労働関係法規に基づいて判断される。たとえば、使用人を「雇用」していると認められる典型例として、仕事依頼に対する諾否の自由がない、業務の内容や遂行の仕方につき指揮命令を受けている、勤務の場所や時間が規律されている、業務遂行を他人に代替させえないといった事情を具備する場合があげられる。

　「雇用」「派遣」「出向」の一般的な確認方法は以下のとおりである。
a　「雇用」の確認方法
　以下のいずれかの具体的書類を確認する。

- 雇用保険に加入していること（雇用保険被保険者資格取得等確認通知書）
- 社会保険（健康保険、厚生年金保険）に加入していること（健康保険・厚生年金保険の資格取得確認、標準報酬決定通知書）
- 雇用契約書や労働条件通知書

以上の書類等が提出されない等の理由により雇用の確認ができない場合には、弁護士や社会保険労務士等の専門家に対する確認等により、実態に即した個別判断が必要となる。

なお、上記の具体的確認方法にのっとり、契約形態が「雇用」「派遣」「出向」とみえる場合であっても、たとえば、仕事依頼に対する諾否の自由がない、業務の内容や遂行の仕方について指揮命令を受けている、勤務の場所や時間が規律されている、業務遂行を他人に代替させえないといった各事情を満たさない場合には、「雇用」「派遣」「出向」と判断されない場合がある。

b 「派遣」の確認方法

以下の①～③のそれぞれに該当する具体的書類を確認する。

① 派遣会社（派遣元）と使用人との間の雇用契約関係がわかるもの
② 派遣先（代理店）が派遣会社（派遣元）から使用人の派遣を受け入れていることがわかるもの（例）
  - 労働者派遣契約書（基本契約書と個別契約書に分かれている場合はその両方）
  - 派遣先通知書（派遣通知書、派遣労働者通知書ともいう）
  - 派遣先管理台帳
③ 派遣会社（派遣元）の労働者派遣事業の許可番号または届出受理番号が記載されたもの（上記①または②の書類に当該番号の記載があれば、別途の提出は不要）

c 「出向」の確認方法

以下の①〜③のそれぞれに該当する具体的書類を確認する。

> ① 出向元と使用人との雇用契約関係がわかるもの
> ② 出向元と代理店(出向先)との出向に関する契約がわかるもの(出向契約書等)
> ③ 代理店(出向先)と使用人との雇用関係がわかるもの

(2) 使用人要件を満たしていない場合の対応

使用人要件を満たしていない場合、その者は、①使用人要件および労働関係法規を遵守したうえで、「雇用」「派遣」「出向」といった契約形態となる、②個人代理店となる、③新たな法人代理店を設立し、その役員または使用人となる、④廃業する、等の対応が必要である。

3 三者間スキーム

実務上、委託型募集人の適正化(以下「適正化」という)措置の一態様として、保険会社、受皿代理店[29]および新規保険代理店[30](受皿代理店が委託契約を締結していた保険募集人)との間で三者間契約を締結し、受皿代理店が新規代理店の教育・管理・指導をするスキーム(以下「三者間スキーム」という)が考えられている(図表3-1-Ⅳ-1参照)。

三者間スキームは、適正化前の実務の状況をふまえ、保険会社のみならず、受皿代理店が新規代理店に対する教育・管理・指導を担うこと等を通じて、保険会社および受皿代理店が共同して、適正化に伴い新設された保険代理店を支援するものであり[31]、主に損害保険会社で採用されている。なお、三者間スキームにおける受皿代理店の行為が、当然に法294条の3に規定する保険募集人指導事業(いわゆるフランチャイズ。Q19参照)に該当するもの

---

29 「統括(総括)代理店」などと呼ばれる。
30 「被統括(被総括)代理店」「勤務型代理店」などと呼ばれる。

図表3-1-Ⅳ-1　三者間スキームイメージ

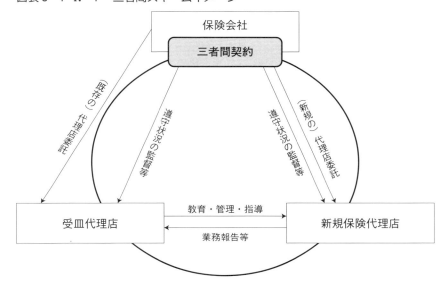

ではない[32]。

　三者間スキームにおける当事者の具体的な権利・義務は三者間契約の定めによるが、受皿代理店による教育・管理・指導を実効あらしめるため、受皿代理店となりうる者につき法人代理店に、新規保険代理店となりうる者につき他業を営んでいない個人にそれぞれ限定するほか、受皿代理店による新規保険代理店に対する定期的な研修等の義務づけ、さらには新規保険代理店の

---

[31] この点、適正化措置として、個人代理店となる、または新たな法人代理店を設立し、その役員もしくは使用人となる場合、「例えば、これまで当該使用人に対して保険募集を委託していた者や、さらには、保険会社も共同して、新たに設立された保険代理店に対して支援を行うといった対応を行うことも考えられます」(平成26年3月18日金融庁パブリックコメント6～16番)との金融庁の考え方が示されている。

[32] 「保険募集のフランチャイズ事業等を想定して法第294条の3に規定する保険募集人指導事業が規定された沿革に鑑みますと、受皿代理店による新規保険代理店に対する保険募集の業務の指導について、基本的事項が具体的に定められていない限り、法第294条の3に規定する『保険募集の業務の指導に関する基本となるべき事項(当該他の保険募集人が行う保険募集の業務の方法又は条件に関する重要な事項を含むものに限る。)を定めて』には該当しないものと考えられます」(平成27年パブコメ128・129番)

受皿代理店に対する定期的かつ一定頻度以上での業務報告や出勤・打合せ等を義務づけるのが通常である。また、新規保険代理店の募集行為について、受皿代理店の連帯責任を規定する例が多い。

　もっとも、三者間スキームによって適正化の潜脱となることがあってはならない。受皿代理店の行為とあいまって、保険会社による新規保険代理店に対する教育・管理・指導が適切に及んでいることが、当該スキームの前提になるものと考えられる。

4　保険会社・代理店による継続検証

　保険代理店における使用人の適正化は、平成26年の委託型募集人の実態調査および適正化作業により終了するものではない。

　保険代理店の保険募集人については、保険代理店の指揮監督・命令のもとで保険募集を行う者である必要があるとの元来の「使用人」要件の趣旨にかんがみ、保険会社・保険代理店の双方において、「使用人」の要件充足とともに、各保険代理店の保険募集人に対する教育・指導・管理の実態が伴っていることについて、継続的に検証していくことが求められる。

第2節 情報提供義務・意向把握義務

I 情報提供義務（法294条）

Q12 「情報提供義務」とは何か。

A 情報提供義務は、保険会社および保険募集人が、保険契約の締結、保険募集または加入勧奨を行う際に、保険契約者や被保険者が保険契約の申込みまたは加入の適否を判断するのに必要な情報として、「契約概要」「注意喚起情報」および「その他顧客に参考となるべき事項」の提供を行うことを法令上の義務として求めるものである（法294条）。平成26年保険業法改正により新設された。

=== 解　説 ===

1　情報提供義務

　情報提供義務は、保険会社および保険募集人が、保険契約の締結、保険募集または加入勧奨を行う際に、保険契約者や被保険者が保険契約の申込みまたは加入の適否を判断するのに必要な情報の提供を行うことを求めるものである。

　顧客が自らのニーズにあった保険商品に加入することを確保するためには、顧客がその商品内容について正しく理解することが不可欠である。保険は、その性質上商品やサービスの内容について保険会社・保険募集人と顧客との間に情報の非対称性が存在することに加え、他の金融商品同様に商品内

第3章　保険募集に関するコンプライアンス　125

容の多様化が進んでいることから、顧客による商品やサービス内容の正しい理解のためには、保険会社・保険募集人による適切な情報提供やわかりやすい説明が行われることが重要である。

　従前も、保険募集における顧客への商品情報の提供について、法300条1項において保険契約の締結、保険募集または加入勧奨に関して保険契約者または被保険者に対して「保険契約の契約条項のうち重要な事項を告げない行為」が禁止され、当該規定の違反は刑事罰の対象となっており、当該禁止行為に基づき、監督指針において、「契約概要」および「注意喚起情報」の交付義務が定められていた。しかし、「告げない」ことが許されない重要事項の範囲が契約内容に限られていることや、不告知自体が刑事罰の対象となるために運用が謙抑的なものとならざるをえないことから、柔軟な運用がむずかしい等の指摘があった。さらに、保険業法において積極的な情報提供義務が規定されていないことに関して、一般には、保険よりも顧客が理解しやすいと考えられる預金等について情報提供が義務づけられていることとバランスを欠いている、との指摘もあった。以上のような点をふまえ、顧客による商品内容等の正しい理解を確保するため、保険会社や保険募集人が保険募集を行う際の情報提供義務について明示的に法令において位置づけることが適当であるとされ、保険業法においても、保険会社および保険募集人が保険募集を行う際に、契約概要および注意喚起情報として提供することが求められていた項目を中心に、顧客が保険加入の判断を行う際に参考となるべき商品情報その他の情報の提供を行うことを義務づけるとともに、「契約概要」および「注意喚起情報」については本義務に基づく情報提供を行う場合の標準的手法として位置づけ直されることとなった[33]。

2　提供すべき情報

　情報提供義務の内容として、具体的には、以下の情報を提供することが求

---

[33]　平成25年保険WG報告書12、13頁。

められる。

　情報提供については、原則として、「契約概要」と「注意喚起情報」を記載した書面等を用いるなどの一律・画一的な手法で行う。もっとも、情報提供義務の適用除外となる場合や、適用になるものの事業者向けの保険等は、一律・画一的な手法によらない情報提供が認められる場合がある（Q12参照）。

　乗合代理店等においては、これらの情報に加えて、比較推奨に係る情報を提供する必要がある（Q20～23参照）。

規定内容	記載すべき情報
顧客が保険商品の内容を理解するために必要な情報（「契約概要」の記載事項）	①　当該情報が「契約概要」であること ②　商品の仕組み ③　保障（補償）の内容 　（注）　保険金等の支払事由、支払事由に該当しない場合および免責事由等の保険金等を支払わない場合について、それぞれ主なものを記載すること。保険金等を支払わない場合が通例でないときは、特に記載すること ④　付加できる主な特約およびその概要 ⑤　保険期間 ⑥　引受条件（保険金額等） ⑦　保険料に関する事項 ⑧　保険料払込みに関する事項（保険料払込方法、保険料払込期間） ⑨　配当金に関する事項（配当金の有無、配当方法、配当額の決定方法） ⑩　解約返戻金等の有無およびそれらに関する事項
顧客に対して注意喚起すべき情報（「注意喚起情報」の記載事項）	①　当該情報が「注意喚起情報」であること ②　クーリング・オフ（法309条1項に規定する保険契約の申込みの撤回等） ③　告知義務等の内容 　（注）　危険増加によって保険料を増額しても保険契約が継続できない（保険期間の中途で終了する）場合がある旨の約款の定めがあるときは、それがどのような場合であるか、記載すること

	④ 責任開始期 ⑤ 支払事由に該当しない場合および免責事由等の保険金等を支払わない場合のうち主なもの 　（注）　通例でないときは、特に記載 ⑥ 保険料の払込猶予期間、契約の失効、復活等 　（注）　保険料の自動振替貸付制度を備えた保険商品については、当該制度の説明を含む ⑦ 解約と解約返戻金の有無 ⑧ セーフティネット ⑨ 手続実施基本契約の相手方となる指定ADR機関（法2条28項に規定する「指定紛争解決機関」）の商号または名称（指定ADR機関が存在しない場合には、苦情処理措置および紛争解決措置の内容） ⑩ 補償重複に関する以下の事項[34] 　（注）　補償重複とは、複数の損害保険契約の締結により、同一の被保険利益について同種の補償が複数存在している状態をいう 　　（ⅰ）　補償内容が同種の保険契約がほかにある場合は、補償重複となることがあること 　　（ⅱ）　補償重複の場合の保険金の支払に係る注意喚起 　　（ⅲ）　補償重複の主な事例 ⑪ 特に法令等で注意喚起することとされている事項
その他保険契約者等に参考となるべき情報	ロードサービス等の主要な付帯サービス 直接支払サービス等（Q63参照）

3　情報提供義務に係る体制整備

「契約概要」「注意喚起情報」を記載した書面による情報提供を行うにあたっては、次の体制整備が求められる（監督指針Ⅱ-4-2-2-(2)⑩）。

---

[34] 平成26年9月の監督指針改正により、顧客のニーズに基づかない補償重複の発生防止や解消を図るための態勢整備に係る留意点が示された。日本損害保険協会「補償重複の対応に関するガイドライン」参照。

ア．当該書面（当該書面に記載すべき事項を記録した電磁的記録を含む。以下、同じ）において、顧客に対して、保険会社における苦情・相談の受付先を明示する措置を講じているか。

イ．「注意喚起情報」を記載した書面において、手続実施基本契約の相手方となる指定ADR機関の商号又は名称（指定ADR機関が存在しない場合には、苦情処理措置および紛争解決措置の内容）を明示する措置を講じているか。

ウ．当該書面に記載すべき事項について、以下の点について留意した記載とする措置を講じているか（「Ⅱ-4-10 適切な表示の確保」参照）。

　(ｱ) 文字の大きさや記載事項の配列等について、顧客にとって理解しやすい記載とされているか。

　　（注）　たとえば、文字の大きさを8ポイント以上とすること、文字の色、記載事項について重要度の高い事項から配列する、グラフや図表の活用などの工夫（特に、特定保険契約に係る契約締結前交付書面については、法定要件（文字の大きさは8ポイント以上とし、一定の事項について12ポイント以上とすること等）に則して作成する必要があることに留意すること）。

　(ｲ) 記載する文言の表示にあたっては、その平明性および明確性が確保されているか。

　　（注）　たとえば、専門用語について顧客が理解しやすい表示や説明とされているか。顧客が商品内容を誤解するおそれがないような明確な表示や説明とされているか。

　(ｳ) 顧客に対して具体的な数値等を示す必要がある事項（保険期間、保険金額、保険料等）については、その具体的な数値が記載されているか。

　　（注）　具体的な数値等を記載することが困難な場合は、顧客に誤解を与えないよう配慮のうえ、たとえば、代表例、顧客の選択可能な範囲、他の書面の当該数値等を記載した箇所の参照等の記載を行うこ

　　　　と。
　　(エ)　当該書面に記載する情報量については、顧客が理解しようとする
　　　　意欲を失わないよう配慮するとともに、保険商品の特性や複雑性に
　　　　あわせて定められているか。
　　(オ)　当該書面は他の書面とは分離・独立した書面とする、または同一
　　　　の書面とする場合は、他の情報と明確に区別し、重要な情報である
　　　　ことが明確になるように記載されているか。
エ．顧客に当該書面の交付またはその他適切な方法（電磁的方法を含む）
　　による提供を行うことに加えて、少なくとも以下のような情報の提供
　　および説明が口頭により行われる体制が整備されているか。
　　(ア)　当該書面を読むことが重要であること。
　　(イ)　主な免責事由など顧客にとって特に不利益な情報が記載された部
　　　　分を読むことが重要であること。
　　(ウ)　特に、乗換（法300条1項4号に規定する既契約を消滅させて新たな
　　　　保険契約の申込みをさせ、または新たな保険契約の申込みをさせてす
　　　　でに成立している保険契約を消滅させること）、転換（規則227条の2第3
　　　　項9号および規則234条の21の2第1項7号に規定する既契約を消滅させ
　　　　ると同時に、既契約の責任準備金、返戻金の額その他の被保険者のため
　　　　に積み立てられている額を、新契約の責任準備金または保険料に充当す
　　　　ることによって保険契約を成立させること）の場合は、これらが顧客
　　　　に不利益になる可能性があること。
オ．当該書面の交付またはその他適切な方法（電磁的方法を含む）によ
　　る提供にあたって、契約締結に先立ち、顧客が当該書面の内容を理解
　　するための十分な時間が確保される体制が整備されているか。
　　　（注1）　「注意喚起情報」を記載した書面については、顧客に対して効果
　　　　　　的な注意喚起を行うため、契約の申込時に説明・交付することで
　　　　　　も足りる。
　　　　　　　ただし、投資性商品である特定保険契約にあっては、リスク情
　　　　　　報を含む「注意喚起情報」を記載した書面についても、「契約概

要」を記載した書面と同じ機会に交付することにより、顧客がその内容を理解するための十分な時間が確保されるべきことに留意すること。
（注2）　顧客に対する十分な時間の確保にあたっては、保険商品の特性や販売方法をふまえる一方、顧客の理解の程度やその利便性が損なわれないかについて考慮するものとする。

カ．電話・郵便・インターネット等のような非対面・非接触の方式（テレビ会議システム（映像と音声の送受信により相手の状態を相互に認識できる方法をいう）を含む。以下同じ）による情報の提供および説明を行う場合は、上記ア．からオ．に規定する内容と同程度の情報の提供および説明が行われる体制が整備されているか。

　　たとえば、少なくとも以下のような方法により、顧客に対して適切な情報の提供や説明が行われている必要がある。

(ア)　電話による場合

　　顧客に対して口頭にて説明すべき事項を定めて、当該書面の内容を適切に説明するとともに、当該書面を読むことが重要であることを口頭にて説明のうえ、遅滞なく当該書面を交付またはこれに代替する電磁的方法により提供する方法

(イ)　郵便による場合

　　当該書面を読むことが重要であることを顧客が十分認識できるような記載を行ったうえで、当該書面を顧客に送付またはこれに代替する電磁的方法により提供する方法

(ウ)　インターネット等による場合

　　当該書面の記載内容、記載方法等に準じて電磁的方法による表示を行ったうえで、当該書面を読むことが重要であることを顧客が十分認識できるよう電磁的方法による説明を行う方法

（注1）　上記エ．に規定する内容と同程度とは、たとえば、郵便の場合は書面への記載、インターネット等の場合は電磁的方法による表示により、口頭による情報の提供および説明に代えることが考え

　　　　　られる。
　　（注2）　郵便による場合、当該書面を読むことが重要であることを顧客が十分認識できるような書面をあわせて送付することでも足りる。
　　（注3）　インターネット等による場合、当該書面の郵送等にかえて、印刷や電磁的方法による保存などの手段が考えられる。

キ．規則第227条の2第2項に定める団体保険について、保険契約者である団体が被保険者となる者に対して加入勧奨を行う場合は、上記ア〜カに規定する内容について、保険会社または保険募集人が顧客に対して行うのと同程度の情報の提供および説明が適切に行われることを確保するための措置が講じられているか。

ク．規則第227条の2第3項6号、7号、9号および規則第234条の21の2第1項4号から7号までに定める書面の交付（電磁的方法により代替して交付する場合を除く）に関して、保険契約者から書面を受領した旨の確認を得ることについて、保険会社の従業員および保険募集人に対する教育・管理・指導を行う体制が整備されているか。

　　また、保険会社の従業員および保険募集人による受領確認の実施状況を調査・把握する体制が整備されているか。

　　当該書面を電磁的方法により代替して交付する場合には、保険契約者の承諾を得たうえで適切な手段により提供する措置をとる体制が整備されているか。

ケ．既契約および新契約に関して規則第227条の2第3項9号イおよび規則第234条の21の2第1項7号イに規定する事項が記載されたそれぞれの書面を交付またはこれに代替する電磁的方法による提供により対比する場合には、当該書面の交付またはこれに代替する電磁的方法による提供にあたって既契約と新契約の対比説明を徹底する等、保険契約者等の保護に欠けることのないよう措置を講じているか。

コ．顧客から「契約概要」および「注意喚起情報」を記載した書面契約締結前交付書面ならびに規則第227条の2第3項第9号および規則第234条の21の2第1項第7号に定める書面の記載事項を了知した旨を

十分に確認し、事後に確認状況を検証できる態勢にあるか。

とりわけ、これらの書面をインターネット等の非対面・非接触の方式で電磁的方法により提供する場合であっても、対面の方式で書面を交付して説明する場合と同程度に、顧客が書面の記載事項を了知した旨の確認を適切に行っているか。

> （注） インターネット等の非対面・非接触の方式で電磁的方法により提供する場合に顧客が書面の記載事項を了知した旨の確認をする方法としては、たとえば、テレビ会議システムを利用したうえで、適宜、書面の記載事項を画面上に表示して説明を行うとともに、顧客とのコミュニケーションを通じて、その了知の有無を確認することが考えられる。
>
> 　映像によって顧客の了知の確認ができない方式においては、必要に応じて電話等で補足をすること、書面を全て閲覧しないと申込みのページに遷移できない仕組みとすることや、当該書面の内容を読んで了知したことについての質問およびチェックボックスを設けること等の措置を、顧客の特性等に応じて組み合わせることによって、顧客の了知の有無を確認することが考えられる。

4　不祥事件届出

情報提供義務に違反する行為がある場合には、法294条1項に違反する行為として、不祥事件届出が必要となる[35]。

---

[35] 規則85条5項3号または規則166条4項3号。

Q13 情報提供義務について、法令・監督指針に規定する「契約概要」「注意喚起情報」を記載した書面等による情報提供が不要とされている場合とは、どのような場合か。また、「被保険者に対する情報提供義務」の適用が除外となるのはどのような場合か。

A 契約概要・注意喚起情報を記載した書面等による情報提供を義務づけられない場合として、
① 契約内容の個別性・特殊性が高い場合
② 保険料の負担が少額（年間5,000円以下）の場合
③ 団体保険契約において、保険契約者である団体に対して行う情報提供
④ 既存契約の一部変更の場合（変更部分についてのみ）
がある（規則227条の2第3項3号）。

また、保険契約者と被保険者とが異なる契約において、被保険者に対する情報提供を求める必要性が乏しい以下の場合については、被保険者に対する情報提供義務が適用除外となるものとされている（規則227条の2第2項・7項）。
① 被保険者の保険料負担がゼロである場合
② 保険期間がきわめて短期間（1カ月以内）かつ、被保険者が負担する保険料の額がきわめて少額（1,000円以下）である場合
③ 被保険者に対するイベント・サービス等に付随して提供される場合
④ 公的年金制度等の加入者
⑤ 団体内での適切な情報提供が期待できる場合

═══════════════ 解　説 ═══════════════

1　書面等によらずに情報提供できる場合

　保険契約の特性等に照らして、契約概要や注意喚起情報を記載した書面等

によらない別個の方法を認めたほうがよりわかりやすい説明が期待できたり、商品内容が比較的単純で、一律の方法を強制すると過度な負担になると考えられる以下の保険契約を取り扱ったりする場合には、一律の手法によらない情報提供を許容することとされている（規則227条の2第3項3号）。

> ① 事業者の事業活動に伴って生ずる損害をてん補する保険契約、その他契約内容の個別性または特殊性が高い保険契約を取り扱う場合（例：工場の火災保険等の事業者向けの保険等。規則227条の2第3項3号イ）
> ② 1年間に支払う保険料の額（保険期間が1年未満であって保険期間の更新をすることができる保険契約にあっては、1年間当りの額に換算した額）が5,000円以下である保険契約を取り扱う場合（規則227条の2第3項3号ロ）
> ③ 団体保険契約において、保険契約者である団体に対して行う情報提供（規則227条の2第3項3号カッコ書および同号ハ）
> ④ 既存契約の一部の変更をすることを内容とする保険契約を取り扱う場合（当該変更に係る部分に限る。規則227条の2第3項3号ニ）

2 「被保険者に対する情報提供義務」が適用除外となる場合

保険契約者と被保険者が異なる契約において、被保険者に対する情報提供を求める必要性が乏しいと考えられる以下の場合には、「被保険者に対する情報提供義務」は適用除外となる（規則227条の2第7項）。

	規　定	主な事例
①	被保険者の保険料負担が零である保険契約を取り扱う場合（規則227条の2第7項1号イ）	世帯主が家族のために付保する傷害保険（世帯主が保険料を負担するケース）
②	保険期間が1カ月以内であり、かつ、被保険者が負担する保険料の額が1,000円以下であ	レクリエーション保険

	る保険契約を取り扱う場合（同号ロ）	
③	被保険者に対するイベント・サービス等に付随して引き受けられる保険に係る保険契約を取り扱う場合（加入について被保険者の意思決定を要さず、かつ、主たるイベント・サービス等の提供と関連性を有する保険契約である場合に限る。同号ハ）	お祭りの主催者が参加者に付保する傷害保険
④	公的年金制度等の加入者が被保険者となる保険契約を取り扱う場合（同号ニ）	年金制度等を運営する団体を保険契約者とし、その年金制度等の加入者を被保険者とする保険契約
⑤	団体内での適切な情報提供が期待できる場合（保険業法の適用除外団体、団体（契約者）と構成員（被保険者）との間に「一定の密接性」がある場合（規則227条の2第2項各号）36)	

　また、既存契約の一部を変更することを内容とする保険契約を取り扱う場合については、情報提供の内容に変更すべきものがないときはすべての情報について（規則227条の2第7項2号イ）、変更すべきものがある場合であっても変更されない情報については（同号ロ）、保険契約者に対しても被保険者に対しても適用除外の対象となっている。

36　ただし、団体（契約者）からの必要な情報提供・適切な意向確認を確保するための体制整備が求められることに留意する必要がある。監督指針Ⅱ-4-2-2(2)⑩キ、Q12参照。規則53条1項5号（保険会社の義務）、規則227条の8（保険募集人および保険仲立人の義務）参照。

Ⅱ 意向把握・確認義務（法294条の2）

Q14 「意向把握義務」とは何か。

 意向把握義務とは、顧客意向の把握、当該意向に沿った保険プランの提案、当該意向と当該プランの対応関係についての説明、当該意向と最終的な顧客の意向の比較と相違点の確認を行うことを求める義務である（法294条の2、監督指針Ⅱ-4-2-2(3)）。

――――― 解　説 ―――――

1 意向把握義務とは

　意向把握義務とは、保険会社または保険募集人が、保険契約の締結、保険募集またはいわゆる加入勧奨に関し、顧客意向の把握、当該意向に沿った保険プランの提案、当該意向と当該プランの対応関係についての説明、当該意向と最終的な顧客の意向の比較と相違点の確認を行うことを求める義務である。

　これまでは、保険業法上は、体制整備の一環として、契約を締結する商品と顧客の意向が合致しているかを確認（意向確認）することなどが求められていたが、平成26年改正により、意向の把握から、提案商品の説明、意向確認などの一連のプロセス（意向把握・確認）が法令上の義務として新たに求められることになった。

2 意向把握義務の適用
(1) 意向把握が必要となる場合

　保険契約の締結、保険募集、または規則227条の2第2項に該当しない団

第3章　保険募集に関するコンプライアンス　137

体が行う加入勧奨（Q8参照）に関し、意向把握を行う必要がある（法294条の2）。

(2) 適用除外

意向把握を求める必要性が乏しい以下の場合については、意向把握義務は適用されない（規則227条の6）。

① 情報提供義務の適用除外とされている保険契約を取り扱う場合（規則227条の6第1号・規則227条の2第7項各号。Q12参照）

② 他の法律の規定により顧客が保険契約の締結または保険契約への加入が義務づけられている保険契約を取り扱う場合（自賠責保険など。規則227条の6第2号）

③ 勤労者財産形成促進法6条に規定する保険契約を取り扱う場合（個人型財形保険など。規則227条の6第3号）

なお、①に関して、既存契約の更新や一部変更の場合において、実質的な変更に該当する場合は、当該変更部分について適切に意向把握を行う必要がある（監督指針Ⅱ-4-2-2(3)③）。ここでいう「実質的な変更」とは、保険金額、保険期間や解約返戻金有無等の変更等があげられる[37]。

Q15 どのような方法で意向把握する必要があるのか。

A 意向把握の方法については、取り扱う商品や募集形態をふまえたうえで、保険会社または保険募集人の創意工夫により、いわゆる意向把握型、意向推定型、損保型など、監督指針所定の方法またはこれらと同等の方法を用いて行う必要がある（監督指針Ⅱ-4-2-2(3)①）。

---

[37] 平成27年パブコメ番号347～352番。

━━━━━━━━━━ 解　説 ━━━━━━━━━━

意向把握の具体的な方法（別表参照）

　意向把握の方法について、監督指針は、顧客が、自らの抱えるリスクやそれをふまえた意向に保険契約の内容が対応しているかどうかを判断したうえで保険契約を締結することを確保するために、取り扱う商品や募集形態をふまえ、保険会社または保険募集人の創意工夫による方法で行うことを求めており、具体的に、以下のア．からウ．の方法が例示されている（監督指針Ⅱ-4-2-2(3)①）。

ア．保険金額や保険料を含めた当該顧客向けの個別プランを説明・提案するにあたり、当該顧客の意向を把握する。そのうえで、当該意向に基づいた個別プランを提案し、当該プランについて当該意向とどのように対応しているかも含めて説明する。その後、最終的な顧客の意向が確定した段階において、その意向と当初把握した主な顧客の意向を比較し、両者が相違している場合にはその相違点を確認する。

① 意向把握の方法例

　　事前に顧客の意向を把握する場合、たとえば、アンケート等により把握することが考えられる（監督指針Ⅱ-4-2-2(3)①（注1））。

② 意向推定型

　　顧客の意向を把握することには、たとえば、性別や年齢等の顧客属性や生活環境等に基づき推定するといった方法が含まれる。この場合においては、個別プランの作成・提案を行うつど、設計書等の交付書類の目立つ場所に、推定（把握）した顧客の意向と個別プランの関係性をわかりやすく記載し説明するなど、どのような意向を推定（把握）して当該プランを設計したかの説明を行い、当該プランについて、当該意向とどのように対応しているかも含めて説明することが考えられる（監督指針Ⅱ-4-2-2(3)①（注2））。

③ 損保型

別表 「意向把握・確認義務の流れ」について(法294条の2関係)

		意向把握	提案・説明	最終的な意向と当初(事前)意向の比較(「ふりかえり」)	意向確認
ア	意向把握型(注1)	アンケート等により顧客の意向を事前に把握したうえで	当該意向に沿った個別プランを作成し、顧客の意向との関係性をわかりやすく説明する。	その後、最終的な顧客の意向が確定した段階において、その意向と、保険会社または保険募集人が当初把握した主な顧客の意向との比較を記載したうえで、両者が相違している場合には、その対応箇所や相違点およびその相違が生じた経緯について、わかりやすく説明する。	契約締結前の段階において、顧客の最終的な意向と契約の申込みを行おうとする保険契約の内容が合致しているかどうかを確認(=「意向確認」)する。
	意向推定型(注2)	性別や年齢等の顧客属性や生活環境等に基づき顧客の意向を推定したうえで	保険金額や保険料を含めた個別プランの作成・提案を行うつど、設計書等の顧客に交付する書類の目立つ場所に、保険会社または保険募集人が推定(把握)した顧客の意向と個別プランの関係性をわかりやすく記載のうえ説明する。	その後、最終的な顧客の意向が確定した段階において、その意向と、保険会社または保険募集人が事前に把握した主な顧客の意向との比較を記載したうえで、両者が相違している場合には、その対応箇所や相違点およびその相違が生じた経緯について、わかりやすく説明する。	契約締結前の段階において、顧客の最終的な意向と契約の申込みを行おうとする保険契約の内容が合致しているかどうかを確認(=「意向確認」)する。
	損保型(注3)	自動車や不動産購入等に伴う補償を望む顧客に対し、主な意向・情報を把握したうえで	個別プランの作成・提案を行い、主な意向と個別プランの比較を記載するとともに、保険会社または保険募集人が把握した顧客の意向と個別プランの関係性をわかりやすく説明する。	(商品特性・募集形態上、必ずしも求められるものではない)	その後、契約締結前の段階において、当該意向と契約の申込みを行おうとする保険契約の内容が合致しているかどうかを確認(=「意向確認」)する。
イ		上記(注1)~(注3)の場合においては、規則227条の2第3項3号ロに規定する1年間に支払う保険料の額(保険期間が1年未満であって保険期間の更新をすることができる保険契約にあっては、1年間当りの額に換算した額)が5,000円以下である保険契約における意向把握について、商品内容・特性に応じて適切に行うものとする。			(意向確認が必要)
ウ		事業者の事業活動に伴って生ずる損害をてん補する保険契約については、顧客の保険に係る知識の程度や商品特性に応じて適切な意向把握および意向確認を行うものとする。			

(出所) 金融庁監督局保険課「改正保険業法を踏まえた監督指針の見直しについて」(平成27年6月)より筆者作成

自動車や不動産購入等に伴う補償を望む顧客に係る意向の把握および説明・提案については、顧客自身が必要とする補償内容を具体的にイメージしやすく、そのため意向も明確となることから、主な意向・情報を把握したうえで、個別プランの作成・提案を行い、主な意向と個別プランの比較を記載するとともに、保険会社または保険募集人が把握した顧客の意向と個別プランの関係性をわかりやすく説明することが考えられる（監督指針Ⅱ-4-2-2⑶①（注3））。
イ．規則227条の2第3項3号イに規定する事業者の事業活動に伴って生ずる損害をてん補する保険契約については、顧客の保険に係る知識の程度や商品特性に応じて適切な意向把握および意向確認を行うものとする。
ウ．規則227条の2第3項3号ロに規定する1年間に支払う保険料の額（保険期間が1年未満であって保険期間の更新をすることができる保険契約にあっては、1年間当りの額に換算した額）が5,000円以下である保険契約における意向把握については、商品内容・特性に応じて適切に行うものとする。

Q16 意向把握義務を履行するためには、どのような情報を把握・確認する必要があるのか。

A　　意向把握義務を履行するためには、取り扱う保険商品の種類（第一分野および第三分野の保険商品か、第二分野の保険商品か）に応じて、監督指針に定められている項目を参考に、顧客の意向に関する情報を把握・確認する必要がある（監督指針Ⅱ-4-2-2⑶②）。

═══ 解　説 ═══

・意向把握の対象

　意向把握義務を履行するためには、取り扱う保険商品の種類（第一分野および第三分野の保険商品か、第二分野の保険商品か）に応じて、たとえば、以下のような顧客の意向に関する情報を把握・確認する必要がある（監督指針Ⅱ－4－2－2(3)②）。

ア．第一分野の保険商品および第三分野の保険商品について

（注）　変額保険、変額年金保険、外貨建て保険等の投資性商品を含み、海外旅行傷害保険商品および保険期間が1年以下の傷害保険商品（契約締結に際し、保険契約者または被保険者が告知すべき重要な事実または事項に被保険者の現在または過去における健康状態その他の心身の状況に関する事実または事項が含まれないものに限る）を除く。

(ｱ)　どのような分野の保障を望んでいるか。

（死亡した場合の遺族保障、医療保障、医療保障のうちがんなどの特定疾病に備えるための保障、傷害に備えるための保障、介護保障、老後生活資金の準備、資産運用など）

(ｲ)　貯蓄部分を必要としているか。

(ｳ)　保障期間、保険料、保険金額に関する範囲の希望、優先する事項がある場合はその旨

（注）　変額保険、変額年金保険、外貨建て保険等の投資性商品については、たとえば、収益獲得を目的に投資する資金の用意があるか、預金とは異なる中長期の投資商品を購入する意思があるか、資産価額が運用成果に応じて変動することを承知しているか、市場リスクを許容しているか、最低保証を求めるか等の投資の意向に関する情報を含む。

イ．第二分野の保険商品について

（注）　上記イ．に該当する保険商品は、第二分野の保険商品のほか、海外旅行傷害保険商品および保険期間が1年以下の傷害保険商品（契約締結に際し、保険契約者または被保険者が告知すべき重要な事実または

事項に被保険者の現在または過去における健康状態その他の心身の状況に関する事実または事項が含まれないものに限る）を含む。
(ｱ)　どのような分野の補償を望んでいるか。
　　（自動車保険、火災保険などの保険の種類）
(ｲ)　顧客が求める主な補償内容
　　（注）　意向の把握にあたっては、たとえば、以下のような情報を把握することが考えられる。
　　　　・自動車保険については、若年運転者不担保特約、運転者限定特約、車両保険の有無など
　　　　・火災保険については、保険の目的、地震保険の付保の有無など
　　　　・海外旅行傷害保険については、補償の内容・範囲、渡航者、渡航先、渡航期間など
　　　　・保険期間が1年以下の傷害保険については、補償の内容・範囲など
(ｳ)　補償期間、保険料、保険金額に関する範囲の希望、優先する事項がある場合はその旨

　なお、上記のうち、商品提案に必要となる主な意向と考えられるものは、個別プランの提案前に把握する必要があり、それ以外のものは、その後の募集プロセスのなかで把握することも認められる[38]。

Q17　意向把握義務に係る体制をどのように整備すべきか。

A　意向把握のプロセスを社内規則等で定めるとともに、所属する保険募集人に対して適切な教育・指導・管理を実施するほか、適切な方法によ

---

[38]　平成27年パブコメ394番。

り、保険募集のプロセスに応じて、意向把握に用いた帳票等（たとえば、アンケートや設計書等）であって、顧客の最終的な意向と比較した顧客の意向に係るものおよび最終的な意向に係るものを保存するなどの措置を講じることが必要となる。

―――――― 解　説 ――――――

1　意向把握義務に係る体制整備

　保険会社および保険募集人においては、意向把握義務の履行に関し、そのプロセス等を社内規則等で定めるとともに、所属保険募集人に対して適切な教育・管理・指導を実施するほか、保険会社または保険募集人のいずれか、または双方において、意向把握に係る業務の適切な遂行を事後的に確認・検証できるようにするための措置を講ずる必要がある（監督指針Ⅱ-4-2-2(3)④）。

2　意向把握帳票等の保存

　意向把握に係る業務の適切な遂行を事後的に確認・検証できるようにするため、たとえば、適切な方法により、保険募集のプロセスに応じて、意向把握に用いた帳票等（たとえば、アンケートや設計書等）であって、顧客の最終的な意向と比較した顧客の意向に係るものおよび最終的な意向に係るものを保存するなどの措置を講ずる必要がある（監督指針Ⅱ-4-2-2(3)④ア）[39]。

　具体的には、以下の点に留意する必要がある。

(1)　**保存の主体**

　保存の主体は、保険会社または保険募集人のいずれか、または双方である（監督指針Ⅱ-4-2-2(3)④ア）。

---

[39]　なお、顧客の意向に関する情報の収集や提供等に際しては、個人情報の保護に関する法律（利用目的の明示や第三者提供に係る同意等）や、銀行等の窓口販売における弊害防止措置などの関係法令等を遵守する必要があることに留意する（監督指針Ⅱ-4-2-2(3)④ア（注））。

なお、保険募集人が意向把握書面を保存するケースでは、保険会社は、保険募集人に対し適切に保存を行うよう求めるなどの態勢を整備する必要がある[40]。

複数の保険募集人による共同募集の場合、意向把握に係る記録の保存は、複数のうちの1人の保険募集人が行うことも認められる[41]。

(2) **保存すべき帳票等**

適切な方法により、保険募集のプロセスに応じて、意向把握に用いた帳票等（たとえばアンケート・設計書）であって、顧客の最終的な意向と比較した顧客の意向に係るものおよび最終的な意向に係るものを保存する必要がある（監督指針Ⅱ-4-2-2(3)④ア）。

意向把握に用いた帳票については、顧客の署名や押印まで求められるものではない[42]。

保存すべき帳票等は、①当初の意向と最終的な意向が記載され、それを比較したプロセスを確認することのできる資料、②最終的な意向と申込内容が合致していることを確認する意向確認書面のそれぞれを保存する必要がある。もっとも、分離して記載されている形式を前提に、同一の書面として構成されていることは許容される[43]。

意向把握に用いた帳票等で顧客の意向に係るものを保存する場合には、実際に意向把握に用いた帳票等を保存する必要がある[44]。

募集過程で作成・使用した書類すべてを保存する必要はないが、業務の適正な遂行を確認できることが必要である[45]。

なお、成約に至らなかった顧客に関する意向把握に用いた帳票等の保存は、法令上求められるわけではない[46]。

---

40 平成27年パブコメ378番。
41 平成27年パブコメ372番。
42 平成27年パブコメ357・358番。
43 平成27年パブコメ365番。
44 平成27年パブコメ373番。
45 平成27年パブコメ359・360番。

(3) 保存の方法

電子媒体での保存や、本部等1カ所での保存も可能である[47]。

センシティブ情報を仮に事情により保存する場合には、意向把握に用いた帳票等とは別途管理できる体制を構築することが必要である[48]。

(4) 保存期間

保存期間については、法令・監督指針においては、具体的な期間が明示されているものではないが、保険契約締結日から、保険会社または保険募集人が事後的に検証するために適当と考える期間にわたり保存することが求められる。なお、必要に応じて、保存期限や保存方法を見直す必要があるほか、帳票により保存期限が異なる場合も生じる[49]。

Q18 意向確認義務とはどのようなものか。

A 意向確認義務とは、契約の申込みを行おうとする保険商品が顧客の意向に合致しているものかどうかを、顧客が契約締結前に最終的に確認する機会を確保するために、顧客の意向に関して情報を収集し、保険商品が顧客の意向に合致することを確認する義務である。

=========== 解　説 ===========

1　意向確認書面が導入された経緯

消費者が、目にみえない保険商品を適切に選択・購入するためには、保険

46　平成27年パブコメ381・382番。
47　平成27年パブコメ370番。
48　平成27年パブコメ391番。
49　平成27年パブコメ383～389番。

募集人等からその商品内容について十分に説明を受ける必要がある。しかしながら、募集人等から説明を受けたとしても、保険商品の複雑性等から、消費者が自らのニーズに合致した保険商品を適切に購入することは困難な場合があり、保険会社が顧客のニーズに合致した商品の販売・勧誘を行うという意味での適合性原則が重要との指摘がなされていた[50]。

この点につき、「保険商品の販売勧誘のあり方に関する検討チーム」[51]において検討が行われ、その結果が平成18年3月1日「中間論点整理～適合性原則を踏まえた保険商品の販売・勧誘のあり方～」として取りまとめられた。そこでは保険販売の現状について次のような分析がなされた。

募集人等は、顧客からニーズ等を聞き、保険商品の絞込みや商品設計を行い、顧客に対してオーダーメイド的に保険商品を推奨している（これら一連の行為を募集人等と顧客との「共同作業」と呼んでいる）ものの、募集人等は保険商品の推奨はあくまで「サービス」、言い換えれば顧客のニーズに最も合致した商品であることを「保証するものではない」と考えている。これに対して、顧客は、募集人等がその専門的知識を生かして自らのニーズに合致した保険商品を推奨してくれると期待している。

このように、募集人等と顧客との間の保険商品の「推奨」に関する認識の格差（ギャップ）が存在している。この認識の格差（ギャップ）を埋めるためには、募集人等・顧客双方において、購入しようとする保険商品が顧客のニーズに合致するものか否かを、契約締結前に最終確認するというプロセスを導入することが有効であるとの分析がなされた。

同分析をふまえ、平成19年4月から、顧客のニーズを最終確認する書面である「意向確認書面」の作成が義務づけられることとなった。

さらに、平成26年法改正において意向把握義務が創設されたことにより、

---

[50] 金融庁「中間論点整理—保険商品の販売・加入時における情報提供のあり方について—」（平成17年7月8日）。
[51] 保険商品の販売加入のあり方を検討するために、平成17年4月に金融庁に設置された金融庁監督局長下の諮問機関。

契約締結前の段階において、顧客の最終的な意向と契約の申込みを行おうとする保険契約の内容が合致しているかどうかを確認すること（＝意向確認）は、法律上の義務となった。

2　意向確認に係る体制整備

保険会社または保険募集人において、契約の申込みを行おうとする保険商品が顧客の意向に合致した内容であることを顧客が確認する機会を確保し、顧客が保険商品を適切に選択・購入することを可能とするため、適切な遂行を確認できる措置を講じる必要がある。

具体的には、監督指針Ⅱ-4-2-2(3)①アまたはこれと同等の方法を用いる場合においては、以下の措置を講じる必要がある（監督指針Ⅱ-4-2-2(3)④イ)[52]。

> **監督指針Ⅱ-4-2-2(3)④イ**（一部簡略化している）
> (ア)　意向確認書面の作成・交付
> 　意向確認書面を作成し、顧客に交付するとともに、保険会社等において保存する。
> (イ)　意向確認書面の記載事項
> 　a．顧客の意向に関する情報
> 　b．保険契約の内容が当該意向とどのように対応しているか。
> 　c．その他顧客の意向に関して特に記載すべき事項
> 　　たとえば、特記事項欄等を設け、以下のような情報を記載することが求められる。
> 　　(a)　当該保険契約の内容では顧客の意向を全部または一部満たさな

---

[52] 規則227条の2第2項に定める団体保険について、保険契約者である団体が被保険者となる者に対して加入勧奨を行う場合は、保険商品が被保険者の意向に合致した内容であることを確認する機会を確保するため、123～125頁の(ア)～(サ)のような体制整備と同程度の措置を講じることが求められる。

い場合はその旨
　　（b）特に顧客から強く要望する意向があった場合や個別性の強い意向を顧客が有する場合はその意向に関する情報
　　（c）当該保険契約の内容が顧客の意向に合致することを確認するために最低限必要な情報が提供されなかった場合はその旨
　　d．保険募集人等の氏名・名称
　　　顧客に対して当該書面の作成責任者を明らかにするために記載するものである。
(ウ) 意向確認書面の記載方法
　意向確認書面は顧客にとってわかりやすい記載とする。なお、顧客の意向に関する情報については、たとえば、当該書面にあらかじめ想定される顧客の意向に関する情報の項目を列挙するといった方法も認められるが、その場合は、あらかじめ想定できない顧客の意向に関する情報（上記(イ)c）を記載するため、特記事項欄等を設ける。
(エ) 意向確認書面の確認・交付時期
　意向確認書面により、保険契約を締結するまでに、顧客が申込みを行おうとしている保険契約の内容が顧客の意向と合致しているか否かの確認を行う。
　顧客が確認した意向確認書面は、顧客の確認後、遅滞なく顧客へ交付する。なお、顧客が即時の契約締結を求めている場合や電話による募集の場合など当該書面の即時の交付が困難な場合は、顧客の利便性を考慮し、意向確認書面に記載すべき内容を口頭にて確認のうえ、意向確認書面を事後に遅滞なく交付することでも足りる。
(オ) 意向確認書面の記載内容の確認・修正
　意向確認書面の記載内容のうち、特に顧客の意向に関する情報（上記(イ)aおよびc）については、顧客に対して事実に反する記載がないかを確認するとともに、顧客から当該部分の記載の修正を求められた場合にはすみやかに対応を行う。

(カ) 保険契約の内容に関する意向の確認

　顧客が申込みを行おうとする保険契約の内容のうち、顧客が自らの意向に合致しているかの確認を特に必要とする事項（主契約や特約ごとの具体的な保障（補償）内容、保険料（保険料払込方法、保険料払込期間を含む）および保険金額、保障（補償）期間、配当の有無など）については、意向確認書面に確認のための設問を設ける等の方法により、顧客に対して再確認を促すような工夫をする。

(キ) 意向確認書面の媒体等

　意向確認書面については、顧客における保存の必要性を考慮し、原則として書面（これに代替する電磁的方法を含む。以下(キ)において同じ）により交付する。なお、必ずしも独立した書面とする必要はないが（申込書と一体で作成することも可能）、他の書面と同一の書面とする場合には、意向確認書面に該当する部分を明確に区別して記載する必要がある。

　また、意向確認書面は、保険会社または保険募集人と顧客の双方が確認するために交付される書面であることから、保険会社または保険募集人においても書面等を事後的に確認できる方法により保存することとする。電子メール等の電磁的方法による交付を行う場合は、顧客の了解を得ていること、および印刷または電磁的方法による保存が可能であることが必要となる[53]。

(ク) 顧客が意向確認書面の作成および交付を希望しない場合の対応

　顧客が当該書面の作成および交付を希望しない場合は、顧客に対して、意向確認書面の役割を書面等により説明するとともに、事後に顧客が意向確認書面の作成および交付を希望しなかったことが検証できる態勢を構築しておく必要がある。

(ケ) 意向確認書面の記載事項等の検証等

---

[53] 保存期間については、保険会社において、商品特性等に応じ社内規則等で適切に定める必要があるところ、最低限保険契約が継続している間は保存することが必要であるとされている。平成18年2月22日金融庁パブリックコメント11頁11・15番。

意向確認書面の作成および交付については、保険商品の特性や販売方法の状況の変化に応じて、また顧客等からの苦情・相談の内容をふまえながら、その記載事項や記載方法、収集すべき顧客の意向に関する情報およびその収集方法等について検証のうえ、必要に応じ見直しを行う。

㈰　顧客が保険契約の内容等を誤解していること等が明らかな場合の対応

　顧客が保険契約の内容等について、理解していない、または誤解していることが明らかである場合は、よりわかりやすい説明および誤解の解消に努める。

㈯　取り扱える保険会社の範囲の説明等

　保険募集人が取り扱える保険会社の範囲（たとえば、専属か乗合か、乗合の場合には取り扱える保険会社の数等の情報等）を説明するとともに、顧客が告知を行おうとする際には、告知受領権の有無についてその説明を行うこととされている必要がある。

第3節 募集人の体制整備義務（法294条の3第1項）

Q19 保険募集人に対して課される体制整備義務とはいかなる内容か。

A 保険募集人は、業務の規模・特性に応じて、①重要事項説明など保険募集の業務の適切な運営、②顧客情報の適正な取扱い、③保険募集の業務を委託する場合の委託先管理、④乗合代理店における比較推奨販売、⑤保険募集人指導事業（フランチャイズ）における適切な指導、⑥その他の健全かつ適切な運営を確保するための体制を自ら整備しなければならない。

=== 解　説 ===

1　保険募集人に対して体制整備義務が課された趣旨

　従来、法令上の体制整備義務は保険会社に課されている一方（法100条の2）、保険募集人については体制整備義務が課されておらず、代理店等の体制整備については、所属保険会社の教育・管理・指導のもとで行う仕組みとなっていた。しかしながら、いわゆる乗合代理店を中心とした大規模代理店の出現や保険募集人に対して積極的行為義務（情報提供義務・意向把握義務）が導入されたことをふまえ、従来の所属保険会社が監督責任を負う枠組みに加え、保険募集人も、業務の規模・特性に応じた体制整備が義務づけられることとなった（法294条の3）。

2　体制整備義務の内容

　保険募集人は、業務の規模・特性に応じて、保険会社に課されている体制整備に準じた対応を行うことが必要となる。具体的には、次の措置を講じな

ければならない。

(1) 重要事項説明など保険募集業務の適切な運営を確保するための措置

a 社内規則・従業員に対する研修（規則227条の7）

保険募集人は、その業務の内容および方法の応じ、顧客の知識、経験、財産の状況および取引を行う目的をふまえた重要な事項の顧客への説明その他の健全かつ適切な業務の運営を確保するための措置（書面の交付その他の適切な方法による商品または取引の内容およびリスクの説明ならびに顧客の意向の適切な把握ならびに犯罪を防止するための措置を含む）に関する社内規則その他これに準ずるものを定めるとともに、従業員に対する研修その他の当該社内規則等に基づいて業務が運営されるための十分な体制を整備しなければならない。

社内規則には、保険募集に関する法令等の遵守、保険契約に関する知識、内部事務管理体制の整備（顧客情報の適正な管理を含む）等を定めて、保険募集人の育成、資質の向上を図るための措置を講じるなど、適切な教育・管理・指導を行わなければならない（監督指針Ⅱ-4-2-9(1)）。

b 特定の団体保険における適切な情報提供等の確保（規則227条の8）

保険募集人は、団体内での適切な情報提供が期待される場合（法227条の2第2項各号の規定される場合）において、団体（保険契約者）から加入者（被保険者）に対して必要な情報提供や適切な意向確認を確保するため措置を講じなければならない。

(2) 顧客情報の適正な取扱いに関する措置

a 個人顧客情報の安全管理措置等（規則227条の9）

保険募集人は、その取り扱う個人である顧客に関する情報の安全管理、従業者の監督および当該情報の取扱いを委託する場合にはその委託先の監督について、当該情報の漏えい、滅失またはき損の防止を図るために必要な措置を講じなければならない。

b 特別の非公開情報（センシティブ情報）の取扱い（規則227条の10）

保険募集人は、その業務上取り扱う個人である顧客に関する人種、信条、

門地、本籍地、保健医療または犯罪経歴についての情報その他の特別の非公開情報（その業務上知りえた公表されていない情報をいう）を、当該業務の適切な運営の確保その他必要と認められる目的以外の目的のために利用しないことを確保するための措置を講じなければならない。

(3) **保険募集の業務を委託する場合の委託先管理措置**（規則227条の11）

保険募集人は、保険募集の業務を第三者に委託する場合には、当該委託した業務の実施状況を定期的にまたは必要に応じて確認し、必要に応じて改善を求めるなど、当該業務が的確に実施されるために必要な措置を講じなければならない。

なお、ここでいう「保険募集の業務」とはダイレクトメールの発送業務等が想定されている。保険募集の再委託は保険業法上禁止されていることに注意する必要がある（保険業法275条3項、監督指針Ⅱ-4-2-1(2)（注4））。

(4) **乗合代理店等における比較推奨販売に関する措置**

a 乗合代理店等に係る誤認防止（規則227条の12）

乗合代理店等は、当該所属保険会社等が引き受ける保険に係る一の保険契約の内容につき当該保険契約に係る他の保険契約の契約内容と比較した事項を提供する場合（異なる所属保険会社等が引き受ける保険に係る保険契約の内容を比較する場合に限る）または二以上の比較可能な同種の保険の保険契約のなかから提案契約の提案をする場合には、当該保険募集人が保険会社等の委託を受けた者またはその者の再委託を受けた者ではないと顧客が誤認することを防止するための適切な措置を講じなければならない。

ここでいう「当該保険募集人が保険会社等の委託を受けた者またはその者の再委託を受けた者ではないと顧客が誤認する」というのは、たとえば、乗合代理店等が「公平・中立なアドバイスを行う」と表示した場合、顧客は「乗合代理店等は保険会社と顧客との間で中立である」と誤解するおそれがあるため、乗合代理店等は中立的立場でアドバイスする者ではなく、あくまで保険会社を代理してアドバイスするものであるという点を明確にすることを求めるものである（監督指針Ⅱ-4-2-9(5)③（注）参照）。つまり、当該措

置として、法294条の権限等明示に加えて、新たな明示を求めるものではなく[54]、各募集人に対する教育・指導により、顧客の誤認を招くような表示・説明を行わないようにするための措置が求められている。

b　契約内容を比較した事項の提供の適切性等を確保するための措置（規則227条の14）

Q21～23（比較推奨販売）参照。

(5) **自己の商標等の使用を許諾した保険募集人に係る誤認防止措置**（規則227条の13）

自己の商標、商号その他の表示を使用することを他の保険募集人に許諾した保険募集人は、当該他の保険募集人が当該許諾をした保険募集人と同一の業務（保険募集の業務に限る）を行うものと顧客が誤認することを防止するための適切な措置を講じなければならない。

具体的には、両者が異なる主体であること、両者が取り扱う保険商品の品揃えが顧客に宣伝しているものと異なる場合における品揃えの相違点を説明するなど、当該他人が当該保険募集人と同一の事業を行うものと顧客が誤認することを防止するための適切な措置を講じなければならない（監督指針Ⅱ-4-2-9(6)）。このような相違点等の説明は、他の代理店に商号等の使用を許諾した場合のみならず、フランチャイズの場合で、フランチャイザーが顧客に宣伝しているものとフランチャイジーにおいて取り扱う保険商品の品揃えが異なる場合には、その相違点を説明しなければならない。

(6) **保険募集人指導事業（フランチャイズ）の的確な遂行確保措置**（規則227条の15）

「保険募集人指導事業」とは、他の保険募集人に対し、保険募集の業務の指導に関する基本となるべき事項（当該他の保険募集人が行う保険募集の業務の方法または条件に関する重要な事項を含むものに限る）を定めて、継続的に当該他の保険募集人が行う保険募集の業務の指導を行う事業（法294条の3第1

---

[54]　平成27年パブコメ118番。

項)、いわゆるフランチャイズのことである。なお、保険募集の業務のあり方を規定しないコンサルティング等の業務については、ここでいう保険募集人指導業務には該当しない（監督指針Ⅱ-4-2-9(7)（注））。

フランチャイズ展開を行う保険募集人は、その内容に応じ、次に掲げる措置を講じなければならない（規則227条の15）。

a　実施方針の策定および指導（規則227条の15第1項1号）

指導対象保険募集人（フランチャイジー）に対する指導の実施方針の適正な策定および当該実施方針に基づく適切な指導を行うための措置を講じなければならない。

実施方針には、(i)保険募集の業務の指導に関する事項、(ii)指導対象保険募集人が行う保険募集の業務の方法および条件に関する事項を記載しなければならない（規則227条の15第2項）。

具体的な体制としては、たとえば、フランチャイズ展開を行う保険募集人（フランチャイザー）は、一定の知識・経験を有する者を配置するなど、教育・管理・指導を行う態勢を構築しなければならない（監督指針Ⅱ-4-2-9(7)）。

b　実施状況の検証等（規則227条の15第1項2号）

フランチャイジーにおける保険募集の業務の実施状況を、定期的にまたは必要に応じて確認することにより、フランチャイジーが当該保険募集の業務を的確に遂行しているかを検証し、必要に応じ改善させる等の措置を講じなければならない。

3　業務の規模・特性に応じた体制整備

保険募集人は、業務の規模・特性に応じて、体制整備を行わなければならない（監督指針Ⅱ-4-2-9(8)）。「業務の規模や特定に応じて」とは、募集形態や保険募集人の人数、収入保険料などから、個別具体的に判断されるが、たとえば、代理店主のみによる管理が可能な規模を「小規模」、拠点数や募集人数が多く、代理店主以外の管理者等による管理も必要な規模を「大規

模」とされる。

　小規模代理店（個人代理店や小規模の法人代理店）については、たとえば、独自の社内規則等の整備がむずかしい場合には、保険会社や協会が策定したマニュアルやガイドラインを自らの社内規則とすれば足り、また、研修についても、所属保険会社が企画する研修に参加することを促すことで足りるとされている。

4　保険会社および保険代理店の使用人

　生命保険会社の使用人（営業職員）や損害保険会社の使用人（研修生・直販社員）、保険代理店の使用人も保険募集人である以上、自ら体制整備しなければならないことになるが、その所属する保険会社や保険代理店の教育・管理・指導に従っていれば（保険会社や保険代理店が作成するマニュアルに沿った業務運営、保険会社や保険代理店が実施する研修への参加等）、基本的には足りる。

Q20　複数の保険会社の保険商品を取り扱う保険募集人が行う比較推奨販売とは、どのようなものか。

A　比較推奨販売を行う場合には、①複数の商品内容を比較説明する場合と、②比較可能な商品のなかから商品を選別・推奨する場合（推奨販売）がある。さらに推奨販売のなかには、(i)顧客意向に沿って商品を選別・推奨する場合と、(ii)自店独自の理由・基準による選別・推奨をする場合がある。

　それぞれの場合において、説明すべき内容および講じるべき体制が定められている。

═══════ 解　説 ═══════

1　乗合代理店等による比較推奨販売に係る規制が設けられた趣旨

　複数の保険会社の保険商品を取り扱う保険募集人（以下「乗合代理店等」という）は、法令上、保険会社から独立した立場で媒介行為を行う保険仲立人とは異なり、あくまで保険会社から委託を受けて保険募集を行う者として位置づけられており、自ら取り扱う複数の保険商品の募集にあたって、公平性・中立性が担保されているわけではない。

　今後も乗合代理店等による複数保険商品の比較推奨販売が拡大する可能性があるなか、顧客が乗合代理店等は顧客のニーズ等をふまえた商品を公平・中立な立場で販売するものであると誤解することを防止するとともに、複数保険会社商品間の比較推奨の質を確保することを通じて、乗合代理店等が行う比較推奨販売における募集活動の適切性を確保するために、比較推奨販売を行う場合を類型化し、類型毎に説明すべき内容や整備すべき態勢が定められることになった（規則227条の2第3項、監督指針Ⅱ-4-2-9(5)）。

2　比較推奨販売の類型

　比較推奨販売の類型ごとに説明すべき内容は、図表3－3－1のとおりである。なお、各類型の詳細については、Q21～23を参照されたい。

3　複数の保険会社の保険商品を取り扱う保険募集人（主体）

　二以上の所属保険会社等を有する保険募集人が比較推奨販売をする場合が規制対象となる。この点、たとえば、生命保険会社1社、損害保険会社1社に所属する保険募集人であっても、第三分野においては、比較可能な二以上の同種の保険契約が存在することが想定されるため、生命保険会社・損害保険会社・少額短期保険業者の内訳を問わず、2社以上の所属保険会社等を有する場合には「二以上の所属保険会社」に該当する可能性がある[55]。

　なお、乗合代理店のなかで、特定の保険会社の保険募集のみを担当する募

図表3-3-1　比較推奨販売の類型（規則227条の2第3項4号イ・ロ・ハ）

規則227条の2第3項4号	イ	ロ	ハ
類型	比較説明する場合	推奨販売する場合	
		顧客意向に沿った選別	自店独自の推奨理由・基準に沿った選別
	当該所属保険会社等が引き受ける保険に係る1の保険契約の契約内容につき当該保険に係る他の契約内容と比較した事項を提供しようとする場合	当該所属保険会社が引き受ける保険に係る2以上の比較可能な同種の保険契約のなかから、**顧客の意向に沿った保険契約を選別することにより**、提案契約（注）の提案をしようとする場合	2以上の所属保険会社等が引き受ける保険に係る2以上の比較可能な同種の保険契約のなかからロ規定による選別をすることなく、提案契約をしようとする場合
説明すべき内容	当該比較に係る事項	(1) 保険募集人が取り扱う保険契約のうち、顧客の意向に沿った比較可能な同種の保険契約の概要 (2) 当該提案の理由	当該提案の理由
対応する監督指針	Ⅱ-4-2-2(9)(法300条1項6号関係)	Ⅱ-4-2-9(5)①②	Ⅱ-4-2-9(5)③

(注)　保険契約の締結または保険契約への加入をすべき1または2以上の保険契約。

集人であっても、乗合代理店の募集人である以上、「二以上の所属保険会社等を有する保険募集人」に該当する[56]。

4　説明すべき内容

比較説明（Q23）、推奨販売（Q21〜22）を参照されたい。

5　説明方法

比較推奨販売において説明すべき事項が定められているが、これらの説明方法に特段の制限はない[57]。したがって、提案理由の説明（規則227条の2第

55　平成27年パブコメ78〜81番。
56　平成27年パブコメ478番。

3項4号ロ・ハ）は口頭で行ってもよいが、十分に顧客の理解が得られるようにする必要がある。

6 推奨販売ルール（規則227条の2第3項4号ロ・ハ）の適用がない場合

顧客の判断のみにより、顧客から特定の保険会社または特定の保険商品が指定され、その結果、保険商品が特定された場合には、推奨販売ルール（規則227条の2第3項4号ロ・ハ）は適用されない。

7 不祥事件届出

比較推奨販売は、乗合代理店等に課せられる情報提供義務の一内容をなすことから、比較推奨販売に関する規律を遵守せず、情報提供義務に違反する行為があると認められる場合には、法294条1項に違反する行為として、不祥事件届出が必要となる[58]。

なお、比較説明するときに、誤解させるおそれのある他の保険商品との比較表示が行われた場合には、法300条1項6号の禁止行為に該当し、不祥事件届出の対象となる（Q32参照）。

Q21 推奨販売する場合のうち、顧客の意向に沿った商品を選別・推奨する場合において、留意すべき事項は何か。

A 乗合代理店等の募集人が取り扱う商品のなかから、顧客の意向に沿った比較可能な商品概要を明示するとともに、当該提案の理由を説明する必要がある。特に、顧客の意向に合致している商品が複数ある場合、募集人の判断により商品を選別したうえで提示・推奨する場合は、商品特性や保険

---

[57] 平成27年パブコメ67～68番。
[58] 規則85条5項3号または規則166条4項3号。

料水準などの客観的な基準や理由等について説明を行う必要がある。

=== 解　説 ===

1　顧客の意向に沿った商品を選別し、推奨する場合

　乗合代理店等の募集人が取り扱う二以上の比較可能な同種の商品のなかから顧客の意向に沿った保険契約を選別することにより、商品を提案しようとする場合は、①募集人が取り扱う商品のうち、顧客の意向に沿った比較可能な同種の商品の概要と、②当該提案の理由を説明しなければならない（規則227条の2第3項4号ロ）。

　ここで「二以上の比較可能な同種」の商品か否かについては、主契約程度の意向の共通性（たとえば、医療保険、自動車保険など）を手がかりとしつつ、最終的には、顧客の具体的な意向、保険契約の対象となるリスクの種類および保険給付の内容、保険契約の特性・類型等をふまえつつ、実質的に判断されるべきものとされている[59]。

　また、保険会社から販売を委託された商品は取扱可能な商品となるが、社内規則等で店舗に応じて取扱商品を決めている場合は（自店独自の推奨理由・基準。Q20参照）、その範囲内において「比較可能な同種の商品」とすればよい[60]。なお、かかる場合は、他店舗では異なる商品を取り扱っていることを説明する必要がある[61]。

2　「比較可能な商品の概要」の説明

　「比較可能な商品の概要」の説明については、監督指針Ⅱ-4-2-9(5)①において、以下のとおり定められている。

>　二以上の所属保険会社等を有する保険募集人が取り扱う商品の中か

---

[59]　平成27年パブコメ74～77番。
[60]　平成27年パブコメ510番。
[61]　平成27年パブコメ510番。

> ら、顧客の意向に沿った比較可能な商品（保険募集人の把握した顧客の意向に基づき、保険の種別や保障（補償）内容などの商品特性等により、商品の絞込みを行った場合には、当該絞込み後の商品）の概要を明示し、顧客の求めに応じて商品内容を説明しているか。

　ここでいう「商品の概要」とは、たとえば、保険商品のパンフレットの商品概要など、商品内容の全体像が理解できる程度の情報をいう[62]。これは、顧客が保険商品の内容を理解するために必要な情報である契約概要とは異なるものである[63]。

　商品の概要の明示の態様としては、商品案内のパンフレットにおける商品概要のページなど、商品内容全体像が理解できる程度の資料を用いることとされており、提案する商品の一覧表を用いることは求められていない[64]。なお、商品名・引受保険会社名が記載された一覧や銀行窓販におけるいわゆる「商品ラインナップ」では不十分である[65]。

　また、上記監督指針のカッコ書で規定されているとおり、顧客の意向に沿って絞り込んだ商品の数が多い場合には、その時点で商品の概要を説明せず、追加的に明らかになった顧客の意向に沿ってさらに絞り込んだ後の商品の概要を説明すれば足りる[66]。

3　「提案の理由」の説明

　「提案の理由」の説明については、監督指針Ⅱ-4-2-9(5)②において、以下のとおり定められている。

> 顧客に対し、特定の商品を提示・推奨する際には、当該提示・推奨

62　平成27年パブコメ548番。
63　平成27年パブコメ548番。
64　平成27年パブコメ549番。
65　平成27年パブコメ550・552番。
66　平成27年パブコメ555番。

理由を分かりやすく説明することとしているか。特に、自らの取扱商品のうち顧客の意向に合致している商品の中から、二以上の所属保険会社等を有する保険募集人の判断により、さらに絞込みを行った上で、商品を提示・推奨する場合には、商品特性や保険料水準などの客観的な基準や理由等について、説明を行っているか。

> （注1）　形式的には商品の推奨理由を客観的に説明しているように装いながら、実質的には、例えば保険代理店の受け取る手数料水準の高い商品に誘導するために商品の絞込みや提示・推奨を行うことのないよう留意する。

上記（注1）の場合とは、たとえば、「人気ランキング」や「資料請求件数ランキング」とうたっているものの、実際には、「保険代理店の受け取る手数料水準の高い商品に誘導するような仕組み」がとられている場合があげられる[67]。この場合は、「商品特性や保険料水準などの客観的な基準や理由等に基づくことなく、商品を選別・推奨する場合」（規則227条の2第3項4号ハ：Q22参照）として、手数料水準が高い商品であることを理由に当該商品を選別推奨している旨、説明する必要がある。

4　社内規則等などの態勢整備

商品の提示・推奨や保険代理店の立場の表示等を適切に行うための措置について、社内規則等において定めたうえで、定期的かつ必要に応じて、その実施状況を確認・検証する態勢を構築する必要がある（監督指針Ⅱ-4-2-9(5)④）。

顧客の意向に沿った商品選別をする場合において、顧客に商品を提示・推奨する理由は、顧客の意向に照らして、募集人が所属する乗合代理店等が定める基準に基づくものであり、所属募集人ごと各々の事情に応じた基準や理由による提示・推奨は許容されない[68]。したがって、商品特性や保険料水準

---

[67]　平成27年パブコメ544番。
[68]　平成27年パブコメ537番。

などの客観的な基準や理由等に基づく商品の選別・推奨基準を社内規則等において定める必要がある。

　また、比較推奨販売の実施状況の適切性を確認・検証し、必要に応じて、改善することが重要であるため、その適切性の確認・検証に資する記録や証跡等を保存する必要がある[69]。実施状況の確認・検証の具体的な方法、程度や期間等については、商品特性や募集形態をふまえつつ、社内規則等にて適切に比較推奨を行うことを定めたうえで、事後に効率的かつ効果的に確認・検証する態勢とする必要がある[70]。

　なお、個人代理店や小規模の法人代理店において、独自の体制整備がむずかしい場合でも、法令や監督指針をふまえて、適切かつ主体的に業務を遂行する体制を整備する必要がある[71]。

Q22 推奨販売する場合のうち、商品特性や保険料水準などの客観的な基準や理由等に基づくことなく、商品を選別・推奨する場合において、留意すべき事項は何か。

A 　商品特性や保険料水準などの客観的な基準や理由等に基づかない基準や理由等（自店独自の推奨理由・基準）とは、たとえば、特定の保険会社との資本関係やその他事務手続・経営方針上の理由等のことをいう。これらの基準・理由は、合理的なものである必要があるとともに、顧客に対して、わかりやすい説明をすることが求められている。

69　平成27年パブコメ562番。
70　平成27年パブコメ563〜564番。
71　平成27年パブコメ474番。

═══ 解　説 ═══

1　自店独自の推奨理由・基準に基づき選別し、推奨する場合

　前述の顧客の意向に沿った商品を選別し、推奨する場合には、商品特性や保険料水準などの客観的な基準や理由等に基づいた選別・推奨を行うことになるが、そのような客観的な基準や理由に基づくことなく（このように商品特性や保険料水準などの客観的な基準や理由に基づかない基準のことを「自店独自の推奨理由・基準」と呼ばれることがある）、商品を絞込みまたは特定の商品を顧客に提案する場合は、提案の理由を説明する必要がある（規則227条の2第3項4号ハ）。

2　「提案の理由」の説明

　「提案の理由」の説明については、監督指針Ⅱ-4-2-9(5)③において、以下のとおり定められている。

> 　上記①、②にかかわらず（筆者注：Q21）、商品特性や保険料水準などの客観的な基準や理由等に基づくことなく、商品を絞込み又は特定の商品を顧客に提示・推奨する場合には、その基準や理由等（特定の保険会社との資本関係やその他の事務手続・経営方針上の理由を含む。）を説明しているか。
> 　（注）　各保険会社間における「公平・中立」を掲げる場合には、商品の絞込みや提示・推奨の基準や理由等として、特定の保険会社との資本関係や手数料の水準その他の事務手続・経営方針などの事情を考慮することのないよう留意する。

　商品特性や保険料水準などの客観的な基準や理由に基づかない提案理由については、一定の具体性を有し[72]、その理由が合理的なものである必要があ

---

[72] 平成27年パブコメ94番。

るとともに、理由が複数ある場合にはその主たる理由を説明する必要があり、また、わかりやすく説明する必要がある[73]。たとえば、主たる理由が手数料水準である場合には、そのことを説明する必要がある[74]。

また、具体的な提案理由としては、特定の保険会社との資本関係やその他の事務手続・経営方針上の理由のほか、特定の保険会社の系列代理店であること[75]等があげられる。

なお、上記監督指針（注）に規定されているとおり、乗合代理店等において「公平・中立」を掲げて募集する場合は、自店独自の推奨理由・基準に基づき選別・推奨することは許されず、顧客の意向に沿った商品を選別し、推奨（Q20）を行わなければならない。

3　社内規則等の体制整備

商品の提示・推奨や保険代理店の立場の表示等を適切に行うための措置について、社内規則等において定めたうえで、定期的かつ必要に応じて、その実施状況を確認・検証する態勢を構築する必要がある（監督指針Ⅱ-4-2-9⑸④）。したがって、客観的な基準や理由等に基づくことなく商品を選別・推奨する場合には、社内規則等に規定した基準や理由等を説明する必要がある[76]。なお、保険代理店の拠点によって、その基準や理由が異なることも許容されうるが、その基準や理由が合理的であるとともに、顧客にわかりやすく説明がなされる必要がある[77]。

また、比較推奨販売の実施状況の適切性を確認・検証し、必要に応じて、改善することが重要であるため、その適切性の確認・検証に資する記録や証跡等を保存する必要がある。実施状況の確認・検証の具体的な方法、程度や期間等については、商品特性や募集形態を踏まえつつ、社内規則等にて適切

73　平成27年パブコメ521～530番。
74　平成27年パブコメ521～530番。
75　平成27年パブコメ531～532番。
76　平成27年パブコメ559番。
77　平成27年パブコメ537～540番。

に比較推奨を行うことを定めたうえで、事後に効率的かつ効果的に確認・検証する態勢とする必要がある[78]。

なお、個人代理店や小規模の法人代理店において、独自の体制整備がむずかしい場合でも、法令や監督指針をふまえて、適切かつ主体的に業務を遂行する体制を整備する必要がある[79]。

Q23 比較説明する場合において、留意すべき事項は何か。

A 比較説明する場合には、当該比較に係る事項を説明することが求められるが、これは法300条1項6号（誤解させるおそれのある比較表示の禁止）に基づく対応以上に、新たな対応を求めるものではない。

=== 解　説 ===

1　比較説明する場合

所属保険会社等が引き受ける保険に係る一の保険契約の契約内容につき当該保険に係る他の契約内容と比較した事項を提供しようとする場合は、当該比較に係る事項を説明しなければならない（規則227条の2第3項4号イ）。

ここでいう「当該比較に係る事項」の説明とは、法300条1項6号に基づき監督指針において求められている対応以上に、新たな対応を求めるものではない[80]。たとえば、客観的事実に基づく事項または数値を表示すること、保険契約の契約内容について、正確な判断を行うに必要な事項を包括的に表示することが求められる[81]。

78　平成27年パブコメ563～564番。
79　平成27年パブコメ474番。
80　平成27年パブコメ71番。

複数の商品を比較する場合、いかなる内容の説明をしなければならないかについては、Q32（誤解させるおそれのある他の保険商品との比較表示の禁止。法300条1項6号）を参照されたい。

2　比較説明と推奨販売の区別

監督指針Ⅱ-4-2-9(5)②（注2）において、比較説明と推奨販売との関係について、以下の規定が置かれている。

> 例えば、自らが勧める商品の優位性を示すために他の商品との比較を行う場合には、当該他の商品についても、その全体像や特性について正確に顧客に示すとともに自らが勧める商品の優位性の根拠を説明するなど、顧客が保険契約の契約内容について、正確な判断を行うに必要な事項を包括的に示す必要がある点に留意する（法第300条第1項第6号、監督指針Ⅱ-4-2-2(9)②参照）。

顧客から、複数の商品について、「それぞれのメリット・デメリットを教えてほしい」「どちらの商品の保険料が安いのか」などの説明を求められる場合がある。

このような場合において、複数の保険会社のパンフレットを交付・説明し、それぞれの商品の特徴を説明するにとどめ、どれがお勧めなのかを説明しないという手法をとる場合は、上記監督指針でいう「自ら勧める商品の優位性を示すために他の商品との比較を行う場合」には該当しないため、比較説明（法300条1項6号関係）ではなく、推奨販売（Q21またはQ22）を行う場合に該当する。

これに対して、商品の特徴を説明した後、「こちらの商品のほうがメリットが大きい」「こちらの商品のほうが保険料が安い」など実質的に契約内容

81　平成27年パブコメ72番。

を比較する場合には、比較説明する場合として、法300条1項6号の規制を遵守しなければならない[82]。

---

[82] 平成27年パブコメ500～504番。

第4節 特定保険募集人の義務

I 特定保険募集人の帳簿書類作成・保存義務（法303条）

特定保険募集人の帳簿書類の作成・保存義務とは、いかなるものか。

A 法303条に規定する特定保険募集人（①直近の事業年度末における所属する生命保険会社または損害保険会社の数が15以上の場合、または②所属する生命保険会社が2以上で直近事業年度の手数料、報酬等の合計額が10億円以上の場合）は、事業所ごとに、保険料、手数料等を記載した帳簿書類を作成し、保険契約締結の日から5年間、保存しなければならない。

=== 解　説 ===

1 帳簿書類の作成・保存が義務づけられた趣旨

平成25年WG報告書において、「追加的ルール（筆者注：比較推奨販売ルールなど）の導入に伴い、監督の実効性を確保するため、例えば乗合数の多い代理店など一定の要件を満たす代理店には業務に関する報告書の提出を義務づける等、監督当局が乗合代理店の募集形態や販売実績等を把握するための措置を講じることが適当である」との指摘があった。そこで、乗合代理店において手数料の多寡に偏った募集がなされていないかなどを把握するため、一部の大規模乗合代理店に対して、保険料、手数料等を記載した帳簿書類の作成・保存が義務づけられた（法303条）。

2　主　　体

法303条に規定する特定保険募集人とは、以下のいずれかに該当する者をいう（規則236条の2）。

① 直近の事業年度末における所属する生命保険会社または損害保険会社の数が15以上の場合
② 所属する生命保険会社または損害保険会社が2以上で直近事業年度の手数料、報酬その他の対価の額の総額[83]が10億円以上の場合

①および②は、生命保険・損害保険ごとに判断される。たとえば、直近の事業年度末における所属保険会社の数が生命保険会社10社、損害保険会社5社の場合には、ここでいう①に該当しない。また、生命保険会社からの手数料の額が5億円、損害保険会社からの手数料の額が5億円の場合には、ここでいう②に該当しない。

生命保険、損害保険、少額短期保険の3業態のうち、1つでも基準に合致した場合、3業態すべての業態について帳簿書類の作成・保存や事業報告書の提出が必要となる。

なお、帳簿書類作成・保存義務および事業報告書作成義務が課される「特定保険募集人」と法276条の「特定保険募集人」は異なるものであることに留意する必要がある（Q5（脚注1）参照）。

3　帳簿書類の作成・保存

事業所ごとに、保険料・手数料等を記載した帳簿書類を作成し、保険契約の日から5年間、適切に保存しなければならない（法303条、規則237条）。

なお、帳簿書類の保管にあたっては、社内規則等に規定されていれば、紙による保管にかえて、電磁的記録により保存することができる[84]。

---

[83] 「手数料、報酬その他の対価の額の総額」とは、保険募集に関して保険会社から収受しているすべての金銭（加入勧奨に係る金銭の収受があればそれを含む）をいう（平成27年パブコメ137番等）。
[84] 平成27年パブコメ145番。

4　帳簿書類の記載事項

帳簿書類に、所属保険会社等ごとに、次に掲げる事項を記載する（規則237条の2）。

① 保険契約の締結の年月日
② 保険契約の引受けを行う保険会社等または外国保険会社等の商号または名称
③ 保険契約に係る保険料
④ 保険募集に関して当該特定募集人が受けた手数料、報酬その他の対価の額

Ⅱ 特定保険募集人の事業報告書作成義務（法304条）

Q25 特定保険募集人の事業報告書の提出義務とは、いかなるものか。

A 法303条に規定する特定保険募集人（Q24参照）は、事業年度ごとに、契約件数、保険料および募集手数料などを記載した事業報告書を作成し、毎事業年度経過後3カ月以内に、財務局に提出しなければならない。

=== 解　説 ===

1　事業報告書の提出が義務づけられた趣旨

　平成25年WG報告書において、「追加的ルール（筆者注：比較推奨販売ルールなど）の導入に伴い、監督の実効性を確保するため、例えば乗合数の多い代理店など一定の要件を満たす代理店には業務に関する報告書の提出を義務づける等、監督当局が乗合代理店の募集形態や販売実績等を把握するための措置を講じることが適当である」との指摘があった。そこで、乗合代理店において手数料の多寡に偏った募集がなされていないかなどを把握するため、一部の大規模乗合代理店に対して、契約件数、保険料および募集手数料などを記載した事業報告書を作成し、提出することが義務づけられた（法304条）。

2　主　体

　Q24参照のこと。

3　事業報告書の内容

　事業報告書については保険業法施行規則に様式が定められており、法人の場合は別紙様式第25号の2、個人の場合は別紙様式第25条の3による。記載

項目は次のとおり。

① 事業概要
② 取扱保険契約等の状況
　生命保険、損害保険に分け、保険種類ごとに、契約件数、保険料、募集手数料等を記載する。
③ 保険募集人指導事業の実施状況等
④ 保険募集にかかる苦情の発生件数

第5節　電話による新規募集の際の体制整備

Q26 電話による新規の保険募集・加入勧奨を行う際に留意すべき点は何か。

A　電話による保険募集が非対面で、顧客の予期しないタイミングで行われること等から、特に苦情が発生しやすいといった特性にかんがみ、トラブルの未然防止・早期発見に資する取組みとして、今後の通話を拒否する意向があった場合は今後の電話を行わないことの徹底、通話内容の記録・保存等の措置を講じることが求められる（監督指針Ⅱ－4－4－1－1(5)）。

―――――― 解　説 ――――――

1　規制の趣旨

電話による新規の保険募集が非対面で、顧客の予期しないタイミングで行われること等から、特に苦情等が発生しやすいといった特性等にかんがみて、保険会社および保険募集人に対して、トラブルの未然防止・早期発見に資する取組みを求めるものである。

2　適用場面

(1)　新規の保険募集等

ここでいう新規の保険募集等には、転換制度（既存の生命保険を解約して新契約に加入するのではなく、既存の保険契約の責任準備金や配当金等の合計額を新しい保険の一部に充当して保障内容を見直す制度）も含まれる。

加えて、新規に行う団体保険の加入勧奨にも適用される。

(2) **適用除外（新規とはいえない場合）**

顧客の予期しないタイミングで行われることによる苦情等の防止という改正の趣旨にかんがみれば、以下の場合は、本規制は適用されない。

・既契約者に対する単なる訪問アポイント取得等の契約保全や既契約の更新（更改）を目的とした電話[85]
・顧客から保険会社または保険募集人に電話連絡し、契約手続を行うもの[86]
・ホームページやコールセンターに資料請求を行った顧客に対し、後日、保険会社または保険募集人が電話と資料送付のみで保険募集を行うケース

ただし、ダイレクトメール（DM）を一方的に発送し、DM到着後に電話による保険募集を行うケースについては、DMを一方的に送ることのみをもって、本規制の対象外とはならない[87]。

(3) **適用除外（その他）**

本規制は、反復継続的に行う電話による保険募集を行っている者を対象とするものであるため、反復継続的に行わない者については当該規定の直接の適用はないが、当該規定の趣旨に配慮した対応が必要とされる[88]。なお、「反復継続的」の該当性については、個々の事案に応じて総合的に判断する必要がある[89]。

加えて、規則227条の2第2項各号に該当する団体（団体内での適切な情報提供が期待できる団体）の加入勧奨については、本規制は適用されない[90]。

3 体制整備義務の内容（監督指針Ⅱ-4-4-1-1(5)）

反復継続的に電話による保険募集を行う保険会社または保険募集人は、電話募集におけるトラブルの未然防止・早期発見の取組みを含めた保険募集方

---

85 平成27年パブコメ578～586番。
86 平成27年パブコメ587番。
87 平成27年パブコメ590番。
88 平成27年パブコメ579～581・592番等。
89 平成27年パブコメ590番。
90 平成27年パブコメ594番。

法を具体的に定め、実行するとともに、保険募集人に対して、適切な教育・管理・指導を行わなければならない。

その際、以下の措置を含めた適切な取組みを行う必要がある。

---

① 説明すべき内容を定めたトークスクリプト等を整備のうえ、徹底していること
② 顧客から、今後の電話を拒否する旨の意向があった場合、今後の電話を行わないよう徹底していること
③ 通話内容を記録・保存していること
　なお、通話内容の保存期間については、保険会社または保険代理店において、保険募集の適切性等を事後的に確認・検証するために適当と考えられる期間、保存しなければならない[91]。
④ 苦情等の原因分析および再発防止策および周知を行っていること
⑤ 保険募集等を行った者以外の者による通話内容の確認(成約に至らなかったものを含む)およびその結果をふまえた対応を行っていること

なお、通話内容の確認については、必ずしも全件確認を求めるものではないが、保険募集の適切性を十分に確認する必要がある[92]。

---

[91] 平成27年パブコメ600・601番。
[92] 平成27年パブコメ602・603番。

第6節 禁止行為

I 重要事項の不告知の禁止（法300条1項1号後段）

Q27 重要事項の不告知の禁止（法300条1項1号後段）とはどのような規定か。法294条1項の情報提供義務とはどのような関係なのか。

　　　重要事項の不告知の禁止とは、保険会社または保険募集人が、保険契約の締結、保険募集または加入勧奨の場面において、保険契約者または被保険者に対して、保険契約の契約条項のうち保険契約者または被保険者の判断に影響を及ぼすこととなる重要な事項を説明しなければならないというものである。仮に説明しなかった場合は、刑事罰の対象となりうる。

　法294条1項の情報提供義務と法300条1項1号後段の重要事項の不告知の禁止は、一般則と特則の関係、すなわち、「保険契約者または被保険者の判断に影響を及ぼすこととなる重要な事項」を説明しなかった場合は、一般的な情報提供義務を規定した法294条1項違反となるのみならず、法300条1項1号後段にも違反することとなる。

=========== 解　説 ===========

1　重要事項の不告知の禁止

　法300条1項1号後段において、保険会社または保険募集人が、保険契約の締結、保険募集または加入勧奨の場面において、保険契約者または被保険者に対して、保険契約の契約条項のうち保険契約者または被保険者の判断に

影響を及ぼすこととなる重要な事項を告げない行為が禁止されている。これは、保険商品は目にみえない商品であり、顧客が商品内容を理解するためには、募集人による商品内容の正確かつ十分な説明が不可欠であると考えられることから、保険募集人の義務として法律上定められたものである。

なお、特定保険契約（変額保険、外貨建保険等）については、法300条1項1号は適用されず、別途、法300条の2（Q36参照）が適用される（法300条1項本文カッコ書）。

2　適用場面

重要事項の不告知が禁止されるのは、保険契約の締結、保険募集、または「自らが締結した若しくは保険募集を行った団体保険に係る保険契約に加入することを勧誘する行為その他の当該保険契約に加入させるための行為」（法300条1項本文）、つまり団体保険の加入勧奨行為に関してである。

なお、平成26年保険業法改正前は、重要事項の不告知の禁止に適用除外対象となる契約は明記されていなかったが、情報提供に関する一般則である法294条1項に適用除外対象契約が定められたことから（規則227条の2第7項）、特則である法300条1項1号でも、それらの契約は適用対象からも除外されることとなった（法300条1項ただし書）。適用除外となる場面の具体的な内容については、Q13参照のこと。

3　重要事項の範囲

法300条1項1号後段で説明が求められる重要な事項は、「保険契約者または被保険者の判断に影響を及ぼすこととなる重要な事項」に限定されている。これは法300条1項に違反した場合は刑事罰の対象となることから、「重要な事項」の範囲を限定すべきと考えられたことによる。

4　情報提供義務（法294条1項）との関係

法294条1項の情報提供義務と法300条1項1号後段の重要事項の不告知の

禁止は一般則と特則の関係、すなわち、「保険契約者または被保険者の判断に影響を及ぼすこととなる重要な事項」を説明しなかった場合は、一般的な情報提供義務を規定した法294条1項違反となるのみならず、法300条1項1号後段にも違反することとなる。

5 罰　　則

　法300条1項1号に違反した者は、1年以下の懲役もしくは100万円以下の罰金またはこれを併科される（法317条の2第7号）。同号は刑事罰である以上、違反した者に故意が認められる必要がある。また、同号違反は不祥事件に該当するため、届出しなければならない。

Ⅱ 虚偽説明（不正話法）の禁止
（法300条1項1号前段）

Q28 不正話法とは何か。

A 不正話法とは、保険契約者の無知に乗じて、たとえば保険契約者にとって不利な事項を言葉巧みにあたかも有利であるかのごとく説明するなどして保険契約を締結させようとする話法のことをいう。これは、法300条1項1号前段により禁止されている。

=== 解　説 ===

1　虚偽説明（不正話法）の禁止

法300条1項1号前段において、「保険契約者又は被保険者に対して、虚偽のことを告げる行為」が禁止されている。保険商品は目にみえない商品であり、顧客が商品内容を理解するためには、募集人による商品内容の正確かつ十分な説明が不可欠である。募集人が虚偽の説明を行うことは、顧客の保険加入の判断を誤らせるおそれがあることから、保険業法上も明文にて禁止されている。

なお、ここでいう「告げる」とは、必ずしも口頭で行う必要はなく、虚偽の内容が記載されたチラシやパンフレット等を保険契約者に配布する等の方法により、保険契約者等に認識させることも含まれると解される。

2　虚偽説明（不正話法）の具体例

虚偽説明の典型例として、いわゆる不正話法というものがある。不正話法とは、保険契約者の無知に乗じて、たとえば保険契約者にとって不利な事項を言葉巧みにあたかも有利であるかのごとく説明するなどして保険契約を締

結させようとする話法のことをいう。

具体例としては、以下の行為があげられる[93]。
① 融資話法、すなわち自己に融資の権限がないにもかかわらず保険に加入すると保険会社から融資を受けられる等の甘言をろうするもの
② 5年（3年）話法、すなわち自由満期保険につき5年（3年）後には責任準備金全額にとどまらず振込保険料全額に利子を付して返還することができると告げること

また、保険契約の内容に関して虚偽のことを告げた場合に限らず、
③ 公的機関の委託に基づき募集にあたっていると偽ること
④ 募集にあたる者が偽りの経歴・称号等で自己を権威づけて保険募集すること

も同号に該当する可能性があると考えられる。

3　罰　　則

法300条1項1号に違反した者は、1年以下の懲役もしくは100万円以下の罰金またはこれを併科される（法317条の2第7号）。同号は刑事罰である以上、違反した者に故意が認められる必要がある。

違反した者に故意が認められず、過失により虚偽説明したと認められる場合は、上記刑事罰までは適用されないが、法300条1項1号違反を理由に、保険募集人登録の取消し等の行政処分の対象となる。また、同号違反は不祥事件に該当するので届出しなければならない。

---

[93] 鴻常夫監修『「保険募集の取締に関する法律」コンメンタール』（安田火災記念財団、平成5年）220〜221頁。

III 虚偽の告知を勧める行為・告知を妨害する行為・不告知を勧める行為（法300条1項2号・3号）

  告知義務違反を勧める行為にはどのような問題があるか。

A 重要な事項につき虚偽のことを告げるのを勧める行為（虚偽告知教唆）や、重要な事実を告げるのを妨げ、または告げないことを勧める行為（告知妨害・不告知教唆）は、法300条1項2号・3号により禁止されている。

=== 解　説 ===

1　虚偽告知教唆の禁止

法300条1項2号において、保険契約者または被保険者が保険会社等に対して重要な事項につき虚偽のことを告げることを勧める行為が禁止されている。

法300条1項2号の禁止行為に該当する行為の一例として、次のような行為があげられる。

① 傷害保険の募集につき、事実に反する職業・職種を告知するよう勧める行為
② 血糖値が高い被保険者に対し、正常値を告知するよう勧める行為

2　告知妨害・不告知教唆

法300条1項3号において、保険契約者または被保険者が保険会社等に対して重要な事実を告げるのを妨げ、または告げないことを勧める行為が禁止されている。

法300条1項3号に該当する禁止行為の一例として、以下の行為があげられる。

①　保険金請求歴があるにもかかわらず、その履歴を告知しないよう勧める行為
②　顧客から既往症があることを聞き、これを告知させると契約に加入できないと考え、告知書に保険募集人自ら「既往症はない」旨の虚偽の事実を記入し、顧客に告知書への記入をさせない行為

　なお、保険法により、保険募集人の告知妨害や不告知教唆が認められたときは、保険募集人の行為がなかったとしても保険契約者または被保険者が告知義務違反をしたと認められる場合を除き、告知義務違反を理由に保険契約を解除することができないという規律が設けられた（Q60参照）。

3　罰　　則

　法300条1項2号・3号に違反した者は、1年以下の懲役もしくは100万円以下の罰金またはこれを併科される（法317条の2第7号）。同号は刑事罰である以上、違反した者に故意が認められる必要がある。

　違反した者に故意が認められない場合は、上記刑事罰までは適用されないが、「この法律……に違反したとき、その他保険募集に関し著しく不適当な行為をした」ことを理由に、保険募集人登録の取消し等の行政処分の対象となる。また、同号違反は不祥事件に該当するので届出しなければならない。

Ⅳ 不利益事実を説明しない乗換募集
（法300条1項4号）

Q30 現在契約中の保険を解約し、新しい保険への加入を勧める（いわゆる乗換募集）際、注意しなければならない点は何か。

A 保険の乗換募集をする際には、顧客に対して不利益となる事実を十分説明することが重要である。

=== 解　説 ===

1 不利益事実を説明しない乗換募集

　法300条1項4号において、「保険契約者又は被保険者に対して、不利益となるべき事実を告げずに、既に成立している保険契約を消滅させて新たな保険契約の申込みをさせ、又は新たな保険契約の申込みをさせて既に成立している保険契約を消滅させる行為」が禁止されている。継続している保険契約を中途で解約させ新しい保険契約に加入させる、いわゆる乗換募集には、保険契約者にとって、生活の変化等に応じて保障内容を見直すことができるというメリットがある半面、予定利率の低下のおそれ（保険料の上昇）や被保険者の健康状態によっては新しい保険に加入ができないおそれ等のデメリットも存在する。そこで、保険業法においては、不利益となるべき事実を告げないで行う乗換募集、すなわち保険契約者が乗換えの経済的得失等を正しく認識しないままに行われる乗換募集を禁止しているのである[94]。

94　乗換契約には、他社からの乗換契約を含む。

2 不利益となるべき事実

不利益となるべき事実は、個々の契約内容に即して判断されるべきものであるが、監督指針には、以下の事実が例示されている（監督指針Ⅱ-4-2-2(7)）。

> ① 一定金額の金銭をいわゆる解約控除等として保険契約者が負担することとなる場合があること
> ② 特別配当請求権その他の一定期間の契約継続を条件に発生する配当に係る請求権を失う場合があること
> ③ 被保険者の健康状態の悪化等のため新たな保険契約を締結できないこととなる場合があること

3 確認方法

保険募集人は、顧客から確認印を取り付ける等の方法により、顧客が不利益となる事実を理解したことを十分確認しなければならない（監督指針Ⅱ-4-2-2(7)）。そこで、保険募集人は、顧客が不利益な事実を理解したことを確認するために、注意喚起情報に「不利益な事実」を記載し、顧客から確認印を取り付けることが通常である。

4 不祥事件届出

法300条1項1号～3号と異なり、同項4号に違反した者に対する罰則は定められていない。もっとも、同号違反は不祥事件に該当するので届出しなければならず、また、違反者は「この法律……に違反したとき、その他保険募集に関し著しく不適当な行為をした」（法307条1項3号）こと等を理由に、保険募集人の取消し等の行政処分の対象となる。なお、乗換えに際して不適切な募集行為が多数認められたこと等を理由として、日本郵政グループが行政処分の対象となったことがある[95]。

5 転換制度

乗換えと異なる保険の保障内容の見直し方法として、契約転換制度がある。契約転換制度とは、既存の生命保険を解約して新契約に加入するのではなく、既存の保険契約の責任準備金や配当金等の合計額（転換価格）を新しい保険の一部に充当して保障内容を見直す制度をいう。契約転換制度は、乗換えにおける不利益である解約控除が行われないなど保険契約者にメリットがある半面、転換により予定利率の低い（保険料の上昇）保険に誘導されるおそれなどのデメリットもある。

そこで、保険業法上、情報提供義務（法294条1項。Q12参照）の履行として、以下のとおり説明を行う必要がある[96]（規則227条の2第3項9号、234条の21の2第1項7号）。なお、当該規定は、同一保険会社における転換を想定しており、既契約の保険者と新契約の保険者が異なる場合については適用されない[97]。

(1) 説明方法

後記(2)に掲げる事項を記載した書面による説明および当該書面の交付を行わなければならない。特に、後記(2)イに掲げる事項の記載にあっては、既契約と新契約が対比できる方法に限られる（規則227条の2第3項9号カッコ書、234条の21の2第1項7号カッコ書）。

---

[95] 令和元年12月27日、金融庁は、かんぽ生命の保険商品に関し、不適切な募集行為が認められたこと等を理由として、かんぽ生命、日本郵便および日本郵政に対し、業務停止命令や業務改善命令を行った。不適切な募集行為の類型は多岐に及ぶが、そのなかに、契約の乗換えに際し、契約者に対して「一定期間解約はできない」「病歴の告知があっても加入可能」などの事実と異なる説明を行ったこと等により、契約の重複による二重払いや無保険期間の発生等の不利益を顧客に生じさせたり（少なくとも67件）、契約者に対して「自分の営業成績のために解約を遅らせてほしい」などの依頼を行い、契約の重複による二重払い等の不利益を顧客に生じさせたりした（少なくとも662件）という類型が含まれている。これらの類型は、法300条1項4号に違反するとされていないが、契約の乗換えに際し、顧客に不利益を生じさせないよう十分注意しなければならないことを端的に示す実例であるため、乗換募集の解説で紹介することとした。

[96] 転換募集については、別途、意向把握・確認義務の履行として、新契約に係る意向について把握する必要がある（平成27年パブコメ346番）。

[97] 平成27年パブコメ96・97番。

ここでいう「既契約と新契約が対比できる方法」については、監督指針上、次の対応が求められている（監督指針Ⅱ-4-2-2(2)⑤）。

---

① 　後記(2)イに規定する事項について、書面または電磁的記録に既契約および新契約に関して記載項目ごとに対比して記載する。
② 　上記①にかかわらず、以下に掲げる場合には、既契約および新契約に関して後記(2)イに規定する事項が記載されたそれぞれの書面または電磁的記録を交付して対比することも可能とする。
　（ⅰ）　保険種類が異なり、かつ、既契約および新契約（いずれも特約を含む）の保障内容または担保内容がまったく異なるもの
　（ⅱ）　複数の既契約を一の新契約にする場合等既契約および新契約の契約内容やシステム上の問題等により、記載項目毎に対比して記載（上記①をいう）しない合理的な理由があるもの

　また、保険会社および保険募集人は、後記(2)に掲げる事項を記載した書面の交付に関して、保険契約者から受領した旨の確認を得ることおよび当該受領確認の実施状況を調査・把握する体制整備が求められており（監督指針Ⅱ-4-2-2(2)⑩ク）、それを受け、保険募集人は、顧客から申込書等において確認印を取り付けることが通常である。
　当該書面を電磁的方法により代替して交付する場合は、保険契約者の承諾を得たうえで適切な手段により提供する措置をとる体制整備が求められている。

(2)　説明事項

イ　既契約および新契約に関する保険の種類、保険金額、保険期間、普通保険約款および給付のある主要な特約ごとの保険料、保険料払込期間その他保険契約に関する重要な事項

監督指針において、「その他保険契約に関する重要な事項」とは、「保険料の払込方法、契約者配当又は社員に対する剰余金の分配の有無、予定利率の変動によって保険料が引き上げとなる事実、その他保険契約の特性から重要と認められる事項、のうち該当する事項」とされる（監督指針Ⅱ-4-2-2(2)⑥）。

> ロ　既契約を継続したまま保障内容を見直す方法があることおよびその方法

監督指針において、「既契約を継続したまま保障内容を見直す方法がある事実およびその方法」として、既契約に特約を中途付加する方法、既契約に追加して、他の保険契約を締結する方法（追加契約）が例示されている（監督指針Ⅱ-4-2-2(2)⑦）。

Ⅴ 保険募集に関しての特別利益の提供
（法300条1項5号等）

Q31 保険業法上、禁止されている利益の提供とは何か。

 保険契約者または被保険者に対し、保険契約の締結または保険募集に関して、保険料の割引、割戻しその他特別利益を提供したり、その利益提供を約束したりすることをいう。

=== 解　説 ===

1　法300条1項5号

　法300条1項5号は、保険会社や保険募集人が、保険契約の締結または保険募集に関して、保険契約者または被保険者に対して、保険料の割引、割戻しその他特別の利益の提供を約し、または提供する行為を禁止している。こうした行為は、保険契約者の平等取扱いという保険の理念に反し、保険契約者間の公平性を害することとなるほか、不公正な競争手段による保険募集の結果、保険業の健全な発展が阻害されるおそれがあるため、禁止されている。

　保険料の割引・割戻しはその額が1円であっても禁止される点、保険料の割引・割戻しに限らず、「特別利益」の提供が禁止されている点、提供に限らずその「約束」も禁止されている点、そして、当該禁止規制の趣旨をまっとうするため、上記規制を免れようとする潜脱行為も禁止されている点（法300条1項9号、規則234条1項1号）等に留意すべきである。

　法300条1項5号の禁止行為に該当する行為の一例として、次のような行為があげられる。

① 「第1回保険料は無料です」と保険契約者に約束する行為

② 保険加入希望者の第1回保険料を肩代わりして保険契約を成立させる行為
③ 保険加入希望者に対し、「保険に加入してくれたらもれなく商品券10,000円をプレゼントする」と告げて募集する行為

2 法300条1項5号該当性の判断手法

各種物品・サービス等の利益を提供しようとすることが、法300条1項5号に該当するか否かを判断するにあたっては、次の各事項を検討する必要がある。

> ① 利益を提供する主体は、保険募集の主体と同一か。
> ② 提供している（または提供を約している）利益が、「保険料の割引、割戻しその他特別利益」に該当するか。
> ③ 特別の利益の提供またはその約束が「保険契約の締結、保険募集（中略）に関して」なされているといえるか。
> ④ 利益を提供する（または利益提供を約している）先が、「保険契約者又は被保険者」であるか。

以下、①～③について詳述する。

(1) **利益提供の主体**（要件①）

各種物品・サービス等の利益を提供（約束）する主体が、保険募集を行う主体と別であるという場合には、法300条1項5号所定の主体による利益提供ではないため、法300条1項5号違反とはならない。しかし、保険募集の主体と別の主体が利益提供している場合でも、保険募集の主体が当該利益提供に関する費用を負担するような場合には、潜脱行為として、規則234条1項1号に該当し、法300条1項9号に違反すると考えられる。

(2) **「特別利益」**（要件②）[98]

「特別利益」に該当するか否かについては、具体的には以下の3つの要素

第3章　保険募集に関するコンプライアンス

を総合的に考慮して判断するものとする（監督指針Ⅱ-4-2-2(8)①参照）。

> ア．当該サービス等の経済的価値および内容が、社会相当性を超えるものとなっていないか。
> イ．当該サービス等が、換金性の程度と使途の範囲等に照らして、実質的に保険料の割引・割戻しに該当するものとなっていないか。
> ウ．当該サービス等の提供が、保険契約者間の公平性を著しく阻害するものとなっていないか[99]。
> （注）保険会社等が、保険契約者または被保険者に対し、保険契約の締結によりポイントを付与し、当該ポイントに応じた生活関連の割引サービス等を提供している例があるが、その際、ポイントに応じてキャッシュバックを行うことは、保険料の割引・割戻しに該当し、法4条2項各号に掲げる書類に基づいて行う場合を除き、禁止されていることに留意する。

この点、具体的には、「特別の利益」の該当性は、以下の順序および枠組みによって判断される。

① 現金・電子マネー

電子マネーは、法律上に定義のあるものではなく、また後述する「前払式支払手段」とは限らない（後払い型の電子マネーもある）が、いずれにせよ、社会通念上「電子マネー」とされる交通系IC、買い物系プリペイド型、ポストペイ型の電子マネーは、現金類似の機能を有するものとして、いずれも「特別の利益」に該当する。

② 資金決済法上の「前払式支払手段」

---

[98] 平成29年2月、生損保各社が、保険契約の締結または保険募集に関して提供されるノベルティの基準を改定し、代理店に一斉に通知した。これは、生命保険協会および日本損害保険協会が、法300条1項5号で禁止される特別利益の提供禁止ルールに関する論点を整理し、金融庁に考え方を確認したことをふまえたものである。
[99] 「公平性」に関して、たとえば、特定の保険契約者に対して利益提供を行う場合には、公平性を著しく阻害するおそれがありうるため、留意する必要がある。

資金決済に関する法律（以下「資金決済法」という）3条1項に定義する「前払式支払手段」に該当するものは、実質的に現金と同等の機能を有するものであること等から、それを提供すれば実質的な保険料の割引・割戻しに該当するものとして「特別の利益」に該当する[100]。

　たとえば、全国百貨店共通商品券やQuoカード等は、前払式支払手段に該当するものであり「特別の利益」に該当する。

③　「現金や電子マネーに交換（チャージ）可能な利益」

　前払式支払手段に該当しない場合でも、現金や電子マネーに交換（チャージ）が可能な他のポイント等サービスに交換することで、間接的に交換機能を有しているものは、「特別の利益」に該当する。

④　その他の利益の判断基準

　上記①②③に該当しない場合は、使途の範囲と社会相当性の双方の程度をふまえて判断する。

　「使途の範囲」に関しては、幅広い商品の購入・交換ができるポイントサービス・金券類等（たとえば、大型ショッピングモール内で利用可能なポイント、大型の量販店や通販サイト内で利用可能なポイント、幅広い商品と交換できるカタログギフト等）は、「使途の範囲」が広いと認められ、「特別利益」に該当する。

　「社会相当性」に関しては、当該利益の提供が法令に違反するようであれば当然「社会相当性」を超えるものと解されることから、提供するサービス等は景表法の範囲内のものであることが前提となる。たとえば、保険を締結した保険契約者全員に対しある利益を提供すると約束する場合、当該利益が、景表法で規定される総付景品規制の範囲を超えるようであれば、社会相当性を超えているとして「特別利益」と評価されるものと考えられる。

---

[100]　資金決済法3条1項に定義される「前払式支払手段」に該当する例としては、電子マネー、商品券・ギフト券、ビール券、お米券、ギフトカード、ネット上で使用できるプリカ、カタログギフト券、テレホンカード、アイスクリーム券等があげられる。実務上、前払式支払手段の具体例を知りたい場合は、一般社団法人日本資金決済業協会ウェブサイトの「会員の発行する前払式支払手段」が参考となる。

(別図)

	資金決済に関する法律第3条第1項 (前払式支払手段(注))に該当	資金決済に関する法律第3条第1項 (前払式支払手段(注))に非該当
現金・電子マネー(含む交換可能)	電子マネー ※なお、現金は、前払式支払手段ではないが保険料の割引・割戻しそのものである。	現金や電子マネーに交換(チャージ)できるもの ※(現金・電子マネーへの交換が可能な他のポイント等サービスに交換することで)間接的に交換機能を有しているものも特別利益の提供に該当する。
現金・電子マネー以外	前払式支払手段に該当するもの (資金決済に関する法律第3条第1項)	使途の範囲と社会相当性の双方の程度を踏まえ判断 ※幅広い商品の購入・交換ができるポイントサービス・金券類等は「使途の範囲」が広いと認められるので「特別利益」に該当。 (例:大型ショッピングモール内で利用可能なポイント、大型の量販店や通販サイト内で利用可能なポイント、幅広い商品と交換できるカタログギフト等)

(注) 同法第4条(適用除外)に定める前払式支払手段を除く。
(出所) 生命保険協会「保険募集人の体制整備に関するガイドライン」33頁

(3) 「保険募集に関して」(要件③)

「特別利益」と判断される利益を提供する(または提供を約束する)としても、それが法300条1項5号違反となるには、「保険契約の締結、保険募集(中略)に関して」(法300条1項柱書)なされている必要がある。

この点、法300条1項の「保険募集に関して」に該当する行為は、「保険募集において」というような保険募集に直接的に付随する行為よりも広い概念であると考えられていることに留意する必要がある。

たとえば、保険募集（Q6参照）に用いられるパンフレットその他の募集資材に利益提供の約束が記載されているという場合には、利益提供約束が「保険募集に関して」行われていると評価されることは必至であろう。なお、事後的な謝礼としての位置づけとして利益を提供する場合であって、形式的には「保険募集に関して」とはいえないようにみえる場合でも、その利益が実質的には新たな保険契約の締結を勧誘するために提供されているとみられかねない場合などには、「保険募集に関して」と評価される場合がありうる。

　また、他業を兼業する保険募集人が、他業の顧客に対して各種のサービスや物品等の提供を行う場合や、保険会社や保険募集人からの委託またはそれに準じる関係等にある第三者が同様に行う場合であっても、それらサービス等の費用を保険会社や保険募集人等が実質的に負担していたり、顧客への訴求方法等によっては、「保険募集に関して」行われたと解されることがあり得る。たとえば、通信事業（携帯電話会社等）を営む兼業代理店が、通信事業の顧客に対して、保険契約への加入が条件であることの訴求とあわせて、通信事業に関する契約に基づく顧客の支払債務（携帯電話の利用料金等）を減免する行為は、「保険募集に関して」行われるものとして禁止されるものと考えられる[101]。

　なお、クレジットカード会社等が会員に提供する無償保険（会員による保険料負担がない保険）について、有償保険（会員による保険料負担がある保険）の募集を同時に行う場合、もしくは、無償保険期間中にその情報を利用して有償保険を募集する場合は、保険業法300条1項に定める「保険契約の締結、保険募集又は自らが締結した若しくは保険募集を行った団体保険に係る保険契約に加入することを勧誘する行為その他の当該保険契約に加入させるための行為に関して」に該当することから、法300条1項5号に抵触しないか留意する必要がある。

---

[101]　生命保険協会「保険募集人の体制整備に関するガイドライン」参照。

3　加入勧奨に関しての特別利益提供

　法300条1項は、「自らが締結した又は保険募集を行った団体保険に係る保険契約に加入することを勧誘する行為その他の当該保険契約に加入させるための行為に関しては第1号に掲げる行為（被保険者に対するものに限る。）に限り」と定めていることから、保険業法上は、法300条1項各号に定める禁止行為のうち、加入勧奨における禁止行為となるのは同項1号（虚偽告知または重要事項の不告知の禁止）に定める行為に限定されている。

　しかし、規則227条の2第2項に該当しない（団体から被保険者への適切な情報提供が期待できない）団体保険（Q8参照）の加入勧奨については、監督指針において、「加入勧奨にあたっては、例えば、法第300条第1項に規定する禁止行為の防止など、募集規制に準じた取扱いが求められ、募集規制の潜脱が行われないような適切な措置」を講じることが求められている（監督指針Ⅱ-4-2-2(4)①。（Q8参照））。

4　特別利益提供に関する法令上のその他の禁止規定

　特別利益提供に関しては、法定されている以下の禁止行為についても注意が必要である。

① 　保険会社等・保険募集人等は、保険契約者または被保険者に対して、保険会社等の特定関係者が特別の利益の供与を約し、または提供していることを知りながら、当該保険契約の申込みをさせる行為を行ってはならない（法300条1項8号）[102]。

② 　保険会社等・保険募集人等は、なんらの名義によってするかを問わず、法300条1項5号に規定する行為の同項の規定による禁止を免れる行為をしてはならない（法300条1項9号、規則234条1項1号）。

③ 　保険会社等は、その特定関係者に係る保険募集に関して、当該特定関係者を保険者とする保険契約の保険契約者または被保険者に対して、特別利

---

[102] たとえば、一般事業会社が保険会社に出資して主要株主となる場合、保険業法100条の3により、当該事業会社は当該保険会社の特定関係者となりうる。

益の提供ないしその約束、またはそれらの潜脱行為を行ってはならない（法301条）。

④　保険会社の持株会社・兄弟会社は、当該保険会社の保険募集に関し、その保険契約者または被保険者に対して、特別利益の提供ないしその約束、またはそれらの潜脱行為を行ってはならない（法301条の2）。

5　募集関連行為従事者による特別利益提供の潜脱

監督指針は、募集関連行為（Q7参照）については、直ちに募集規制が適用されるものではないとしつつ、「保険会社又は保険募集人においては、募集関連行為を第三者に委託し、又はそれに準じる関係に基づいて行わせる場合には、当該募集関連行為を受託した第三者（以下、「募集関連行為従事者」という。）が不適切な行為を行わないよう」「募集関連行為従事者において、保険募集行為又は特別利益の提供等の募集規制の潜脱につながる行為が行われていないか」に留意すべきことを求めている（監督指針Ⅱ-4-2-1(2)①）。

6　不祥事件届出

法300条1項1号～3号と異なり、同項5号に違反した者に対する罰則は定められていないが、同号違反は不祥事件に該当するので届出する必要がある。また、違反者は「この法律……に違反したとき、その他保険募集に関し著しく不適当な行為をした」（法307条1項3号）こと等を理由に、保険募集人登録の取消し等の行政処分の対象となる。

Ⅵ 誤解させるおそれのある他の保険商品との比較表示の禁止（法300条1項6号）

他の保険会社の保険商品との比較表示を行う際、注意しなければならない点は何か。

A　誤解させるおそれのある比較表示になっていないか、注意しなければならない。特に保険料に関する比較については、過度に安さのみを注目させずに、保障内容等についてもわかりやすく表示する必要がある。

―――― 解　説 ――――

1　誤解させるおそれのある比較表示の禁止

　法300条1項6号において、「保険契約者若しくは被保険者又は不特定の者に対して、一の保険契約の契約内容につき他の保険契約の内容と比較した事項であって誤解させるおそれのあるものを告げ、又は表示する行為」が禁止されている。旧募取法のもとでは、他の保険会社の保険契約に比べ、免責事由が多いことは告げずに保険料が安いことを強調して保険募集を行うこと等を想定し、保険契約の契約条項の一部につき比較した事項を告げる行為を全面的に禁止していた。しかしながら、平成7年改正法において、比較情報の提供が保険契約者の商品選択に資する面もあることを考慮して、保険契約者等の誤解を招くおそれのある場合のみを禁止することにしたものである[103]。

　つまり、法律上は「誤解させるおそれのある」比較のみが禁止されているにすぎず、比較表示自体は認められている。しかしながら、他社の保険商品との正確な比較が困難であるとの理由から、比較表示がほとんど行われていない実情があった。このような現状では、消費者の多くの保険商品を比べて

103　安居・前掲書1053頁。

自らのニーズに合致した商品を選択したいという要求に応えられないことから、「保険商品の販売勧誘のあり方に関する検討チーム」（以下「検討チーム」という）において、比較表示を促進するための比較方法の検討が行われ、その結果[104]をふまえ、適切な比較方法の明確化が図られた。

2 誤解させるおそれのある比較表示
(1) 誤解させるおそれのある比較表示行為（禁止行為）

誤解させるおそれのある比較表示に該当するか否かは、個々の状況に即して判断されることとなるが、監督指針においては、以下の行為が「誤解させるおそれのある」行為に抵触するものとして例示されている（監督指針Ⅱ-4-2-2(9)②（法300条1項6号関係））。

① 客観的事実に基づかない事項または数値を表示すること
② 保険契約の内容について、正確な判断を行うに必要な事項を包括的に示さず一部のみを表示すること
③ 保険契約の契約内容について、長所のみをことさらに強調したり、長所を示す際にそれと不離一体の関係にあるものをあわせて示さないことにより、あたかも全体が優良であるかのように表示したりすること
④ 社会通念上または取引通念上同等の保険種類として認識されない保険契約間の比較について、あたかも同等の保険種類との比較であるかのように表示すること[105]
⑤ 現に提供されていない保険契約の契約内容と比較して表示すること

---

[104] 平成18年6月19日「最終報告～ニーズに合致した商品選択に資する比較情報のあり方～」。
[105] 保険期間の相違がある保険商品の比較を行う場合、有配当保険と無配当保険の比較を行う場合等には、商品内容の相違を明確に記載する等、顧客が同等の保険商品と誤解することがないよう配慮した記載を行うことが求められる（監督指針Ⅱ-4-2-2(9)②エ．（注））。

⑥ 他の保険契約の契約内容に関して、具体的な情報を提供する目的ではなく、当該保険契約を誹謗・中傷する目的で、その短所を不当に強調して表示すること

上記②の「一部比較」に関しては、以下の場合は、「保険契約の契約内容について、正確な判断を行うに必要な事項を包括的に示したもの」と認められる（監督指針Ⅱ-4-2-2(9)②イ．(注1)(注2)）。

(注1) 「契約概要」を用いた比較表示を行う場合（それぞれの「契約概要」を並べる方法により行う場合や、「契約概要」の記載内容の全部を表形式にまとめ表示する場合等）
(注2) 比較表示（その記載内容を表形式にまとめ表示する場合を含む）を行うに際し、以下の各要件がすべて充足されている場合
　(ア) 比較表示の対象としたすべての保険商品について、比較表示を受けた顧客が「契約概要」を入手したいと希望したときに、その「契約概要」をすみやかに入手できるような措置が講じられていること
　　　たとえば、
　　　a．比較表示の対象としたすべての保険商品について、比較表示と同時に「契約概要」が提供されること
　　　または、
　　　b．比較表示の対象としたすべての保険商品について、インターネットのホームページ上に「契約概要」を表示できるようにすること、あるいは顧客からの要望があれば遅滞なく郵送等で要望のあった「契約概要」を交付できるようにすること等の体制を整備したうえで、これを顧客に周知すること等
　(イ) 比較表示に関し、以下のような注意喚起文言が記載されていること

a．比較表には、保険商品の内容のすべてが記載されているものではなく、あくまで参考情報として利用する必要があること
　　　b．比較表に記載された保険商品の内容については、必ず「契約概要」やパンフレットにおいて全般的に確認する必要があること

(2) 比較すべき事項

　他の保険会社の商品等との比較表示を行う場合には、以下の(i)および(ii)のいずれも満たす必要がある（監督指針Ⅱ-4-2-2(9)③）。

(i) 書面等を用いて以下の(ア)～(ク)までの事項を含めた表示を行うこと
　(ア) 保険期間
　(イ) 保障（補償）内容（保険金を支払う場合、主な免責事由等）
　(ウ) 引受条件（保険金額等）
　(エ) 各種特約の有無およびその内容
　(オ) 保険料率・保険料（なるべく同一の条件での事例設定を行い、算出条件を併記する）
　(カ) 保険料払込方法
　(キ) 払込保険料と満期返戻金との関係
　(ク) その他保険契約者等の保護の観点から重要と認められるもの
　かつ、
(ii) 他社商品の特性等について不正確なものとならないための措置を講ずること

　この点、「(イ)　保障（補償）内容」や「(エ)　特約の内容」に関して、比較する全商品にほぼ共通して存在すると認められる事由や、比較の対象とした保険種類であれば通常支払われるものと認められる事由については、記載内

容から省略したことをもって直ちに「誤解させるおそれ」を生ぜしめるものではないとされる。

なお、契約概要を用いた比較の場合（監督指針Ⅱ-4-2-2(9)②イ.（注1）（注2））は、上記(ｱ)～(ｸ)を記載しなくてもよいとされている（監督指針Ⅱ-4-2-2(9)③（注1））。また、保障（補償）内容や特約の内容に関して、比較する全商品にほぼ共通して存在すると認められる事由や、比較の対象とした保険種類であれば通常支払われるものと認められる事由については、記載内容から省略したことをもって直ちに「誤解させるおそれ」を生ぜしめるものではないとされる（監督指針Ⅱ-4-2-2(9)③（注2））。

(3) 保険料に関する比較を行う場合の留意点

保険料に関する比較を行う場合は、保険料に関して顧客が過度に注目するよう誘導したり、保障（補償）内容等の他の重要な要素を看過させるような表示を行ったりすることがないよう配慮しなければならない（監督指針Ⅱ-4-2-2(9)④）。

また、顧客が保険料のみに注目することを防ぐため、保険料だけではなく保障（補償）内容等の他の要素も考慮に入れたうえで比較・検討することが必要である旨の注意喚起を促す文言をあわせて記載すること等、比較表の構成や記載方法等について、顧客の誤解を招かない工夫をすることが求められている。この点、監督指針では、以下の表示が例示されている。

---

① 契約条件や保障（補償）内容の概要等、保険料に影響を与えるような前提条件をあわせて記載することが適切な表示として最低限必要。
② 顧客の年齢や性別等の前提条件に応じ、適用される保険料の相違が顕著である場合には、前提条件の相違により保険料が異なる場合があるので、実際に適用される保険料について保険会社等に問い合わせたうえで商品選択を行うことが必要である旨の注意喚起を促す文言をあわせて記載することが適当。

(4) 表示主体や情報源に関する情報の明示

比較を行う者によって、特定の商品を意図的に推奨するような比較を行うおそれがある。そのような行為を防ぐために、比較表示を行う際には、以下の事項等を顧客に対して明示することが望ましいとされている（監督指針Ⅱ-4-2-2(9)⑤）。

---

① 比較表示を行う主体がどのような者か（保険会社、保険募集人）。
② 比較の対象となった保険商品を提供する保険会社や代理店等との間に、提供する比較情報の中立性・公正性を損ないうるような特別の利害関係（たとえば、強い資本関係が存在する等）を有していないか。
③ どのような情報を根拠として比較情報を提供するのか。

---

3 表示媒体

誤解させるおそれのある比較表示は、これを告げる行為のほか、表示する行為についても禁止されている。監督指針においては、以下の表示媒体が例示されている（監督指針Ⅱ-4-2-2(9)①）。

---

① パンフレット、ご契約のしおり等募集のために使用される文書および図画
② ポスター、看板その他これらに類似するものによる広告
③ 新聞紙、雑誌その他の出版物、放送、映写、演劇または電光による広告
④ インターネット等による広告
⑤ その他情報を提供するための媒体

4 不祥事件届出

　法300条1項1号〜3号と異なり、同項6号に違反した者に対する罰則は定められていない。もっとも、同号違反は不祥事件に該当するので届出しなければならない。また、違反者は、「この法律……に違反したとき、その他保険募集に関し著しく不適当な行為をした」（法307条1項3号）こと等を理由に、保険募集人登録の取消し等の行政処分の対象となる。

　また、保険会社については、適切な表示を確保するための措置を講じることが求められており（監督指針Ⅱ-4-10）、誤解させるおそれのある比較表示を防止する体制整備が不十分であると認められた場合は、保険会社も行政処分の対象となる[106]。

---

[106] 景表法上の表示規制も参照のこと（Q36参照）。

Ⅶ 断定的判断の提供の禁止（法300条1項7号）

Q33 配当金の額や変額保険の保険金額を説明する場合、注意すべき点は何か。

A 将来における金額が不確実な事項（配当金の額や変額保険の保険金額等）については、断定的判断を示したり、確実であると誤解されるおそれがあることを告げたり、表示したりしないようにしなければならない。

══════════ 解　説 ══════════

1　断定的判断の提供の禁止

　法300条1項7号において、「保険契約者若しくは被保険者又は不特定の者に対して、将来における契約者配当又は社員に対する剰余金の分配その他将来における金額が不確実な事項として内閣府令で定めるものについて、断定的判断を示し、又は確実であると誤解させるおそれのあることを告げ、若しくは表示する行為」が禁止されている。旧募取法のもとでは、予想情報の提供は、保険会社間に不当な競争を呼び起こす可能性があるという理由で、全面的に禁止されていた。しかしながら、予想配当は、保険契約者にとって商品選択の有力な材料となりうるものであることから、予想配当表示のうち断定的判断を示すなど顧客を誤認させるおそれがある行為のみを禁止することとしたものである。

2　将来における金額が不確実な事項

　将来における金額が不確実な事項とは、以下の事項をいう（法300条1項7号、規則233条）。
① 契約者配当または社員に対する剰余金の分配

②　資産の運用実績その他の要因によりその金額が変動する保険金、返戻金その他の給付金または保険料

具体的には、配当金の額や変額保険の保険金額等がこれに該当する。

3　確実であると誤解させるおそれのある行為

将来における金額が不確実な事項について「確実であると誤解させるおそれのある行為」は、保険商品の内容ごとに判断すべきものであるが、監督指針において、以下のような行為が例示されている（監督指針Ⅱ-4-2-2⑽②ア）。

> ①　実際の配当額が、表示された予想配当額から変動し、ゼロとなる年度もありうる旨を予想配当と併記して表示しないこと
> ②　表示された予想配当額が将来の受領額の目安として一定の条件のもとでの計算例を示すものであるにもかかわらず、その旨および当該一定の条件の内容を表示しないこと
> ③　配当の仕組み（配当は支払時期の前年度決算により確定する旨等）、支払方法（積立配当方式、保険料相殺方式、保険金買増方式、現金支払方式等の別）その他予想配当の前提または条件となる事項について表示しないこと
> ④　損害保険契約に係る予想配当については、その前提または条件の異なった複数の予想配当額を表示しないこと
> ⑤　合理的かつ客観的な推測の範囲を明らかに超える高額の予想配当額を表示すること
> ⑥　特別配当（ミュー配当）を表示する場合に、普通配当と区別しないで表示すること

これに関連し、監督指針上、生命保険契約について、予想配当表示を行い、または、生命保険募集人に予想配当表示を行わせる場合には、配当率が

直近決算の実績配当率で推移すると仮定して算定した配当額を表示し、さらに、少なくとも合理的な一時点においては、利差配当率等が、直近決算の実績配当の利差配当率から上方には1％以内、下方には上方への幅以上の範囲内で推移すると仮定して算定した配当額もあわせて表示する必要がある。さらにこの場合、予想配当について上記3①〜⑥の要件を満たした書面等が保険契約者等に提示することが求められる（監督指針Ⅱ-4-2-2⑽②イ、ウ）。

また、特に、特別勘定を使用する保険（変額保険など）や外貨建保険については、その不確実性（価格変動リスクや為替リスクなど）を十分説明すること（外貨建保険については、保険契約者が為替リスク等について了知した旨の確認書等の取付けの徹底を含む）が求められている（監督指針Ⅱ-4-2-2⑽③、④）。

4　不祥事件届出

　法300条1項1号〜3号と異なり、同項7号に違反した者に対する罰則は定められていない。もっとも、同号違反は不祥事件に該当するので届出しなければならず、また、違反者は、「保険募集に関し著しく不適当な行為をした」（法307条1項3号）こと等を理由に、保険募集人登録の取消し等の行政処分の対象となる。

5　その他

　断定的判断の提供は、不特定の者、つまり一般消費者に対する行為も禁止されている。したがって、広告やパンフレット等に断定的判断の提供と思われる表示がなされていれば、仮に保険契約者等に対して当該パンフレット等を使って説明していなかったとしても、当該条項に違反したことになる。

VIII 自己契約・特定契約

Q34 「自己契約」「特定契約」とは何か。

A 「自己契約」とは、自己または自己を雇用している者を保険契約者または被保険者とする保険契約である。「特定契約」とは、自らと「人的または資本的に密接な関係を有する者」（特定者）を保険契約者または被保険者とする保険契約である。主たる目的として、自己契約や特定契約の保険募集を行ってはならない。

―――――――――― 解　説 ――――――――――

1　損害保険代理店の自己契約

保険業法は、損害保険代理店が、その主たる目的として、自己契約（自己または自己を雇用している者を保険契約者または被保険者とする保険契約）の募集を行うことを禁止している（法295条1項、監督指針Ⅱ-4-2-2(6)①参照）。

その趣旨は、以下の2点である。

① 実質的に保険料の割引・割戻し（法300条1項5号）が行われることを防止するため

② 損害保険代理店の健全な自立育成を図るため

なお、自己契約はいっさい取扱いができないということではなく、「主たる目的」として自己契約を保険募集することが禁止される。また、その基準として、保険業法は、「保険募集を行った自己契約に係る保険料の合計額」（規則229条1項）により計算した額が、当該損害保険代理店が「保険募集を行った保険契約に係る保険料の合計額」（同条2項）により計算した額の100分の50を超えることとなったときには、自己契約の保険募集を行うことをそ

の「主たる目的」としたものとみなすと規定しているため（法295条2項）、この点に留意する必要がある。

なお、自己契約に係る収入保険料の割合が30％を超えた場合には、すみやかに改善するよう代理店を指導しなければならない（監督指針Ⅱ-4-2-2(6)③）。

2　損害保険代理店の特定契約

「特定契約」とは、自己契約ではないが、損害保険代理店が、自らと「人的または資本的に密接な関係を有する」（特定者）を保険契約者または被保険者とする保険契約をいう。

特定契約の保険募集を主たる目的（取扱保険料に占める特定契約の保険料の割合が5割を超えること）とすることは、法295条の趣旨に照らし問題があるため、自己契約と同様に状況を把握し、厳正に管理、指導を行い、もって保険募集の公正を確保し代理店の自立化の促進に努めなければならない。なお、特定契約に係る収入保険料の割合が30％を超えた場合には、すみやかに改善するよう代理店を指導しなければならない（監督指針Ⅱ-4-2-2(6)③）。

(1)　損害保険代理店と「人的または資本的に密接な関係のある者」

「特定者」とは、次の者をいう（詳細は、監督指針Ⅱ-4-2-2(6)②ア参照）。

> ①　代理店本人と生計をともにする親族（姻族を含む）および生計をともにしない2親等以内の親族（姻族を含まない）
> ②　代理店本人または配偶者もしくは2親等以内の親族（姻族を含まず）が常勤役員である法人[107]
> ③　法人代理店と役職員の兼務関係（非常勤、出向および出身者[108]を含む）がある法人

107　法人でない社団もしくは財団を含む（下記③において同じ）。
108　「出身者」とは、当該法人を退職した時点を起算点として、退職後3年未満の者をいう（監督指針Ⅱ-4-2-2(6)②ア(ウ)）。

第3章　保険募集に関するコンプライアンス

④　法人代理店への出資比率[109]が30％を超えるもの

(2) 特定契約の保険募集を主たる目的とする代理店（「特定契約取扱代理店」）の判定[110]

特定契約取扱代理店の判定の基準は次のとおりである（監督指針Ⅱ－4－2－2(6)②イ）。

①　所属代理店の事業年度ごとに行う。
②　その他の計算方法については、自己契約と同様に取り扱う。
③　特定契約としない保険契約は、自己契約に準じて取り扱う。

(3) 所属代理店が特定契約取扱代理店であることが判明した場合

特定契約取扱代理店に至った事由および是正計画を付して、判定を行った月の翌月末日までに財務局または財務支局へ報告する（監督指針Ⅱ－4－2－2(6)②ウ）。

3　生命保険募集人の自己契約・特定契約

保険業法は、損害保険代理店について、自己契約を主たる目的とする保険募集を禁じているものの、生命保険についての生命保険募集人に対する自己

---

[109] 出資比率の算定方法
　①　出資者が法人の場合は、当該法人に所属する役職員個人およびその者と生計をともにする親族（姻族を含まない）の出資額を合算した額で算定。
　②　出資者が個人の場合は、当該個人と生計をともにする親族（姻族は含まない）の出資額を合算した額で算定。
[110] 既存代理店に対する措置として、平成8年3月31日以前の登録代理店で、かつ、同年4月1日以降平成13年3月31日までの間に損害保険代理店制度に基づく種別変更を行わなかった代理店については、当分の間、次の計算で行う。
　①　対象保険契約は、火災保険、自動車保険および傷害保険契約（医療費用保険および介護費用保険を含む）とする。
　②　特定契約の場合は、各特定者ここでの特定契約の割合を計算し、そのうち最も高い割合を特定契約の割合とする。

契約・特定契約を禁止する直接の明文規定は置いていない。しかし、生命保険の募集においても、法295条の趣旨は同様に妥当するものと考えられる。そこで、監督指針Ⅱ−4−2−2(8)③は、法300条1項5号、規則234条1項1号（特定保険契約の場合は、規則234条の27第1項1号）関係として、自己契約・特定契約に関して次の事項を求めている。

(1) **自己契約関連**

生命保険会社には、生命保険募集人に対し、保険料の割引、割戻し等を目的とした自己契約等の保険募集を行うことがないよう、指導および管理等の措置を講じ、実行することが求められている。

(2) **特定契約関連**

生命保険会社には、法人である生命保険募集人に対し、自己または自己と「密接な関係を有する」法人[111]を保険契約者とする場合には、手数料支払等による保険料の割引、割戻し等を目的とした保険募集を行うことがないよう、指導および管理等の措置を講じ、実行することが求められている。

---

111 特定契約となる要件である「密接な関係を有する法人」については、監督指針Ⅱ−4−2−2(8)③ウに詳しく規定があり、資本的関係、人事交流、その他設立経緯や取引関係からみて当該生命保険募集人等と密接な関係を有すると認められる法人が具体的な要件とともにあげられている。

IX 構成員契約規制・圧力募集
（法300条1項9号、規則234条1項2号）

構成員契約規制とは何か。

生命保険会社と代理店業務委託契約を締結した法人が生命保険募集を行う場合、当該法人およびその法人と密接な関係を有する法人の役員・従業員に対する保険募集を原則として禁止するという規制である。法300条1項9号、規則234条1項2号、平成10年大蔵省告示第238号で定められている。

=== 解　説 ===

1　構成員契約規制（法300条1項9号、規則234条1項2号前段（特定保険契約の場合は、準用金商法38条8号および規則234条の27第1項1号））

「構成員契約規制」とは、法人である生命保険募集人が、所定の「構成員」について、所定の商品の保険契約の申込みをさせる行為を禁止するというルールである。

すなわち、規則234条1項2号は、法人である生命保険募集人等が、その役員または使用人その他当該生命保険募集人等と密接な関係を有する者として金融庁長官が定める者に対し、金融庁長官が定める保険以外の保険について、保険契約の申込みをさせること等を禁止している。その趣旨は、主として業務上の地位を利用した圧力募集が行われることを防止するためといわれている。

(1)　**禁止要件**
①　主体……法人である生命保険募集人（いわゆる法人募集代理店）
②　客体……当該法人の役員・使用人[112]・その他「当該法人募集代理店と

密接な関係を有するとして金融庁長官が定める者」に対して、

③　対象の保険契約

・第一分野の保険商品（例：終身保険や定期保険等）
・死亡保険金額が入院給付金日額の100倍を超える第三分野の保険商品（例：医療保険に終身特約を付加し、かつその死亡保険金が入院給付金日額の100倍を超えた場合等）

④　行為……生命保険会社を保険者として上記③の保険契約の申込みをさせる行為

が禁止されている。

　構成員契約規制は、法300条1項9号に基づく規制であることから、この構成員契約規制に抵触する行為が認められた場合には、内閣総理大臣（金融庁長官）に対し不祥事件として届出を行うことが必要となる。

(2)　**当該法人募集代理店と「密接な関係」を有する者とは**

　構成員契約規制の対象となる、法人募集代理店と密接な関係を有する者とは、次の①～③に該当するものをいう（平成10年大蔵省告示第238号）。

> ①　資本関係からみて、当該法人募集代理店と密接な関係を有する以下に掲げる法人の役員または使用人
> 　(i)　当該法人募集代理店の特定関係法人
> 　(ii)　当該法人募集代理店を特定関係法人とする法人
> 　(iii)　(i)に掲げる法人の特定関係法人
> 　(iv)　(i)または(ii)に掲げる法人を特定関係法人とする法人
> 　(注)　特定関係法人とは、法人に係る次のa～fに掲げる者に該当する者であって、合計して当該法人の総株主、総社員または総出資者の議決

112　なお、平成24年2月29日に照会（金融庁接受）、同年3月27日回答の金融庁のノーアクションレターによれば、消費生活協同組合法に基づく消費生活協同組合の「組合員」は、当該組合員が当生協または当社の役員または使用人その他当生協または当社と「密接な関係を有する者として金融庁長官の定める者」に別途該当しない限り、構成員契約規制の客体には当たらない。

権の25％以上を保有する法人
　　　　a　当該法人の議決権の全部または一部を保有する者
　　　　b　aに掲げる者の総株主、総社員または総出資者の議決権の50％超を保有する者
　　　　c　bに掲げる者の総株主、総社員または総出資者の議決権の50％超を保有する者
　　　　d　aに掲げる者により総株主、総社員または総出資者の議決権の50％超を保有される法人
　　　　e　dに掲げる者により総株主、総社員または総出資者の議決権の50％超を保有される法人
　　　　f　bに掲げる者により総株主、総社員または総出資者の議決権の50％超を保有される法人

②　当該法人募集代理店との間で、役員（非常勤を除く）または使用人の兼職、転籍[113]、出向[114]等の人事交流が行われている法人の役員または使用人

③　その他設立の経緯または取引関係からみて、当該法人募集代理店と密接な関係（注）を有すると認められる法人の役員または使用人
　（注）　一方の法人が他方の法人の財務もしくは営業または事業の方針に対して重要な影響を与えることができる関係にあること。

---

[113]　ここでいう「転籍」とは、転籍先である法人における常務に従事する役員または使用人の人事管理（当該役員または使用人の給与・職制等労働条件の見直しに係る管理）に、転籍元が関与している場合をいい、たとえば、転籍元を退職した後の再就職先が当該転籍元の紹介によるものであっても、転籍元が人事管理に関与していない場合は含まない（平成14年8月30日金融庁パブリックコメント・構成員契約規制関連）。

[114]　ここでいう「出向」とは、出向元の役員または使用人が当該出向元との雇用関係を継続しつつ、他の法人の常務に従事している場合をいい、当該法人の常務に従事する目的が、当該法人への再就職を目的としたものであり、かつ、再就職先において出向元の人事管理を受けない場合、当該法人の常務に従事する目的が研修等である場合、または国や地方公共団体において公金の収納・支払事務その他の業務に従事するためのものである場合などは含まない（平成14年8月30日金融庁パブリックコメント・構成員契約規制関連、平成23年4月21日に照会（金融庁接受）、同年5月25日回答の金融庁のノーアクションレター参照）。

2 圧力募集（法300条1項9号、規則234条1項2号後段）

(1) 生命保険募集について

　法人である生命保険募集人が、保険契約者または被保険者に対して、威迫し、または業務上の地位等を不当に利用して保険契約の申込みをさせ、またはすでに成立している保険契約を消滅させる行為を行った場合（つまり実際に圧力を利用した募集を行った場合）には、規則234条1項2号後段に該当するため、法300条1項9号違反となる。

　ここでいう「業務上の地位等を不当に利用」については、監督指針上、「例えば、職務上の上下関係等に基づいて有する影響力をもって、顧客の意思を拘束する目的で利益又は不利益を与えることを明示すること」が例示されている（監督指針Ⅱ-4-2-2(11)①）。

(2) 損害保険募集について

　損害保険募集に関しては圧力募集を禁止する直接の明文規定が置かれていないが、監督指針上、損害保険会社または損害保険募集人に対し、規則234条1項2号の規定の趣旨をふまえ、以下に掲げる行為等を行っていないことが求められている（監督指針Ⅱ-4-2-2(11)②）。

ア．顧客に対し、威圧的な態度や乱暴な言葉等をもって著しく困惑させること

イ．勧誘に対する拒絶の意思を明らかにした顧客に対し、その業務もしくは生活の平穏を害するような時間帯に執拗に訪問し又は電話をかける等の社会的批判を招くような方法により保険募集を行うこと

X 金融商品取引法準用による行為規制 （法300条の2）

Q36 金融商品取引法が準用される「特定保険契約」とはどのようなものか。また、準用される行為規制は、どのようなものか。

A 「特定保険契約」とは、変額保険・変額年金保険、外貨建保険、市場価格調整機能付保険等のことをいう。準用される行為規制は、広告規制、契約締結前の書面交付義務、契約締結時等の書面交付義務、禁止行為（迷惑な時間の電話または訪問）、損失補てんの禁止、適合性原則である。

―――― 解　説 ――――

1　金融商品取引法の準用

今般の金融商品取引法（以下「金商法」という）の制定時の基本的な考え方として、同じ経済的性質を有する金融商品には同じルールを適用することにより、利用者保護の徹底を図るということがあった。そこで、投資性の強い保険については、金商法の規制を適用することが適当との考えから、法300条の2を新設し、投資性の強い保険を販売・勧誘する場合には、金商法の行為規制の一部が準用されることとなった。

なお、具体的な金商法準用の規制の内容については、生命保険協会が、「市場リスクを有する生命保険の募集に関するガイドライン」（平成19年9月14日制定。その後改定が重ねられ、直近の改定は令和3年2月10日）を作成している。

2　特定保険契約

金商法の行為規制が準用される投資性の強い保険契約を「特定保険契

約[115]」という。具体的には、以下の保険契約等を「特定保険契約」という（法300条の2、規則234条の2）。

- ・変額保険・変額年金保険
- ・外貨建保険・年金保険
- ・市場価格調整（マーケット・バリュー・アジャストメント（MVA））機能[116]付保険・年金保険

3　広告等規制（準用金商法37条）

特定保険契約について広告および広告類似行為[117]を行う場合は、顧客が支払うべき手数料に関する事項やリスクに関する事項など顧客の判断に影響を及ぼすこととなる重要な事項を明瞭かつ正確に表示しなければならない（準用金商法37条、令44条の5、規則234条の16〜234条の18）。特に「指標の変動により損失を生じるおそれ」等のリスク情報については、他の事項の表示の文字・数字のうち最も大きなものと著しく異ならない大きさで表示することが求められている点に注意する必要がある（規則234条の16）[118]。

また、利益の見込み等について著しく事実に相違する表示や著しく人を誤解させる表示を行うことが禁止されている（準用金商法37条2項）。

---

[115] 特定保険契約とは、金利、通貨の価格、金融商品市場における相場その他の指標に係る変動により損失が生ずるおそれ（当該保険契約が締結されることにより顧客の支払うこととなる保険料の合計額が、当該保険契約が締結されることにより顧客の支払うこととなる保険金、返戻金その他の給付金の合計額を上回ることとなるおそれをいう）がある保険契約として内閣府令で定めるもの（法300条の2）をいう。

[116] 市場価格調整（MVA）機能とは、保険料積立金（保険法63条参照）に契約時と解約時の金利差によって生じる運用対象資産の時価変動に基づく調整を加えたものを解約返戻金とする仕組みをいう。

[117] 新聞等における不特定多数を対象とする通常の広告のほか、個別に送信・送付する郵便、信書便、ファクシミリ装置を用いて送信する方法、ダイレクトメールや電子メール、ビラまたはパンフレットの配布など多数の者に対して同様の内容で行う情報の提供をいう（規則234条の15）。

[118] 監督指針Ⅱ-4-10参照のこと。

第3章　保険募集に関するコンプライアンス

4 契約締結前の書面交付義務（準用金商法37条の3）

　特定保険契約を締結しようとするときは、あらかじめ、顧客に対し、契約締結前書面を交付またはこれに代替する電磁的方法による提供を行わなければならない（準用金商法37条の3、規則234条の6）。

　契約締結前書面の交付またはこれに代替する電磁的方法による提供を行う場合は、特定保険契約の種類および性質等に応じて適切に行わなければならならず（監督指針Ⅱ-4-2-2(2)③ア）、その交付またはこれに代替する電磁的方法による提供することに関し、あらかじめ、顧客の知識・経験・財産の状況および特定保険契約を締結する目的に照らし、書面の内容が当該顧客に理解されるために必要な方法および程度によって説明を行わなければならない（準用金商法38条8号、規則234条の27第1項3号、監督指針Ⅱ-4-2-2(2)③エ）。

　また、契約締結前書面には、「契約概要」と「注意喚起情報」について、記載しなければならない（監督指針Ⅱ-4-2-2(2)③イ）。契約締結時交付書面に関し、文字の大きさは8ポイント以上とし、一定の事項について12ポイント以上と法定されている（準用金商法37条の3第1項、金融商品取引業等に関する内閣府令79条）ことから、当該法定要件に則して作成・交付する必要がある（監督指針Ⅱ-4-2-2(2)③ウ）。特定保険契約について、契約概要・注意喚起情報として記載すべき項目は、別表のとおりである（規則234条の24、監督指針Ⅱ-4-2-2(2)③イ）。そのほか、契約締結前交付書面（契約概要・注意喚起情報）の記載方法、説明時期、説明方法については、Q12（情報提供義務）を参照されたい（監督指針Ⅱ-4-2-2(2)⑩）。

　なお、特定保険契約のうち、生命保険における法100条の5第1項に規定する運用実績連動型保険契約[119]に係る契約締結前交付書面の記載事項については、監督指針上、補足的な留意事項[120]が規定されている（監督指針Ⅱ-

---

[119] その保険料として収受した金銭を運用した結果に基づいて保険金、返戻金その他の給付金を支払うことを保険契約者に約した保険契約。

[120] 規則234条の24第1項9号の2ロに規定する「財務又は業務（運用実績連動型保険契約に係るものに限る）に関する外部監査」には、会社法に基づく会計監査人による監査等（これらに相当するものを含む）が該当することなど。

(別表) 契約概要と注意喚起情報（特定保険契約）

	契約概要	注意喚起事項
共通項目	① 当該情報が「契約概要」であり、その内容を十分に読むべきこと	① 当該情報が「注意喚起情報」であり、その内容を十分に読むべきこと
		② 諸費用に関する事項の概要
		③ 損失が生ずることとなるおそれがあること （注）当該損失の直接の原因となる指標、および当該指標に係る変動により損失が生ずるおそれがある理由についても明示すること （注）上記②③は、「注意喚起情報」の冒頭の枠のなかで記載すること
	② 保険会社の商号または名称および住所 （注）その連絡方法についても、明示すること	④ 保険会社の商号または名称および住所 （注）その連絡方法についても、明示すること
	③ 商品の仕組み	⑤ クーリング・オフ（法309条1項に規定する保険契約の申込みの撤回等）
		⑥ 告知義務等の内容 （注）危険増加によって保険料を増額しても保険契約が継続できない（保険期間の中途で終了する）場合がある旨の約款の定めがあるときは、それがどのような場合であるか、記載すること
		⑦ 責任開始期
	④ 保障（補償）の内容 （注）保険金等の支払事由、支払事由に該当しない場合および免責	⑧ 支払事由に該当しない場合および免責事由等の保険金等を支払わない場合のうち主なもの

	事由等の保険金等を支払わない場合について、それぞれ主なものを記載する。保険金等を支払わない場合が通例でないときは、特に記載する。	(注) 通例でないときは、特に記載する。
⑤ 付加できる主な特約およびその概要		
⑥ 保険期間		
⑦ 引受条件（保険金額等）		
⑧ 保険料に関する事項		⑨ 保険料の支払猶予期間、契約の失効、復活等 (注) 保険料の自動振替貸付制度を備えた保険商品については、当該制度の説明を含む。
⑨ 保険料払込みに関する事項（保険料払込方法、保険料払込期間）		
⑩ 配当金に関する事項（配当金の有無、配当方法、配当額の決定方法）		
⑪ 解約返戻金等の水準およびそれらに関する事項		⑩ 解約と解約返戻金の水準
		⑪ セーフティネット
		⑫ 租税に関する事項の概要
		⑬ 対象事業者となっている認定投資者保護団体の有無（対象事業者となっている場合にあっては、その名称を含む）
		⑭ 手続実施基本契約の相手方となる指定ADR機関の商号または名称（指定ADR機関が存在しない場合には、苦情処理措置および紛争解決措置の内容）
		⑮ 特に法令等で注意喚起することとされている事項

変額保険	⑫ 特別勘定に属する資産の種類およびその評価方法	
	⑬ 特別勘定に属する資産の運用方針	
	⑭ 諸費用に関する事項（保険契約関係費、資産運用関係費等）	
	⑮ 特別勘定に属する資産の運用実績により将来における保険金等の額が変動し、不確実であることおよび損失が生ずることとなるおそれがあること	
	⑯ 上記⑫から⑮の項目のほか、規則234条の21の2第1項8号に規定する書面を参照にすること	
外貨建保険	⑰ 保険金等の支払時における外国為替相場により円に換算した保険金等の額が、保険契約時における外国為替相場による円に換算した保険金等の額を下回る場合があることおよび損失が生ずることとなるおそれがあること	
	⑱ 外国通貨により契約を締結することにより、特別に生じる手数料等の説明	
MVAを利用した商品	⑲ 市場金利に応じた運用資産の価格変動を解約返戻金額に反映させる保険であることの説明	
	⑳ 保険契約の締結から一定の期間内に解約された場合、解約返戻金額が市場金利に応じて計算されるため、損失が生ずることとなるおそれがあること	
	㉑ 諸費用に関する事項（運用期間中の費用等）	

4-2-2(2)③オ)。

5 重要情報シートの作成・活用

　特定保険契約のように、投資リスクのある金融商品・サービスの提案・選別の場面（販売員との対話を伴う取引の場合はもちろんのこと、対話を伴わないインターネット取引の場合を含む）にも用いられることにおいて、顧客本位の業務運営に関する原則を採択する金融事業者においては、同原則5【重要な情報の分かりやすい提供】（Q2参照）への対応として、顧客にとってわかりやすく、各業法の枠を超えて多様な商品を比較することが容易となるように配意した重要情報シートの活用が期待される。

　これをふまえて、金融庁は、令和3年5月12日、重要情報シートの雛形（金融事業者編、個別商品編）を公表するとともに、金融事業者が重要情報シートを作成・活用する際に参考となると思われる目線や今後考えられるベスト・プラクティスの例をまとめたものとして、「『重要情報シート』を作成・活用する際の手引き」を策定している。顧客本位の業務運営に関する原則を採択する事業者においては、同手引きをふまえたうえで、対応することが求められる。

　たとえば、同手引きによれば、重要情報シートは、商品を顧客に提案し、または顧客がこれを選別する場面において、他の販売資料や法定書面（契約締結前交付書面や目論見書等）とは別の資料として提供されることが想定されており、その作成主体は基本的には金融商品・サービスの販売業者・仲介業者であるが、「商品の組成に携わる事業者が想定する購入層」など項目に応じて組成に携わる事業者と連携しつつ作成するものとされる。

6 契約締結時等の書面交付義務（準用金商法37条の4）

　特定保険契約が成立したときは、遅滞なく、保険会社名・契約成立年月日・手数料に関する事項・保険会社に連絡する方法・契約内容等を記載した書面を作成し、顧客に交付またはこれに代替する電磁的方法により提供しな

ければならない（準用金商法37条の4、規則234条の25、規則234条の6）。

7　金商法準用による禁止行為（準用金商法38条）

法300条1項各号に規定された募集規制[121]に加え、次の行為が禁止されている。

> ①　顧客に対し、信用格付業者以外の信用格付業を行う者の付与した信用格付（投資者の保護に欠けるおそれが少ないと認められるものとして内閣府令で定めるものを除く）について、当該信用格付を付与した者が金商法66条の27に基づく信用格付業の登録を受けていない者である旨および当該登録の意義その他の事項として内閣府令で定める事項を告げることなく提供して、契約の締結の勧誘をする行為（準用金商法38条3号、規則234条の26の2）
> ②　生命保険募集人等である銀行等またはその役員もしくは使用人が、所定の運用実績連動型保険契約の締結の代理または媒介を行う際に、保険契約者に対し、当該保険契約者が信用供与を受けて当該保険契約に基づく保険料の支払に充てる場合は、当該保険契約に基づく将来における保険金の額および保険契約の解約による返戻金の額が資産の運用実績に基づいて変動することにより、その額が信用供与を受けた額および当該信用供与の額に係る利子の合計額を下回り、信用供与を受けた額の返済に困窮するおそれがある旨の説明を書面の交付により行わず、または当該保険契約者から当該書面を受領した旨の確認を署名もしくは押印を得ることにより行わずに当該保険契約の申込みをさせる行為（準用金商法38条9号、規則234条の27第1項2号）

---

[121] 特定保険契約の募集等については、法300条1項柱書において、①法300条1項1号後段（重要事項の不告知）および②法300条1項9号に掲げる行為の適用が除かれているが、①については契約締結前の書面の交付義務（準用金商法37条の3）により、②については準用金商法38条8号、規則234条の27により、同等の規制が置かれている。

> ③ 契約締結前交付書面または契約変更書面の交付に関し、あらかじめ、顧客に対し、当該書面の記載事項について、顧客の知識、経験、財産の状況および特定保険契約等を締結する目的に照らして当該顧客に理解されるために必要な方法および程度による説明をすることなく、特定保険契約の締結またはその代理もしくは媒介をする行為（準用金商法38条9号、規則234条の27第1項3号）
> ④ 特定保険契約の締結または解約に関し、個人顧客に対し、迷惑を覚えさせるような時間に電話または訪問により勧誘する行為（準用金商法38条9号、規則234条の27第1項4号）

なお、準用金商法上は、不招請勧誘の禁止（同法38条4号）、勧誘受諾に係る意思確認義務（同条5号）、再勧誘の禁止（同条6号）について、政令（保険業法施行令）にて保険契約を指定すれば準用できる法文となっているが（たとえば、準用金商法38条4号（「金融商品取引契約（……政令で定めたるものに限る。）」）参照）、現在までのところ、政令において保険契約の指定はなく、同条項は準用されない。

8　損失補填の禁止（準用金商法39条）

特定保険契約については、損失補填行為が禁止される（準用金商法39条1項）。禁止されている損失補填行為の態様は以下のとおりである（同条項）。

> ① 事前の損失保証または利益保証の申込み・約束（1号）
> ② 事後の損失補填および利益の追加の申込み・約束（2号）
> ③ 損失補填または利益の追加の実行（3号）

これらの行為は、保険会社等が行うことが禁止されているのみではなく、顧客から①～③の行為を要求のうえ約束したり、約束させたりすること等も罰則をもって禁止されている点に注意する必要がある（準用金商法39条2項、

法317条の2第2号)。

　なお、保険会社等が、事故（保険会社等の違法または不当な行為であって保険会社等とその顧客との間において争いの原因となるもの）による損失を補てんするために行うことまでは禁止されない（準用金商法39条3項・4項)[122]。

9　適合性原則

　業務の運営の状況が、顧客の知識、経験、財産の状況および契約を締結する目的に照らして、不適当な勧誘を行って、顧客の保護に欠ける、または欠けるおそれがないようにその業務を行わなければならない（適合性原則[123]。準用金商法40条1号および規則234条の27第1項3号）。したがって、特定保険契約の販売・勧誘にあたっては、上記目的を的確に把握のうえ、顧客属性等に則した適正な販売・勧誘の履行を確保する必要がある。

　そのため、特定保険契約を販売・勧誘する前提として、次の(1)から(4)の措置が求められる（監督指針Ⅱ-4-4-1-3）。

(1)　特定保険契約の内容を適切に把握するための体制の確立

　主な留意点は次のとおりである（監督指針Ⅱ-4-4-1-3(1)）。

①　保険会社および保険募集人が販売・勧誘する個別の特定保険契約について、そのリスク、リターン、コスト等の顧客が特定保険契約の締結を行う上で必要な情報を十分に分析・特定しているか。

②　そのうえで、当該特定保険契約の特性等に応じ、研修の実施、顧客への説明書類の整備などを通じ、販売・勧誘に携わる保険募集人が当

---

[122]　金融商品取引業者が同項により損失補てんを行う場合（いわゆる証券事故による損失補てん）については、自己確認手続が法定されているが（金商法39条3項ただし書・5項）、特定保険契約についてはそれらの規定は準用されていない（法300条の2）。したがって、保険会社においては、一定の手続を経なくても、自らがリーガルチェックを行うことにより、損失を補てんすることが可能である。

[123]　加えて、保険契約の適合性原則については、法100条の2、規則53条の7、監督指針Ⅱ-4-4-1-2(9)において、適合性原則をふまえた社内規則等を定め、それに基づいた体制整備を行うことが求められている。

該情報を正確に理解し、適切に顧客に説明できる体制を整備しているか。

(2) 顧客の属性等を的確に把握し得る顧客管理体制の確立

主な留意点は次のとおりである（監督指針Ⅱ-4-4-1-3(2)）。

① 保険会社および保険募集人は、特定保険契約の販売・勧誘にあたり、たとえば以下の情報を顧客から収集しているか。また、保険会社および保険募集人は、既契約者に対する新たな特定保険契約の販売・勧誘に際して、当該情報（(ⅰ)を除く）が変化したことを把握した場合には、顧客に確認を取ったうえで、登録情報の変更を行うなど適切な顧客情報の管理を行っているか。
  (ⅰ) 生年月日（顧客が自然人の場合に限る）
  (ⅱ) 職業（顧客が自然人の場合に限る）
  (ⅲ) 資産、収入等の財産の状況
  (ⅳ) 過去の金融商品取引契約（金商法34条）の締結およびその他投資性金融商品の購入経験の有無およびその種類
  (ⅴ) すでに締結されている金融商品の満期金または解約返戻金を特定保険契約の保険料に充てる場合は、当該金融商品の種類
  (ⅵ) 特定保険契約を締結する動機・目的、その他顧客のニーズに関する情報
② 保険会社および保険募集人が、特定保険契約の販売・勧誘にあたり、顧客から収集した①の情報の内容に則して適切な勧誘を行っており、当該顧客の保護に欠けることとなっていないか。
③ 保険会社および保険募集人が、準用金商法37条の3の契約締結前交付書面（契約概要、注意喚起情報）の交付に関し、あらかじめ、顧客に対し、書面の内容について①の情報の内容に照らして当該顧客に理解されるために必要な方法および程度によって説明を行っているか。

④　保険会社は、保険会社または保険募集人が、事後的に販売・勧誘の適切性を検証できるようにするため、顧客から収集した①の情報について、以下のような体制を整備しているか。
　（ⅰ）　顧客から保険会社または保険募集人が収集した①の情報を適切に保管するための体制
　（ⅱ）　保険募集人が事後的に販売・勧誘の適切性を検証するため、（ⅰ）の情報を活用できるための体制
⑤　保険会社は、特定保険契約の引受けを判断するにあたり、顧客から収集した①の情報および必要に応じて④によりすでに保管している①の情報を効果的に活用しているか。

(3)　**特定保険契約の内容が顧客の属性等に適合することの合理的根拠があるかどうかの検討・評価を行うこと**

主な留意点は次のとおりである（監督指針Ⅱ-4-4-1-3(3)）。

①　保険会社および保険募集人は、顧客に対する特定保険契約の販売・勧誘に先立ち、その対象となる個別の特定保険契約や当該顧客との一連の取引の頻度・金額が、把握した顧客属性等に適うものであることの合理的根拠があるかについて検討・評価を行っているか。
②　その検討・評価を確保する観点から、保険会社および保険募集人は、特定保険契約の特性等に応じ、あらかじめ、どのような考慮要素や手続をもって行うかの方法を定めているか。

(4)　**そのうえで、顧客に対してこのような合理的根拠を欠く販売・勧誘や、不適当な販売・勧誘が行われないように注意すること**

主な留意点は次のとおりである（監督指針Ⅱ-4-4-1-3(4)）。

顧客に対する不適当な販売・勧誘行為として、たとえば、以下のよう

な特定保険契約の販売・勧誘が行われていないか。
① 保険会社または保険募集人が、元本の安全性を重視するとしている顧客に対して、元本の棄損リスクがある商品を販売・勧誘する行為
② ①のような行為において、保険会社または保険募集人が、当該特定保険契約に適合するような取引目的への変更を、当該顧客にその変更の意味や理由を正確に理解させることなく求める行為

　また、保険会社・保険募集人の内部監査部門等においては、これらの遵守状況等についてモニタリングのうえ適切な検証を行う必要がある（監督指針Ⅱ－4－4－1－3(5)）。

10　罰　　則

　準用金商法37条の3第1項（契約締結前書面）に違反した者は、1年以下の懲役もしくは100万円以下の罰金またはこれを併科される（法317条の2第8号）。準用金商法37条の4第1項（契約締結時書面）に違反した者は、6月以下の懲役もしくは50万円以下の罰金またはこれを併科される（法319条12号）。準用金商法39条1項（損失補填の禁止）に違反した者は、3年以下の懲役もしくは300万円以下の罰金またはこれを併科される（法315条9号）。これらは刑事罰である以上、違反した者に故意が認められる必要がある。

　違反した者に故意が認められない場合、または準用金商法38条（禁止行為）もしくは同法39条1項（損失補填の禁止）に違反した場合は、不祥事件に該当するので届出しなければならず、また、違反者は「この法律……に違反したとき、その他保険募集に関し著しく不適当な行為をした」（法307条1項3号）こと等を理由に、保険募集人登録の取消し等の行政処分の対象となる。

XI 作成契約・了解不十分契約

 契約締結意思や被保険者同意の確認をおろそかにしたまま契約締結に至った場合、法的にどのような問題があるか。

A 保険業法上「保険募集に関し著しく不適当な行為」(法307条1項3号) に該当するものとして、不祥事件届出を行う必要がある場合がある。また、当該保険契約の有効性に疑義が生じ、契約締結時にさかのぼって不成立ないし無効となることもありうる。もっとも、当該行為があったことのみで一律に結論が決まるものではなく、個別・具体的ケースに応じた法的判断が必要となる。

=== 解　説 ===

1 作成契約・了解不十分契約とは

保険募集人が、保険契約者の契約申込みの意思確認や、被保険者の同意取得が欠如ないし不十分なまま、保険契約を成立させた場合、保険業法上、「保険募集に関し著しく不適当な行為」(法307条1項3号) に該当することになる。保険業界において、「作成契約」「了解不十分契約」と呼ばれてきたものもその一類型であるので、以下に解説する (なお、以下は、法令上の用語ではないが、保険業界において従来一般的にとられてきた分類[124]による)。

---

[124] この分類は、大蔵省平8.4.1蔵銀第500号通達「生命保険会社の業務運営について」および事務連絡「生命保険会社の業務運営に関する留意事項について」に基づく不祥事件等報告に際して、各保険会社に徹底させるべく、旧大蔵省が示した分類のうち、作成契約・了解不十分契約の部分を参考にしたものである (生命保険協会平成8年6月13日業保97号)。

(1) 作成契約

「作成契約」には、次の類型があるといわれている[125]。

a 無断契約

実在する保険契約者、被保険者に無断でその者の名義を用いて契約を作成するもの。

（例）

・保険契約者の申込意思をまったく確認していないにもかかわらず、保険契約の申込手続を行った。

・被保険者の同意をまったく得ていないにもかかわらず、保険契約の申込手続を行った。

b 名義借契約

保険契約者、被保険者に保険契約の申込意思や加入意思はないが、保険契約者、被保険者またはその家族等から名義使用の了承を得て契約を作成するもの。

（例）

・自己の挙績のために、申込意思のない他人の承諾を得て、同人を保険契約者として保険契約の申込手続を行った。

c 架空契約

実在しない契約者、被保険者の名義を用いて契約を作成するもの。

（例）

・実在しない架空の人物を、保険契約者または被保険者として、保険契約の申込手続を行った。

・自己の挙績のために、保険契約の申込意思がないにもかかわらず、自己名義の契約を計上した。

---

[125] 旧・保険検査マニュアル「保険募集管理態勢の確認検査用チェックリスト」の「Ⅲ．1．②(i)」において、「作成契約（架空契約）、名義借契約、無断契約」は、「特に（中略）不適切な行為に該当する可能性が高いことに留意」すべき行為であるとされていた。

(2) 了解不十分契約

「了解不十分契約」とは、保険契約者の十分な申込意思があることを確認せずに、保険契約を成立させるもの（未熟契約）、保険契約者本人の申込意思があることを確認せずに、契約者の家族等との間で保険契約を成立させるもの（不承諾契約）、被保険者本人の加入同意を得ず、被保険者の家族等から加入同意を得て契約を成立させるもの（不同意契約）の総称である。

（例）
・保険契約者の申込意思の確認が不十分であるために、明確な申込意思があったとは確認できないにもかかわらず、保険契約の申込手続を行った。

2　保険契約の有効性

　作成契約や了解不十分契約が不適切であることはいうまでもないが、募集当時、保険募集人がそのような行為を行い、保険契約者の申込意思や被保険者同意が認められないからといって当然に保険契約が不成立ないし無効となるという結論が導かれるものではなく、募集当時に保険契約者の申込意思や被保険者同意が認められなかったとしても、事後的に追認が認められる場合には、保険契約は当初にさかのぼって有効と考えることが可能である。作成契約や了解不十分契約の疑いのある保険契約の有効性については、個別具体的なケースに応じて法的に判断することが必要である。

3　保険会社における処分等

　保険契約の有効性のいかんにかかわらず、保険募集人が作成契約や了解不十分契約の疑いのある募集行為に及んだ場合には、保険会社は、当該募集人ないし当該募集人を管理する代理店に対し、しかるべき処分・教育・指導等を行うことが考えられる。また、ケースによっては、「保険募集に関し著しく不適当な行為」（法307条1項3号）に該当するとして、不祥事件届出を行うことも検討すべきである。

XII 申込書・告知書等の代筆・代印

 本来記入すべき保険契約者や被保険者のかわりに、保険募集人その他の第三者が保険契約申込書・告知書に記入・押印した場合、どのような問題があるか。

A 代筆・代印は、保険契約者の申込意思の有無、被保険者同意の有無、告知事項の内容が告知義務者の意思に基づき記載されているか（告知妨害・不告知教唆の有無）等について、疑義をもたらす物的証拠となる。その結果、真実がゆがみ、法300条1項3号、法307条1項3号等の不祥事件となるおそれがあるほか、保険契約の帰趨にも影響を与えかねない。

═══════ 解　説 ═══════

1 代筆・代印の禁止

代筆・代印とは、本人にかわって、書類を書くことまたは押印することをいう[126]。

保険契約の関連書類のなかには、申込書、告知書など、自ら記載することが要求されている書類がある。保険募集人は、これらの書類につき、無断で作成する行為はもちろんのこと、仮に保険契約者や被保険者から頼まれたとしても、かわりに記入・押印してはならないし、本来記入すべき者以外の第三者による代筆・代印を許可してはならない。

なお、法100条の2を受けた規則53条の7に規定する措置に関する監督指

---

[126] 代筆・代印とは、本来は、本人の同意がある場合を指す語であって、無断作成・印鑑の不正使用とは異なるものである。しかし、実務上は、無断の場合も含めて「代筆・代印」といわれているのが通例であるため、本稿においても、「代筆・代印」概念に本人の同意がある場合とない場合を双方含むことを前提として述べることとする。

針Ⅱ−4−4−1−2⑽は、生命保険および損害保険の契約について、保険契約者または被保険者本人に対し、当該契約内容への同意の記録を求める措置を確保するための方法を含む社内規則等が適切に定められ、それに基づき業務が運営されるための十分な体制整備を求めている。

2　代　　筆
(1)　保険契約の帰趨に対する影響

代筆により各種書面が記入された場合であっても、本人の依頼に基づき記入していたのであれば、本来、保険契約の効力にはなんら影響を及ぼさないはずである。

しかし、保険金等の不正請求を行おうとする者が、名義人本人以外の第三者の筆跡が物的証拠として残ることを利用して、保険募集人に対して、同募集人による記入を故意に依頼し、後に「募集人が勝手に記入した」等と主張して不正に保険金等を得ようとするモラルリスク事例が実際に存在するため、留意する必要がある。

代筆により書面が作成されたために、証拠に基づく事実認定の結果、保険契約者の申込意思が認められないとして保険契約が成立していないと判断されたり、被保険者同意が認められないとして保険契約が無効とされたり、保険募集人が告知の機会を与えることなく事実の告知を妨げたと認定され告知義務違反による解除ができなくなったりする等、保険契約の帰趨にも影響を与えかねない。

(2)　保険業法違反となるおそれ

無断で文書を作成する行為は、私文書偽造罪を構成する。他方、本人の意思に基づき、募集人が代筆を行う行為自体や第三者に代筆を勧めたり代筆を許可したりする行為自体を、明文で直接禁止する規定は、保険業法その他関連法令には存しない。

もっとも、真実は名義人本人の依頼に基づく代筆であったとしても、代筆によって作成された書類その他の証拠に基づき、真実と異なる事実認定がな

され、本人の意思に基づくものであることが認められない場合には、保険募集に関し著しく不適当な行為（法307条1項3号）、告知妨害・不告知教唆（法300条1項3号）であると評価される事態も考えられる。また、募集人が代筆することにつき本人が許容したとしても、募集人が本人のかわりに保険料を立て替えて支払えば、法300条1項5号違反となる。

3 印鑑の不正使用・代印

　代印も、代筆と同様、厳に慎むべき行為である。なお、顧客の意思を確認しないままに顧客の名前の印鑑を不正使用していたとして、以下のとおり保険会社に対する行政処分が下された実例がある。

(1) 損害保険ジャパンに対する行政処分

　「顧客の名前の印鑑の大量保有等――当社の複数の支社及び代理店において、顧客の名前の印鑑を大量に保有しており、当該印鑑を不正に使用して、顧客に無断で契約の継続処理等を行っている事例（23件）や顧客の最終意思を確認しないまま保険申込書や保険金請求書等に押印している事例（2,947件）が認められた（前述の23件は、保険業法第307条第1項第3号に違反）」（Q67参照）。

(2) 三井住友海上火災保険に対する行政処分

　「不適切な代理店管理――当社の代理店においては、以下のような法令違反が認められた。（略）(3)顧客の名前の印鑑の不正使用を行う等により契約者の意思を確認しないまま無断で継続契約を行っていた事例（保険業法第307条第1項第3号該当：36件）」（Q67参照）。

第 7 節　金融サービス仲介業

Q39 金融サービス仲介業者が行う保険媒介業務とはどのようなものか。保険募集人が行う保険募集業務との違いはどうか。

A 　保険媒介業務とは、金融サービス仲介業の一形態であり、保険募集人や保険仲立人以外の者が保険会社と顧客との間の保険契約の締結の媒介を行う業務である。金融サービス仲介業者として登録を受ける必要がある。保険業法上の保険募集に関する規律が相当程度準用されるが、保険募集人と異なり、保険契約の締結の代理は行えず、保険募集人と比べて業務範囲（取り扱える保険商品の範囲）に法令上の制限がある。

=== 解　説 ===

1　金融サービス仲介業の創設経緯

　金融サービス仲介業とは、金融サービス提供法により創設された仲介業であり、保険媒介業務、預金等媒介業務[127]、有価証券等仲介業務[128]、貸金業貸付媒介業務[129]のいずれかを業として行うことをいう（金融サービス提供法11

---

[127] 銀行等代理業者以外の者が、①銀行等のために預金等の受入れを内容とする契約の締結の媒介、②銀行等と顧客との間において行う資金の貸付等を内容とする契約の締結の媒介、③銀行等のために行う為替取引を内容とする契約の締結の媒介のいずれかを行う業務（金融サービス提供法11条2項）。

[128] 第一種金融商品取引業者・金融商品仲介業者以外の者が、第一種金融商品取引業者・投資運用業者・登録金融機関と顧客との間において行う有価証券の売買の媒介等を行う業務（金融サービス提供法11条4項）。

[129] 貸金業者以外の者が、貸金業者と顧客との間における資金の貸付等を内容とする契約の締結の媒介を行う業務（金融サービス提供法11条5項）。

(別図)

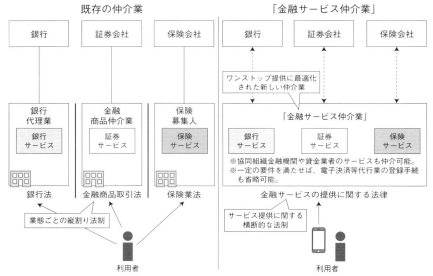

（出所）　金融庁2020年3月「金融サービスの利用者の利便の向上及び保護を図るための金融商品の販売等に関する法律等の一部を改正する法律案　説明資料」3頁）

条1項)。そのうち、保険媒介業務とは、保険募集人や保険仲立人以外の者が保険会社と顧客との間の保険契約の締結の媒介を行う業務をいう（金融サービス提供法11条3項）。

　情報通信技術の発展、就労や世帯の状況が多様化する今日の情勢等をふまえ、イノベーションを促進し、利便性のより高い金融仲介サービスを実現していく観点から、業態ごとの縦割りだった既存の仲介業と異なり、1つの登録で銀行・証券・保険すべての分野のサービスを仲介可能とするなど、ワンストップ提供に最適化した業種の創設を期するべく、既存の金融商品販売法を「金融サービスの提供に関する法律」に改称するとともに、金融サービス仲介業が創設された（令和3年11月1日施行）。

2 金融サービス仲介業の概要と特徴

(1) 登録制

　金融サービス仲介業は、内閣総理大臣の登録を受けた者でなければ、行うことができない（金融サービス提供法12条）。なお、金融サービス仲介業者がその役員または使用人に保険契約の締結の媒介を行わせようとするときは、その者の氏名等の届出を要する（同法74条）。

(2) 業務範囲

　金融サービス仲介業者は、特定の金融機関に所属することなく、その業務を行う。

　金融サービス仲介業の業務として、代理までは認められない。したがって、金融サービス仲介業者の業務範囲は、保険契約の締結の媒介に限られる。

　また、金融サービス仲介業者には、商品設計が複雑でないものや、日常生活に定着しているものなど、仲介にあたって高度な商品説明を要しないと考えられる商品・サービスに限って取扱いを認めることが制度上想定されており、顧客に対し高度に専門的な説明を必要とする金融サービスは、金融サービス仲介業の業務範囲から除外される[130]。除外される金融サービスは、政令で詳細に定められている（金融サービス提供法施行令17～20条）。

　保険媒介業務に関して、金融サービス仲介業の業務範囲から除外される金融サービスは次のとおりである（金融サービス提供法施行令18条、金融サービス仲介業者等に関する内閣府令5条2項）。

・変額保険や外貨建保険等の特定保険契約（保険業法300条の2参照）
・不動産および動産を主たる保険の目的とし、主として火災によって生ずる損害を塡補することを約する保険契約（専ら動産を目的とするものを除く）[131]

---

[130] 金融サービスの提供に関する法律11条2～5項各括弧書「契約について顧客に対し高度に専門的な説明を必要とするものとして政令で定めるものを除く。」

- 再保険契約
- 法人その他の団体または個人（事業としてまたは事業のために保険契約者となる場合におけるものに限る）を保険契約者とする保険契約
- 団体保険に係る保険契約[132]
- 転換契約[133]（既契約と新契約の被保険者が同一人を含む場合に限る）
- 基礎率変更権[134]に関する条項を普通保険約款に記載する第三分野保険の保険契約（保険期間が1年以下の保険契約（当該保険契約の更新時において保険料率の変更をしないことを約した保険契約を除く）および傷害保険契約その他これに準ずる給付を行う保険契約を除く）
- 次のいずれかに掲げる保険に係る保険契約（1年間に支払う保険料の額（保険期間が1年未満であって保険期間の更新をすることができる保険契約にあっては、1年間当たりの額に換算した額）が5,000円以下である保険契約を除く）であって、一の保険契約者に係る一の被保険者につき当該金額を超える保険金の支払または損害の填補を約するもの[135]

---

131 令和3年6月2日金融庁パブリックコメント30によれば、「火災保険については、一般に、顧客のニーズや実情等を十分踏まえた上で最適な補償範囲・水準の提案・設定や、具体的な補償要件を含む商品性に関する丁寧な説明が求められること等を踏まえれば、日常生活に定着していると認められるいわゆる家財保険を除き、顧客に対し高度に専門的な説明を必要とするものと考えます。」との金融庁の考え方が示されている。

132 被保険者に対する行事の実施等に付随して引き受けられる保険に係る保険契約（当該行事の実施等に起因する損害等を対象とするものその他の当該行事の実施等と関連性を有するものに限る）を除く（金融サービス提供法施行規則5条1項）。

133 すでに締結している保険契約（既契約）を消滅させると同時に、既契約の責任準備金、返戻金の額その他の被保険者のために積み立てられている額を、新たに締結する保険契約（新契約）の責任準備金又は保険料に充当することによって成立する保険契約をいう。

134 予定発生率（保険契約締結時の保険料計算の基礎となる保険事故発生率。以下同じ）について、実際の保険事故発生率が保険契約締結時の予測と相違しまたは今後明らかに相違することが予測されるため、予定発生率を変更して保険料または保険金の額の変更を行う権利をいう。

135 令和3年6月2日金融庁パブリックコメント36～41によれば、「この金額は、いわゆる主契約によるものであるか特約によるものであるかにかかわらず、一の保険契約に定められた保険期間内における保険金額の総額により判断されるべきものと考えます。金融サービス仲介業者が他者と共同して媒介を行う場合も同様と考えます。」との金融庁の考え方が示されている。

第一分野保険　1,000万円
　　　第二分野保険　2,000万円
　　　第三分野保険　600万円
・保険期間が被保険者の終身である保険に係る保険契約[136]

　保険媒介業務以外の分野では、たとえば、銀行分野では特定預金等契約（デリバティブ預金等の仕組預金等）、譲渡性預金が、証券分野では非上場株式、非上場企業社債券、デリバティブ取引、信用取引等が、貸金分野では極度方式（リボルビング等）等の取扱いが金融サービス仲介業の業務範囲から除外されている。

(3) 兼業規制

　従来の制度に基づく既存の仲介業と同じ分野で金融サービス仲介業の登録を受けることはできない（金融サービス提供法15条5号、保険業法279条1項7号等）。仮にこれを認めれば、仲介業者が既存の仲介業または金融サービス仲介業いずれの立場でいかなる規制に基づいて仲介行為を行っているのか顧客に混同をもたらすおそれがあるからである。したがって、保険募集人は、保険媒介業務を行う者としては金融サービス仲介業の登録を受けることはできない[137]。

3　金融サービス仲介業にまつわる主な規制

　利用者保護のための主な規制として、金融サービス仲介業者には、前記2で述べた取扱業務範囲が制限されるほか、特定の金融機関への所属が求めら

---

[136] 令和3年6月2日金融庁パブリックコメント30によれば、「保険期間が被保険者の終身である保険については、長期の保険契約となることを踏まえ、保険媒介業務の対象外としています。」との金融庁の考え方が示されている。
[137] ただし、既存の仲介業と異なる分野であればかかる兼業禁止の趣旨（上記混同のおそれ）は妥当しないため、保険募集人が、保険媒介業務以外の預金等媒介業務、有価証券等仲介業務、貸金業貸付媒介業務を行う者として金融サービス仲介業の登録を受けることは可能である。

れないかわりに金融サービス仲介業に関して顧客から金銭その他の財産の預託を受けること等は原則禁止され（金融サービス提供法27条）、さらに、保証金[138]の供託義務（同法22条）が課せられる。

その他、各分野に共通の規制として、金融サービス仲介業者に対し、名義貸しの禁止（金融サービスの提供に関する法律21条）、標識の掲示義務（同法20条）、健全かつ適切な運営を確保するための措置を講ずる義務[139]、誠実義務（同法24条）、権限明示の義務（同法25条1項）、金融機関から受け取る手数料等の開示義務[140]、指定紛争解決機関との契約締結義務（同法28条）、帳簿書類の作成・保存義務（同法33条）、内閣総理大臣への事業年度ごとの事業報告書の提出義務（同法34条）等が定められている。

さらに、各分野の特性に分野に応じた規制として、保険媒介業務に関しては、情報提供義務（Q12参照）、意向把握義務（Q14参照）、自己契約の禁止（Q33参照）、仲立営業に関する商法規定の準用（結約書の交付義務等）、保険契約の締結等に関する禁止行為（重要事項の不告知、告知妨害の禁止、不適切な乗換募集の禁止等の法300条1項所定の禁止行為。Q27～35、37～38参照）といった保険業法上の規定が準用されている。

また、金融サービス仲介業者に対する行政庁による監督上の措置として、

138

保証金額（金融サービス提供法施行令26条）	
事業開始の日から最初の事業年度の終了の日後3か月を経過する日までの間	1000万円
各事業年度の開始の日以後3か月を経過した日（改定日）から当該各事業年度終了の日後3か月を経過する日までの間	1000万円 ＋ 前事業年度の年間受領手数料（手数料、報酬その他の対価の合計額）に100分の5を乗じた額（10万円未満の端数切捨て）

139　具体的には、その金融サービス仲介業務に係る重要な事項の顧客への説明、その金融サービス仲介業務に関して取得した顧客に関する情報の適正な取扱い、その他の健全かつ適切な運営を確保するための措置であり、いわゆる体制整備義務である（金融サービス提供法26条）。

140　金融サービス仲介業者は、顧客から求められたときは、金融サービス仲介業務に関して当該金融サービス仲介業者が受ける手数料、報酬等を明らかにしなければならない（金融サービス提供法25条2項、金融サービス仲介業者等に関する内閣府令34条）。

内閣総理大臣による報告徴求命令、立入検査、業務改善命令等の権限が定められている（金融サービス提供法35〜37条）。

　金融サービス仲介業者が法令等に抵触したときには、内閣総理大臣により、業務停止命令、登録取消し等の監督上の処分の対象となる（同法38条）。

第8節 その他

I 高齢者募集

Q40 高齢者に対して保険募集を行う場合、どのようなことに留意する必要があるか。

A 高齢者に対しては、高齢者の理解度・判断力に応じ、また、高齢者や保険商品の特性に応じ、きめ細やかな取組みを行う必要がある。監督指針では、①親族等の同席、②複数の保険募集人による保険募集、③複数回の保険募集機会を設けること、④高齢者本人の意向に沿った商品内容等であることを確認すること等が取組方法として例示されている。

――――――――― 解　説 ―――――――――

1　監督指針の規定

　一般的に高齢者は、身体的な衰えに加え、記憶力や理解力が低下してくることもあり、高齢者に対する保険募集においては、本人やその家族から苦情の申立て等がなされる事例も生じている。そこで、平成26年2月28日、監督指針において、顧客保護の観点から以下のとおり高齢者に対する適正な保険募集に関する留意点が追加された（監督指針Ⅱ-4-4-1-1(4)）[141]。

　高齢者に対する保険募集は、適切かつ十分な説明を行うことが重要であることにかんがみ、社内規則等に高齢者の定義を規定するとともに、高齢者や商品の特性等を勘案したうえで、きめ細やかな取組みやトラブ

ルの未然防止・早期発見に資する取組みを含めた保険募集方法を具体的に定め、実行しているか。

その際の取組みとしては、例えば、以下のような方策を行うなどの適切な取組みがなされているか。
① 保険募集時に親族等の同席を求める方法。
② 保険募集時に複数の保険募集人による保険募集を行う方法。
③ 保険契約の申込みの検討に必要な時間的余裕を確保するため、複数回の保険募集機会を設ける方法。
④ 保険募集を行った者以外の者が保険契約申込の受付後に高齢者へ電話等を行うことにより、高齢者の意向に沿った商品内容等であることを確認する方法。

また、高齢者や商品の特性等を勘案したうえで保険募集内容の記録（録音・報告書への記録等）・保存や契約締結後に契約内容に係るフォローアップを行うといった適切な取組みがなされているか。

これらの高齢者に対する保険募集に係る取組みについて、取組みの適切性等の検証等を行っているか。

また、高齢者に対する取組みのさらなる実効性を確保するため、日本損害保険協会においては「高齢者に対する保険募集のガイドライン」が、生命保険協会においては「高齢者向けの生命保険サービスに関するガイドライン」が、それぞれ策定されている。

---

141 なお、日本証券業協会においては、平成25年10月29日に、高齢顧客への勧誘による販売に係る「協会員の投資勧誘、顧客管理等に関する規則」等の一部改正および「協会員の投資勧誘、顧客管理等に関する規則第5条の3の考え方」（高齢顧客への勧誘による販売に係るガイドライン）を制定し、同年12月16日より施行され、また、同日に一部改正された金融庁「金融商品取引業者等向けの総合的な監督指針」においては、「高齢顧客への勧誘に係る留意事項」が設けられるなど、各業界において、高齢者向け金融商品販売ルールが厳格化されている。

2 高齢者に対する保険募集の留意点

(1) 「高齢者」の定義を社内規則等に規定

より丁寧な対応を行う必要があると考えられる高齢者顧客の範囲を、年齢を基準として定義する。また、高齢者や保険商品の特性等を勘案し、特に留意が必要となる年齢区分を別途設定して、必要に応じ取組みを細分化する等のことも考えられる。なお、基準とした年齢未満のお客様であっても、会話がかみ合わなかったり、認知判断能力の低下がみられるような場合は、丁寧な対応を行ったり、法定代理人等による契約手続を行う必要がある[142]。

(2) **保険募集方法を具体的に定め、実行すること**

高齢者への保険募集にあたっては、高齢者の特性に配慮し、より丁寧な対応を行うことが重要になってくることから、①当該高齢者の理解度・判断力に応じた取組み、②高齢者や保険商品の特性等に応じたよりきめ細やかな取組みの2点に留意する。

a 高齢者の認知判断能力に応じた取組み

高齢者に対して保険募集を行う際には、次の点に留意して対応する必要がある。

・加入目的や想定されるリスク等について、高齢者が理解しやすい言葉を使って優しい口調で質問し、その意向を正確に把握・確認する。
・商品内容について、高齢者の認知判断能力等を確認しながら、わかりやすい言葉を使っておだやかに、はっきりとした口調で丁寧に説明する。理解が不十分と思われる場合は繰り返し説明し、特に不利益事項等は、十分に説明を行う。また、必要に応じ、わかりやすい言葉で丁寧に説明するため

---

[142] 前掲・損保協会ガイドラインは、消費者トラブルの件数等を考慮し、高齢者顧客の定義を70歳以上とすることが考えられるとし、また、80歳以上を特に留意が必要となる年齢区分として別途設定するなど、必要に応じ取組みを細分化することが考えられるとしている。
　なお、日証協の前掲「高齢顧客への勧誘による販売に係るガイドライン」においては、損保協会の整理とは異なり、高齢顧客の定義は、目安として75歳以上の顧客を対象とし、そのなかでもより慎重な勧誘による販売を行う必要がある顧客を80歳以上の顧客とする旨が示されている。

のマニュアルやトークスクリプト等を策定することが考えられる。
・高齢者本人の希望や必要に応じ、保険募集時に親族等（高齢者でない成年者に限ることが望ましい）が同席したうえで、商品に関する説明を十分に行い、意思確認を行う。また、適宜、保険会社が定める代理人規定などを活用する。

b 高齢者や保険商品の特性等に応じたよりきめ細やかな取組み
　一般的に、高齢になるにつれ、その認知判断能力が低下していくとされている。また、保険商品の特性に関し、たとえば以下の観点により、求められる対応のレベルは異なると考えられる。
・投資性・投機性の程度（たとえば、契約時に解約・満期時の受取金額が確定している場合は、投資性・投機性が低いと考えられる）
・保険料の多寡
・保険期間の長短
・即時契約ニーズ、加入ニーズの顕在性の程度（たとえば、自動車購入時の自動車保険、住宅購入時の火災保険、旅行時の海外旅行保険は、即時契約ニーズ、加入ニーズが顕在化していると考えられる）
・加入の強制性（例：自賠責保険）
　したがって、高齢者や商品の特性等を勘案したうえで、
① 保険募集時に親族等の同席を求める方法[143]
② 保険募集時に複数の保険募集人による保険募集を行う方法[144]
③ 保険契約の申込みの検討に必要な時間的余裕を確保するため、複数回の保険募集機会を設ける方法[145]
④ 保険募集を行った者以外の者が保険契約申込みの受付後に高齢者へ電話

---

[143] なお、同席者については、商品内容に対する理解の促進に加え、保険金・給付金請求時のスムーズな手続の観点から、当該契約の指定代理請求人や死亡保険金受取人、高齢者の子等が望ましいが、高齢者の生活環境等をふまえた柔軟な対応を妨げるものではない（前掲・生保協会ガイドライン）。
[144] 説明者ではない募集人が、高齢者の言動や態度を観察し、商品内容の理解度を確認する等の丁寧な対応が望まれる（前掲・生命保険協会ガイドライン）。

等を行うことにより、高齢者の意向に沿った商品内容等であることを確認する方法をとること[146]

が適切な取組みの具体例として考えられる。

(3) 契約締結後の契約内容に係るフォローアップ

　高齢顧客の判断能力の低下はどの時点で発生するのかあらかじめわからないため、高齢顧客に対しては特に、状況に応じて適時適切な情報提供に努める必要性が高いといえる。高齢者への保険募集においては、高齢者や保険商品の特性等を勘案したうえで、契約締結後に契約内容に係るフォローアップを行う必要がある。フォローアップの具体的な対応としては、次のようなことが考えられる。

① 長期の保険契約の保険契約者に対し、年１回、郵送で契約内容の確認依頼を実施すること。

② 契約後の証券送付時に、契約内容の確認依頼を実施すること。

③ 契約後、電話または訪問により、契約のお礼と契約内容の確認依頼を実施すること。

　なお、前掲・生命保険協会「高齢者向けの生命保険サービスに関するガイドライン」では、契約継続時の対応と、手続不能・長期化を未然に防止するための望ましい取組みとして、以下の対応が例示されている。

---

[145] たとえば、以下の方法が望ましいものと考えられる（前掲・損害保険協会ガイドライン）。
　ア　新規契約の場合
　　重要事項（契約概要・注意喚起情報）を説明した当日には契約締結は行わず、翌日以降に契約締結することで複数回の募集機会を設ける。
　イ　更改契約の場合
　　「満期案内の送付」「更改申込書の送付」「対面または郵送による契約締結」という一連の流れをもって、複数回の募集機会を設ける。

[146] 保険募集の方法（対面・電話等）を問わず、保険契約申込みの受付後、当該高齢者に保険募集を行った者以外の者が、フォローアップを目的とした電話等を行い、高齢者の意向に沿った商品内容等であることについて確認することが考えられる（前掲・損害保険協会ガイドライン）。

Ⅰ 契約継続時の対応
① 契約内容・支払手続内容を周知するための取組み
　ａ．定期的に通知するお知らせ・お届け冊子等にて、保険に加入している事実や契約内容・支払手続内容等を確認する機会を設ける。
　ｂ．契約内容等をご理解いただくため、契約内容をご案内する書類等について文字は大きく、みやすく、簡潔な文章にて記載する。
② 手続不能・長期化を未然に防止するための取組み
　ａ．契約者へのご案内が確実に届けられるよう、複数の住所登録等を含めた住所管理の高度化を進める。
　ｂ．転居時には住所および電話番号の変更手続きをするよう通知等での勧奨を図る。
　ｃ．定期的にお知らせする通知物等を通じて連絡先等のお客様の状況が変化していないか継続的な確認を実施する。
　ｄ．連絡先を把握するために、通知物が不着となった場合に正当な通信先の確認等を実施する。
Ⅱ 手続発生時・手続時の対応
　ａ．手続不能・長期化を未然に防止するための取組みにおける通知物の不達状況や電話の受信・発信状況等を活用し、契約者等との連絡先や生存の状況をフォローする。
　ｂ．請求に必要な書類等のわかりやすい説明を行い、受取人からの照会に適切に対応できる体制を整備する。
　ｃ．手続に必要な書類の簡素化等、利便性向上の視点に立った対応を図る。
　ｄ．受取人と連絡不能となった場合に、可能な範囲で受取人の連絡先が特定できるような対応を実施する。
　ｅ．受取人の請求意思は確認できるが、受取人が請求書類へ自署することが困難な場合に、代筆等で手続ができる方法を整備する。

> f．受取人の請求行為能力や請求意思能力等に問題があり、受取人が請求を行うことができない場合、法定後見制度の活用に加え、指定代理請求人や推定相続人による手続等、受取人にかわる代理人等が請求・受取ができるように十分な手続方法を整備する。

⑷ **取組みの適切性等の検証**

高齢者への保険募集においては、高齢者や保険商品の特性等を勘案したうえで、保険募集内容の「記録・保存」を行う必要がある。

なお、「記録・保存」の期間については、募集人が適切に高齢者に対する保険募集を行っているかの確認の目的にとどまらず、後日、契約者（高齢者）本人やその家族から、保険募集時の状況について質問等を受けた場合の確認に活用できると考えられるので、適切な期間を定めておくことが望ましい。

3　非対面の保険募集における高齢者対応

高齢者の特性に配慮したきめ細かな取組みやトラブルの未然防止・早期発見に資する取組みについては、郵送やインターネットを通じた保険募集等、対面以外の方法による保険募集においても、対応が求められる点に留意する。

なお、募集時における高齢者の態度や言動から商品内容等に関する理解度や認知能力の把握が困難であることや、親族等の同席による同時説明ができないこと等の販売チャネルの特性をふまえた対応を行うことが望ましい。

II 特定保険募集人等の教育・管理・指導

Q41 保険会社は、保険募集に関する教育・管理・指導について、どのような措置を講ずる必要があるか。

A 保険会社は、特定保険募集人等に対し、保険商品の特性に応じて、顧客が十分に理解できるよう、多様化した保険商品に関する知識を付与し、適切な保険募集活動のために十分な教育を行う必要がある。また、不適切な保険募集の端緒となりうる点について、その状況を適時把握し、管理・指導するために適正な措置を講ずる必要がある。

=== 解　説 ===

保険会社においては、特定保険募集人および損害保険会社の保険募集を専ら行う従業員（以下「特定保険募集人等」という）に対して、保険募集に関する法令等の遵守、保険契約に関する知識、内部事務管理態勢の整備（顧客情報の適正な管理を含む）等について社内規則等に定めて、その育成、資質の向上を図るための措置を講じ、適切な教育・管理・指導を行う必要がある（監督指針II-4-2-1(4)）。

1 教育（監督指針II-4-2-1(4)①）

保険会社は、特定保険募集人等に対して、保険商品の特性に応じて、顧客が十分に理解できるよう、多様化した保険商品に関する十分な知識を付与し、適切な保険募集を行うための十分な教育を行う必要がある。

2 管理・指導（監督指針II-4-2-1(4)②）

保険会社は、特定保険募集人等の健全かつ適切な業務運営を確保するため

に、不適切な保険募集の端緒となりうる点等について、その状況を適時把握し、管理・指導するために以下に例示するような適正な措置を講じる必要がある。

> (ア) 特定保険募集人等の挙績状況、保険契約の継続状況等の常時把握可能な管理を行う。
> 　　その際、保険会社の役職員が実質的な保険募集を行い、その保険契約を保険代理店の扱いとする等の行為又は特定保険募集人等の間での成績を付け替える等の行為は、重要事項説明等の募集時の説明が不十分となるなどの不適切な保険募集につながるおそれがあることから、こうした行為が行われないように特に留意する。
> (イ) 保険代理店による契約者からの保険料領収及び保険料の保険会社への精算の適切性を確保するため、保険料の支払いを受けた場合に保険料領収証を発行すること、保険代理店が領収した保険料を自己の財産と明確に区分し、遅滞なく適時に保険会社に精算すること、それら管理の状況が事後で確認できる体制とすることなどを保険会社において管理・指導する体制を構築する。
> (ウ) 架空契約や保険金詐取を目的とする契約等の不正な保険契約の発生を防止するため、保険証券を交付する行為又は保険金や満期返戻金を保険契約者等へ給付する行為については、正当な理由なく、保険代理店を介して行わないように適正な措置を講じる。

3　保険代理店等に対する監査（監督指針Ⅱ-4-2-1⑷③）

営業所等の拠点および保険代理店の保険募集に関する業務内容について、以下のような点を含めて、監査等を適切に実施し、営業所等の拠点および保険代理店の保険募集の実態や内部事務管理の状況等を把握する必要がある。また、監査等において内部事務管理が不適切な営業所等の拠点および保険代

理店に対し、適切な措置を講じるとともに、改善が図られるよう指導・検証する態勢を整備する必要がある。

ア．営業所等の拠点及び保険代理店に対する監査の周期が、営業所等の拠点及び保険代理店の業務の品質を確保するうえで有効なものとなっているかを確認する。

イ．監査等を実施する営業所等の拠点及び保険代理店の選定及び監査等の項目について、日常の管理を行う中で把握した情報や管理指標の異常値等に着目し、適時適切に見直しを行う。

ウ．監査等の手法として、無予告での訪問による監査等を実施できる態勢を整備する。

III 景表法の規制(1)──表示規制

Q42 景表法上、表示に関する規制として、どのようなものが定められているか。また、保険業界において、景表法違反で排除命令を受けた実例はあるか。

A 景表法上、内容に関する不当表示（優良誤認表示）、取引条件に関する不当表示（有利誤認表示）が禁止されている。なお、実際に、保険会社が景表法違反の表示を行ったことで、公正取引委員会[147]から排除命令を受けるとともに、金融庁からも行政処分を受けたという例がある。

──── 解　説 ────

1 表示規制の概要

(1) 内容に関する不当表示──優良誤認表示（景表法5条1号）

商品サービスの品質・規格・その他の内容についての不当表示（保険業界における排除命令の例については後述する）。

① 内容について、実際のものよりも著しく優良であると一般消費者に示す表示
② 内容について、事実に相違して競争業者に係るものよりも著しく優良であると一般消費者に示す表示
③ 不実証広告規制（景表法7条2項）[148]

---

147 景品表示法は、平成21年9月に、公正取引委員会から消費者庁に移管され、これに伴い法改正された。違反行為に対する措置命令は、政令による委任となり、消費者庁長官によりなされることとなった。もっとも、法改正後も規制の対象範囲は実質上変わっていない。

(2) 取引条件に関する不当表示――有利誤認表示（景表法5条2号）

内容について、事実に相違して競争業者に係るものよりも著しく優良であると一般消費者に示す表示。
① 取引条件について、実際のものよりも取引の相手方に著しく有利であると一般消費者に誤認される表示
② 取引条件について、競争業者に係るものよりも取引の相手方に著しく有利であると一般消費者に誤認される表示

2 表示に関する保険業法および監督指針の規定

保険募集に関し誤った表示を用いたために、「保険契約者または被保険者に対して、虚偽のことを告げ、又は保険契約の契約条項のうち保険契約者または被保険者の判断に影響を及ぼすこととなる重要な事項を告げない行為」に該当すると認められる場合、法300条1項1号に抵触する。

また、保険募集に関して優良誤認や有利誤認を生じさせる表示を用いた等の理由で、「保険契約者若しくは被保険者又は不特定の者に対して、一の保険契約の契約内容につき他の保険契約の契約内容と比較した事項であって誤解させるおそれのあるものを告げ、又は表示する行為」を行ったものと認められる場合には、法300条1項6号に該当する。また、「保険契約者若しくは被保険者または不特定の者に対して、保険契約等に関する事項であってその判断に影響を及ぼすこととなる重要なものにつき、誤解させるおそれのある

---

148 消費者庁長官は、商品・サービスの内容（効果、性能）に関する表示についての優良誤認表示に該当するか否かを判断する必要がある場合に、期間を定めて、事業者に表示の裏付けとなる合理的な根拠を示す資料の提出を求めることができる。事業者が資料を提出しない場合または提出された資料が表示の裏付けとなる合理的な根拠を示すものと認められない場合は、当該表示は、措置命令との関係では不当表示とみなされ（景表法7条2項）、課徴金納付命令との関係では不当表示と推定される（景表法8条3項）。
　提出した資料が次の2つの要件を満たしている場合には、合理的な根拠を示すものとして判断される。
① 提出資料が客観的に実証された内容のものであること
② 表示された効果・性能と、提出資料によって実証された内容が適切に対応していること

ことを告げ、又は表示する行為」を行ったものと認められる場合には、法300条1項9号に基づく規則234条1項4号に抵触する。

いずれの場合にも、不祥事件として内閣総理大臣（金融庁長官）に対する届出が必要となる。また、保険会社には、適切な表示を確保するための措置が求められており（監督指針Ⅱ-4-10）、その体制整備が不十分であると認められた場合には、行政処分の対象となる。

なお、実際に、誤表示や、優良誤認・有利誤認を生じさせる不適切な表示を用いた場合には、不適切な表示行為を行った影響を払拭するための是正策として、当該表示の影響が及ぶ可能性がある人に対して訂正文書を発信する等なんらかの措置を講じるべきと考えられることから、多大なコストを要することになる。

3　保険業界における優良誤認表示に対する排除命令の実例

(1)　平成15年（排）第12号

日本生命は、一般消費者に販売したがん保険のがん入院給付金に関し、がんと診断確定された日等から支払われるものであるにもかかわらず、あたかも、医師からがんの疑いがあるとして入院を指示され、入院中にがんと診断確定された場合、入院期間の1日目にさかのぼって入院給付金が支払われるかのような表示を行っていたことについて、景表法の優良誤認の規定に違反するとして、公正取引委員会から排除命令を受けた。

また、金融庁は、日本生命に対し、同社による誤表示が法300条1項1号および法300条1項9号に基づく規則234条1項4号に抵触するとして、行政処分（業務改善命令）を行った（Q67参照）。

(2)　平成19年（排）第35号

アリコジャパンは、新聞広告に、

「ガン悪性新生物　一括300万円　ガン診断一時金250万円＋生活習慣病一時金50万円（上皮内新生物の場合は一括60万円）」

と掲載し、また、パンフレットに、

「アリコの○○保険なら生活習慣病保障　ガン（悪性新生物）一括300万円（上皮内新生物60万円）」

「ガン（悪性新生物）の場合、一括300万円が受け取れます」と記載のうえ、「生活習慣病の中でも、ガン（悪性新生物）の場合には、特に手厚く保障します（上皮内新生物の場合は一括60万円）、2年に1回を限度としてガン診断一時金は何度でも、生活習慣病一時金のガンに関する保障は他の生活習慣病一時金と通算して最高10回まで受取れます」
と記載した。

このことにより、公正取引委員会は、「あたかも、被保険者が上皮内新生物に罹患していると判断された場合には一時金が60万円支払われるかのように示す表示をしているが、実際には、当該一時金は、被保険者が上皮内新生物に罹患していると診断され、かつ、その治療を目的とした入院中に所定の手術をしたときに支払われるものであり、上皮内新生物に罹患していると診断されただけでは支払われないものであった」と判断し、排除命令を行った。

また、金融庁は、アリコジャパンに対し、同社による表示が、法300条1項9号に基づく規則234条1項4号に抵触するとして行政処分（業務改善命令）を行った（Q67参照）。

なお、アリコジャパンは、「保障プラン」と題する表の欄外と、最終紙面の「支払事由について」欄中「生活習慣病一時金」および「ガン診断一時金」欄に、「被保険者が上皮内新生物に罹患した場合に一時金が支払われるのは上皮内新生物に罹患していると診断され、かつ、その治療を目的とした入院中に所定の手術をしたときである」旨をそれぞれ記載していたが、公正取引委員会は、「これらの記載は、本件パンフレットの記載と同一視野に入る箇所に記載されたものではなく、かつ、本件パンフレットの記載と比して小さい文字によるものであって、見やすく記載されたものではない」と判断し、上記記載があってもなお優良誤認表示との評価をしたものであり、参考となるものと思われる。

Ⅳ 景表法の規制(2)——景品規制

Q43 景表法上、景品に関する規制には、どのようなものがあるか。

A 景表法上、懸賞により提供ができる景品類（いわゆるクローズド懸賞）の制限や、一般消費者に対する懸賞によらない方法での景品類の提供（総付景品）の制限がある。

―― 解　説 ――

1　景表法上の「景品類」

顧客を誘引するための手段として、事業者が自己の供給する商品・役務の取引に附随して相手方に提供する物品、金銭その他の経済上の利益は、「景品類」と認められ、景表法の景品規制が適用される（景表法2条3項、消費者庁移管前の公正取引委員会告示「不当景品類及び不当表示防止法第2条の規定により景品類及び表示を指定する件」）。

2　懸賞により提供する景品類の価額の制限

商品・サービスの利用者に対し、くじ等の偶然性、特定行為の優劣等によって景品類を提供することを「懸賞」といい、共同懸賞以外のものは、「一般懸賞」と呼ばれる。懸賞により提供ができる景品類の制限について、消費者庁移管前の公正取引委員会告示は、最高額と総額を制限している[149]。

---

[149] 消費者庁移管前の公正取引委員会告示「懸賞による景品類の提供に関する事項の制限（告示）」参照。

一般懸賞における景品類の限度額		
懸賞による取引の価額 5,000円未満	景品類限度額	
^	最高額	総額
5,000円未満	取引の価額150（対象となる保険商品の保険料額）の20倍	懸賞に係る売上（保険料収入）予定総額の2％
5,000円以上	10万円	

3 一般消費者に対して懸賞によらないで提供する景品類（総付景品）の価額の制限

商品・サービスの利用者や来店者に対してもれなく提供する金品、また申込順または来店の先着順により提供される金品等は、総付景品といい、その限度額は以下のとおりである[151]。

| 総付景品の限度額 ||
取引価額	景品類の最高額
1,000円未満	200円
1,000円以上	取引の価額の10分の2

4 同一取引に付随して複数主体から別々に景品が提供される場合

同一の取引に附随して複数の懸賞による景品類提供が行われる場合、別々

---

[150] 「取引の価額」とは、保険商品の場合には、対象となる保険商品の保険料であると解される。この点、保険商品の性格からは、実務上、損害保険は年払保険料と考えられ、生命保険は月払保険料と考えられているように思われる。もっとも、生命保険であっても、年払いに限定した景品企画であれば年払保険料と考えられるし、また、非常に高い割合で保険契約が継続している場合には、一定期間の保険料を取引価額と考えることも許容されるように思われる。

[151] 平成19年3月に総付景品告示が一部改正され、総付景品の最高限度額は、従来の「総付景品の提供に係る取引の価額の10分の1（この額が100円未満の場合は100円）」から、上記のとおり改正された。

の企画によるときであっても、これらを合算した額の景品類を提供したことになる（消費者庁「「懸賞による景品類の提供に関する事項の制限」の運用基準」参照）。したがって、保険会社と保険代理店が、別々に景品の提供を企画するおそれがあるときは、双方の合算額が景品規制の上限額に抵触しないよう企画段階で留意する必要がある。

5　オープン懸賞

オープン懸賞（商品の購入を条件としない懸賞の方法）については、従来、経済上の利益の上限規制（1,000万円）があったが、平成18年4月26日に規制が廃止され、現在、提供できる金品等に具体的な上限の定めはない。

6　「特別の利益」該当性の一判断要素

法300条1項5号により、保険募集に関して保険契約者または被保険者に対し特別利益を提供することが禁止されているが、保険契約に付随して提供しようとするサービス等の経済的価値および内容が、景表法の景品規制に抵触するようなものであれば、「社会相当性を超える」ことは明らかであるため、「特別利益」に該当するものと解される（監督指針Ⅱ-4-2-2(8)①）。なお、景表法の規制に違反するのであれば「特別利益」に該当するといえるが、逆に、景表法に抵触しないからといって直ちに「特別利益」に該当しないと解してよいかは、慎重に検討する必要がある。

第4章

銀行窓販に関するコンプライアンス

I 銀行等による保険窓販と委託方針等

 A保険会社は、規模が大きく、かつ、金融商品の販売力に定評のあるB銀行を代理店としたいと考えているが、あらかじめ、いかなる点に留意する必要があるか。

A保険会社は、B銀行に対して保険募集の委託を行うにあたり、①委託方針を定め、これをふまえた委託内容を定めること、②妥当な手数料設定を行うことが必要であり、また、③B銀行との業務分担を明確に定めて顧客に明示し、④双方の十分な要員確保に努めるなど態勢を整備したうえで、⑤B銀行の保険募集状況を把握し、これがA保険会社のリスク管理能力を超えた場合に適切な対応を行うことに留意する必要がある。

―― 解　説 ――

1　銀行等に対する委託

　銀行等のなかには、規模が大きく、その信用力ゆえに販売力も高いところがあるため、保険会社が銀行等の言いなりになり、その結果、保険会社の業務の健全かつ適切な運営および公正な保険募集が損なわれる可能性を否定できない[1]。したがって、保険業法は、保険会社が銀行等である生命保険募集人または損害保険代理店に保険募集を行わせるときは、当該銀行等の信用を背景とする過剰な保険募集により当該保険会社の業務の健全かつ適切な運営および公正な保険募集が損なわれることがないよう、①銀行等への委託に関して方針を定めること、②当該銀行等の保険募集の状況を的確に把握することその他の必要な措置を講じなければならないと定めている（規則53条の3

---

[1] かかるリスクは、どちらかといえば、保障（補償）性商品よりも投資性商品に見受けられる。

の3）。

2 委託方針

　上記1①との関係では、監督指針は、「銀行等への委託に関して」「ア．銀行等への委託の考え方及び委託する銀行等の選定の考え方」「イ．委託する保険種目及び想定される販売量（その達成を委託の条件とするものではないことに留意すること。）」「ウ．銀行等に対する販売支援（研修等）に関し保険会社が行う業務の内容」を含む方針を定め、これをふまえて委託の内容を定めることとしている（監督指針Ⅱ-4-2-6-1(1)①）。この点、委託方針は個々の銀行等ごとに定めなければならないものではなく、およそ銀行等代理店に当てはまる方針を定めることでも足り、販売量は保険会社が設けるべき経営管理上の想定であり、委託する銀行等と個別に合意することを求めるものではないと考えられる。

　したがって、本件の場合、A保険会社がいまだ委託方針を定めていなければ、上記ア～ウのすべての項目を含んだ委託方針を策定したうえで、それをふまえたB銀行との委託内容を定める必要があり、他方、A保険会社がすでに委託方針を定めていれば、それをふまえたB銀行との委託内容を定める必要がある。

　なお、監督指針は、「保険募集手数料について、保険会社の経営の健全性の確保及び銀行等による保険募集の公正の確保の見地からみて妥当な設定を行うこと」を求めているため（監督指針Ⅱ-4-2-6-1(1)②）、本件の場合、A保険会社がB銀行に対して、他の銀行等よりも有利な保険募集手数料を設定することは、特段の合理的な理由がない限り当該監督指針との関係でむずかしく、基本的には、他の代理店と同レベルの保険募集手数料とする委託内容になると考えられる。

3 保険募集の状況把握その他の必要な措置

　上記1②との関係では、監督指針は、「銀行等に対する保険募集の委託を

行っている保険会社は、自らの経営管理の一環として、その業務の健全かつ適切な運営を確保する観点から」「①銀行等による保険募集の状況を的確に把握すること」「②銀行等による保険募集が保険会社のリスク管理能力を超えて著しく増大した場合又は特定の銀行等に対する保険募集の依存の水準が当初の委託方針に比して著しく高くなった場合には、その原因について検討し、必要に応じて適切な対応を行うための態勢を整備していること」が求められる（監督指針Ⅱ-4-2-6-1(2)）。

また、平成19年12月の監督指針改正により、「保険契約締結後に行うことが必要となる業務[2]について、銀行等と保険会社との間の委託契約等において、その業務分担が明確に定められ、顧客に明示されていること」（監督指針Ⅱ-4-2-6-1(3)）、「保険会社においては、保険契約締結後の業務の健全かつ適切な運営を確保するために、例えば、銀行等が契約の締結の代理又は媒介を行った契約量に応じた当該業務を行うための十分な人員の確保に努める等、必要な態勢を整備していること」（監督指針Ⅱ-4-2-6-1(4)）および「銀行等においては、保険契約締結後の業務の健全かつ適切な運営を確保するために、例えば、委託契約等に基づき銀行等が行う保険契約締結後の業務の性質及び量に応じた当該業務を行うための十分な要員の確保に努める等、必要な態勢を構築していること」（監督指針Ⅱ-4-2-6-1(5)）が求められるようになった。

この点、保険契約締結後の顧客対応に係る業務の分担は、顧客が保険契約の申込みを行ううえで重要な判断要素となりうるため、その内容の明示は保険契約の申込み前に行われる必要があると考えられる。

したがって、本件の場合、A保険会社は、B銀行への委託に先立ち、保険契約締結後に行うことが必要となる業務についてB銀行との間で業務分担を定めるとともに、これが保険契約の申込みよりも前に顧客に対して明示される措置を講じ（具体的には、保険募集指針に記載したうえで当該指針を配布した

---

[2] たとえば、契約内容に関する照会への対応、顧客からの苦情・相談への対応、保険金等の支払手続に関する照会等を含む各種手続方法に関する案内等といった業務をいう。

り、パンフレットに記載したうえで当該パンフレットを配布したりすること等が考えられる)、Ａ保険会社とＢ銀行の双方が保険契約締結後の業務を適切に行える程度の要員を確保する等したうえで、Ｂ銀行による保険募集を開始させることが必要になる。また、保険募集の開始後は、Ａ保険会社は、Ｂ銀行による保険募集の状況を的確に把握したうえで、Ｂ銀行による保険募集がＡ保険会社のリスク管理能力を超えて著しく増大した場合、またはＢ銀行に対する保険募集の依存の水準が当初のＡ保険会社の委託方針に比して著しく高くなった場合には、その原因について検討し、必要に応じて適切な対応(具体的には、手数料体系の変更、販売停止等が考えられる)を行うための態勢を整備することが必要になる。

II　弊害防止措置全般

　A銀行が保険募集を行うにあたり、あらかじめ整備すべき態勢としては、どのようなものがあげられるか。

A　すべての保険商品との関係で、①非公開金融情報保護措置・非公開保険情報保護措置の実施、②保険募集指針の策定等、③法令等遵守責任者・統括責任者の配置、④優越的な地位の不当利用を禁じるための措置、⑤保険取引が他の取引に影響を与えない旨の説明、⑥預金等との誤認防止措置を講じる必要があり、また、一部の保険商品との関係で、⑦保険募集制限先規制、⑧担当者分離、⑨タイミング規制を遵守するための措置を講じる必要がある。

═══ 解　説 ═══

1　趣　旨

　銀行等が保険募集を行う場合には、その信用力等を背景として、顧客に対して圧力をかけ、その結果、保険契約者等の保護に欠ける事態を生じさせることが懸念される。したがって、保険業法は、銀行等が保険募集を行う場合には、圧力募集が行われることを未然に防止するという観点から、以下のとおり、さまざまな弊害防止措置を設けた。

2　すべての保険商品との関係で適用される弊害防止措置

(1)　非公開金融情報保護措置・非公開保険情報保護措置の実施

　①銀行等の業務において取り扱う顧客に関する非公開金融情報が、事前に書面その他の適切な方法により当該顧客の同意を得ることなく保険募集に係る業務に利用されないことを確保するための措置（非公開金融情報保護措置）

と、②銀行等の保険募集に係る業務において取り扱う顧客に関する非公開保険情報が、事前に書面その他の適切な方法により当該顧客の同意を得ることなく資金の貸付その他の保険募集に係る業務以外の業務に利用されないことを確保するための措置（非公開保険情報保護措置）を講じなければならない（規則212条2項1号、212条の2第2項1号、Q46参照）。

(2) **保険募集指針の策定等**

銀行等は、保険募集の公正を確保するため、保険募集に係る保険契約の引受けを行う保険会社の商号または名称の明示、保険契約の締結にあたり顧客が自主的に判断を行うために必要と認められる情報の提供その他の事項に関する指針を定め、公表し、その実施のために必要な措置を講じなければならない（規則212条2項2号、212条の2第2項2号、Q47参照）。

(3) **法令等遵守責任者・統括責任者の配置**

銀行等は、保険募集に係る法令等の遵守を確保する業務に係る責任者（法令等遵守責任者）を保険募集に係る業務を行う営業所または事務所ごとに、当該責任者を指揮し保険募集に係る法令等の遵守を確保する業務を統括管理する統括責任者を本店または主たる事務所に、それぞれ配置しなければならない（規則212条2項3号、212条の2第2項3号）。この点、平成19年12月の監督指針の改正により、銀行等は、保険募集に係る法令等の遵守を確保する業務が確実に実施されるよう、法令等遵守責任者および法令等遵守統括責任者について、保険募集に関する法令や保険契約に関する知識等を有する人材を配置しなければならない旨が明記された。したがって、銀行等としては、その役割を果たせる人材を配置するため、十分な教育を施す必要がある。

(4) **優越的な地位の不当利用の禁止**

保険業法は、銀行等またはその役員もしくは使用人が、当該銀行等が行う信用供与の条件として保険募集をする行為その他の当該銀行等の取引上の優越的な地位を不当に利用して保険募集をする行為を禁止している（規則234条1項7号）。したがって、銀行等としては、たとえば、顧客に対して配布する書類上に、信用供与を条件とした保険募集を行わない旨、取引上の優越

的な地位を不当に利用した保険募集を行わない旨の記載等をするとともに、実際にかかる保険募集が行われない態勢を整備する必要がある。

(5) **保険取引が他の取引に影響を与えない旨の説明**

保険業法は、銀行等またはその役員もしくは使用人が、あらかじめ、顧客に対し、当該保険契約の締結の代理または媒介に係る取引が当該銀行等の当該顧客に関する業務に影響を与えない旨の説明を書面の交付により行わずに保険募集をする行為を禁止している（規則234条1項8号）。したがって、銀行等としては、顧客に対して配布する書類上に、保険取引の有無が他の取引に影響を与えない旨を記載するとともに、顧客に対して当該書類を確実に交付して説明を行う態勢を整備する必要がある。

なお、平成24年4月の監督指針改正により、住宅ローンの申込みを受け付けている顧客に対して、住宅関連火災保険、住宅関連債務返済支援保険または住宅関連信用生命保険の募集を行う際には、当該保険契約の締結が当該住宅ローンの貸付の条件ではない旨の説明を書面の交付により行う必要があることに留意する旨が定められた（監督指針Ⅱ-4-2-6-6参照）。

(6) **預金等との誤認防止**

銀行等は、保険業を行う者が保険者となる保険契約を取り扱う場合には、業務の方法に応じ、顧客の知識、経験、財産の状況および取引を行う目的をふまえ、顧客に対し、書面の交付その他の適切な方法により、預金等との誤認を防止するための説明を行わなければならない（銀行法施行規則13条の5第1項等）。そして、かかる説明を行う場合には、①預金等ではないこと、②預金保険法53条に規定する保険金の支払の対象とはならないこと、③元本の返済が保証されていないこと、④契約の主体、⑤その他預金等との誤認防止に関し参考となると認められる事項を説明する必要がある（同条2項等）。また、銀行等は、その営業所において、特定の窓口において保険契約を取り扱うとともに、上記①～③を顧客の目につきやすいように当該窓口に掲示しなければならない（同条3項）。

したがって、銀行等としては、保険商品を取り扱う窓口を設けて（保険専

用窓口である必要はない）、上記①～③の事項を掲示したうえで、保険商品の案内（当該窓口での案内のみならず、それ以外の態様による案内を含む）にあたり、保険商品が預金等と誤認されないように、顧客に対して配布する書面上に、上記①～⑤の事項を記載するとともに、顧客に対して当該書面を交付して説明を行う態勢を整備する必要がある。

なお、平成24年4月の銀行等向けの監督指針改正により、顧客に対し、預金等ではないことや預金保険の対象とはならないこと等について書面を交付して説明するなど、保険契約と預金等との誤認を防止する態勢を整備するのみならず、誤認防止に係る説明を理解した旨を顧客から書面（確認書等）により確認し、その記録を残すことにより、事後に確認状況を検証できる態勢を整備することも求められるようになった（主要行等向けの総合的な監督指針Ⅲ-3-3-2-2(4)②ほか参照）。

(7) **内部監査**

平成19年12月の監督指針改正により、銀行等は、保険募集に係る業務の健全かつ適切な運営を確保する観点から、当該銀行等の内部監査が確実に実施されるよう、当該部門に保険募集に関する法令や保険契約に関する知識等を有する人材を配置しなければならない旨が明記された（監督指針Ⅱ-4-2-6-9参照）。したがって、銀行等としては、十分な教育を施したうえでその役割を果たせる人材を配置する必要がある。

(8) **公正取引委員会ガイドライン関係**

平成19年12月の監督指針改正により、銀行等は、「金融機関の業態区分の緩和及び業務範囲の拡大に伴う不公正な取引方法について」（平16.12.1公正取引委員会）における「第2部 第2.2 銀行等の保険募集業務に係る不公正な取引方法」に十分留意した業務運営を行わなければならない旨が注意的に明記された（監督指針Ⅱ-4-2-6-10参照）。

3 一部の保険商品との関係で適用される弊害防止措置

生命保険については、①法3条4項1号または2号に掲げる保険に係る保

険契約であって、規則212条１項１号から５号までに掲げるもの以外のもの（規則212条１項６号）、そして、損害保険については、②法３条５項１号に掲げる保険（事業活動に伴い、事業者が被る損害をてん補するものを除く）に係る保険契約（１号～３号までおよび前２号に掲げるものならびに自動車保険契約（自動車損害賠償保障法５条（責任保険の契約の締結強制）の自動車損害賠償責任保険の契約を含む）を除く）のうち、(i)法人その他の団体等またはその代表者を保険契約者とし、当該団体等の構成員を被保険者とするものでなく、かつ、(ii)団体等の構成員を保険契約者とし、当該団体等もしくはその代表者またはそれらの委託を受けた者が保険会社のために保険契約者から保険料の収受を行うことを内容とする契約を伴うものでないもの（規則212条の２第１項６号）、③法３条５項に掲げる保険に係る保険契約であって、規則212条の２第１項１号から６号までに掲げるもの以外のもの（規則212条の２第１項８号）は、上記２に加えて、以下の弊害防止措置も適用される。

(1) 保険募集制限先規制

銀行等は、原則として、次に掲げる者（以下「保険募集制限先」という）を保険契約者または被保険者とする保険契約（すでに締結されている保険契約（その締結の代理または媒介を当該銀行等またはその役員もしくは使用人が手数料その他の報酬を得て行ったものに限る）の更新[3]に係るものを除く）の締結の代理または媒介を手数料その他の報酬を得て行わないことを確保するための措置を講じなければならない（保険募集制限先規制。規則212条３項１号、212条の２第３項１号、Q48参照）。

① 当該銀行等が法人またはその代表者に対し当該法人の事業に必要な資金の貸付を行っている場合における当該法人およびその代表者
② 当該銀行等が事業を行う個人に対し当該事業に必要な資金の貸付を行っ

---

[3] 規則212条の２第３項１号は、「既に締結されている保険契約の更改を除く」と定めており、「更改」について「保険金額その他の給付の内容の拡充（当該保険契約の目的物の価値の増加その他これに類する事情に基づくものを除く。）又は保険期間の延長を含むものを除く」と定めている。

ている場合における当該個人
③　当該銀行等が小規模事業者（常時使用する従業員の数が50人以下の事業者をいう）である個人または法人もしくはその代表者に対し、当該小規模事業者の事業に必要な資金の貸付を行っている場合における当該小規模事業者が常時使用する従業員および当該法人の役員（代表者を除く）

　また、銀行等は、顧客が保険募集制限先に該当するかどうかを確認する業務その他保険会社から委託を受けた業務を的確に遂行するための措置および保険募集に係る業務が当該銀行等のその他の業務の健全かつ適切な運営に支障を及ぼさないようにするための措置を講じなければならない（規則212条3項2号、212条の2第3項2号、Q48参照）。

　なお、かかる保険募集制限先規制に関しては、保険業法は、銀行等またはその役員もしくは使用人が、あらかじめ、顧客に対し、保険募集制限先に該当するかどうかを確認する業務に関する説明を書面の交付により行わずに保険契約の締結の代理または媒介を行う行為を禁止している（規則234条1項9号）。したがって、銀行等としては、保険募集よりも前の段階で顧客に対して配布する書類上に、保険募集制限先に該当するかどうかを確認する業務に関する説明を記載するとともに、顧客に対して保険募集よりも前の段階で当該書類を確実に交付して説明を行う態勢を整備する必要がある。

(2)　担当者分離

　銀行等は、原則として、その使用人のうち事業に必要な資金の貸付に関して顧客と応接する業務を行う者が、保険募集を行わないことを確保するための措置を講じなければならない（規則212条3項3号、212条の2第3項3号、Q49参照）。

(3)　タイミング規制

　保険業法は、銀行等またはその役員もしくは使用人が、原則として、顧客が当該銀行等に対し資金の貸付（当該顧客またはその密接関係者（当該顧客が法人である場合の当該法人の代表者、または当該顧客が法人の代表者である場合の当該法人をいう）の事業に必要な資金の貸付に限る）の申込みを行っている

ことを知りながら、当該顧客またはその密接関係者に対し、保険契約（金銭消費貸借契約、賃貸借契約その他の契約（事業に必要な資金に係るものを除く）に係る債務の履行を担保するための保険契約およびすでに締結されている保険契約（その締結の代理または媒介を当該銀行等の役員もしくは使用人が手数料その他の報酬を得て行ったものに限る）の更新または更改に係る保険契約を除く）の締結の代理または媒介を行う行為を禁止している（タイミング規制。規則234条1項10号、Q50参照）。

4　その他の弊害防止措置

　保険業法は、銀行等またはその役員もしくは使用人が、規則212条1項1号に掲げる保険契約の締結の代理または媒介を行う際に、保険契約者に対し、当該保険契約者が当該保険契約に係る保険金が充てられるべき債務の返済に困窮した場合の当該銀行等における相談窓口およびその他の相談窓口の説明を書面の交付により行わずに当該保険契約の申込みをさせる行為も禁止している（規則234条1項11号）。したがって、当該保険契約を取り扱う銀行等としては、顧客に対して配布する書類上に、銀行等やその他に設置した相談窓口を記載するとともに、顧客に対して当該書類を確実に交付する態勢を整備する必要がある。

III 非公開金融情報・非公開保険情報保護措置

保険会社の代理店であるＡ銀行の行員Ｂは、日頃から銀行取引に関して付合いのある顧客に対して、新たにＡ銀行で取り扱うことになった保険商品の案内を行おうと考えて、その案内方法を検討している。募集人である行員Ｂはどう対応すべきか。

A 銀行等代理店の場合、その役員もしくは使用人が保険募集を行うときは、銀行等が、顧客に関する情報の利用について、次に掲げる措置を講じることが必要になる（規則212条2項1号、212条の2第2項1号）。

① 銀行等の業務において取り扱う顧客に関する非公開金融情報が、事前に書面その他の適切な方法により当該顧客の同意を得ることなく保険募集に係る業務に利用されないことを確保するための措置（非公開金融情報保護措置）

② 銀行等の保険募集に係る業務において取り扱う顧客に関する非公開保険情報が、事前に書面その他の適切な方法により当該顧客の同意を得ることなく資金の貸付その他の保険募集に係る業務以外の業務に利用されないことを確保するための措置（非公開保険情報保護措置）

したがって、募集人である行員Ｂが日頃から銀行取引に関して付合いのある顧客に対して保険商品を案内するにあたっては、非公開金融情報保護措置に違反しないよう留意しなければならない。

=== 解 説 ===

1 非公開金融情報保護措置

非公開金融情報保護措置を遵守するためには、大きく分けて、①非公開金

融情報の定義、②保険募集に係る業務の範囲、③顧客の同意のあり方について、理解しなければならない。

(1) 非公開金融情報

非公開金融情報とは、銀行等の役員または使用人が職務上知りえた顧客の預金、為替取引または資金の借入れに関する情報その他の顧客の金融取引または資産に関する公表されていない情報（規則53条の9に規定する情報[4]および53条の10に規定する特別の非公開情報[5]を除く）と定められている（規則212条2項1号イ）。

この点、かかる定義のみからは、非公開金融情報から除外される範囲が明確ではないが、監督指針において、顧客の属性に関する情報（氏名、住所、電話番号、性別、生年月日および職業。以下「属性情報」という）は非公開金融情報または非公開保険情報に含まれないものと定めている（監督指針Ⅱ-4-2-6-2(1)参照）ため、属性情報のみを利用する限り[6]、非公開金融情報保護措置に留意する必要はない。しかし、銀行等の場合、あらゆるところに非公開金融情報が存在しているため、これを保険募集に係る業務に利用しない措置を講じることがむずかしい。

本件においては、行員Bは、日頃から銀行取引に関して付合いのある顧客を対象者とすることを検討しているため、非公開金融情報を利用しない措置を講じることは基本的には不可能であると考えたうえで、保険商品の案内方法を検討すべきである。

(2) 保険募集に係る業務

非公開金融情報保護措置は、条文上明らかなとおり、その業務（保険募集

---

[4] 信用情報に関する期間から提供を受けた情報。
[5] 人種、信条、門地、本籍地、保健医療または犯罪経歴についての情報その他の特別の非公開情報（その業務上知りえた公表されていない情報をいう）。
[6] 金融庁がパブリックコメントを通じて非公開金融情報に該当しない旨を回答した情報、たとえば、顧客が自行に預金口座を有している事実のみ、メールアドレス、FAX番号、郵便番号、年齢、勤務先名、所属部署、役職、勤務先の連絡先といった情報も含まれる。

に係るものを除く）において取り扱う顧客に関する非公開金融情報が「保険募集に係る業務」に利用されないことを確保するための措置である。

この点、条文上は、「顧客が保険募集制限先に該当するかどうかを確認する業務を除く」と定めているにすぎず[7]、どこまでが「保険募集に係る業務」に該当しないのかという判断は、非常に難解なものとなっている。結局、金融庁がパブリックコメントを通じて回答した内容を参考に判断せざるをえないところ、たとえば、もっぱら保険募集のために一定金額以上の預金を有する者の選定を行う準備作業、もっぱら保険募集のために顧客のリストを作成する行為等の保険募集に直接つながる業務も「保険募集に係る業務」に該当するものと解されており、他方、申込書を含まない単なる商品パンフレットを送付する行為は、原則として「保険募集に係る業務」に該当しないと解されていることが参考になる。

本件においては、行員Bが保険商品の案内を行うにあたり非公開金融情報を利用せざるをえない状況にあるならば、後述する顧客の同意を得る以前の段階では、「保険募集に係る業務」に該当しない態様による案内方法を検討しなければならない。

(3) 顧客の同意

書面その他の適切な方法により顧客の同意を得た場合には、条文上明らかなとおり、非公開金融情報を「保険募集に係る業務」に利用したとしても、非公開金融情報保護措置には違反しない。

この点、たとえば、対面であれば、非公開金融情報の保険募集に係る業務への利用について、当該業務に先立って書面による説明を行い、同意を得た旨を記録し、契約申込みまでに書面による同意を得る方法も「適切な方法」として取り扱われているが（監督指針Ⅱ-4-2-6-2(1)参照）、書面による同

---

[7] 規則212条の2第1項1号に定める住宅ローン関連の長期の火災保険に該当するかどうかを判断するために住宅ローンの残高の有無を確認する行為は、「銀行等損害保険募集制限先に該当するかどうかを確認する業務」に該当するとされている（平成24年3月28日「銀行窓販に関する保険法令解釈事例集」）。

意を取得できる機会があるならば、同意の有無について顧客との認識相違が生じるリスクや、後述する非公開保険情報保護措置との関係を考えると、できる限り早い段階で、書面による同意を取得すべきであろう。

　なお、平成24年4月の監督指針改正により、①同意の有効期間、②同意の撤回の方法、③非公開金融情報を利用する保険募集の方式（対面、郵便等の別）、④利用する非公開金融情報の範囲（定期預金の満期日、預金口座への入出金に係る情報、その他金融資産の運用に係る情報等）を顧客に具体的に明示することが求められるようになった（監督指針Ⅱ-4-2-6-2(1)参照）。かかる改正が行われる前は、顧客の同意の効力が及ぶ範囲に関して、相当期間経過後のように、通常当該同意が及ぶと考えられない場合には、あらためて同意を得る必要があると解されており、その範囲が不明確であるという課題が指摘されていた。しかしながら、かかる改正が行われたことにより、上記①について、撤回されるまで同意は有効である旨の期間を明記しておけば、撤回されない限り、顧客の同意の効力が及ぶものと取り扱えるようになったと解されている。

　本件においては、新たにA銀行で取り扱うことになった保険商品の案内についても同意が及ぶと考えられる書面同意（平成24年4月以降の書面は、撤回されるまで同意は有効である旨を明記した書面を活用して同意を取得することも可）を、すでにA銀行が取得していたという事情がある場合を除けば、行員Bは、保険募集に係る業務よりも前の段階で、書面その他適切な方法により顧客の同意を得なければならない。

2　非公開保険情報保護措置

　非公開保険情報とは、銀行等の役員または使用人が職務上知りえた顧客の生活、身体または財産その他の事項に関する公表されていない情報で保険募集のために必要なもの（規則53条の9に規定する情報および53条の10に規定する特別の非公開情報を除く）をいうと定められている（規則212条2項1号ロ）。具体的には、家族構成、交友関係、親子関係や婚姻関係に関する特別の情

報、家族の同居の有無、生活保護や年金の受給状況、保険契約の有無、保険料、保険金・給付金の額、解約返戻金もしくは配当金の有無および額に関する情報等があげられる。

　この点、非公開保険情報保護措置は、条文上明らかなとおり、その保険募集に係る業務において取り扱う顧客に関する非公開保険情報が「資金の貸付その他の保険募集に係る業務以外の業務」に利用されないことを確保するための措置であるが、書面その他の適切な方法により顧客の同意を得た場合には、非公開保険情報を「資金の貸付その他の保険募集に係る業務以外の業務」に利用したとしても、非公開保険情報保護措置には違反しない。なお、「保険募集に係る業務」や「顧客の同意」に関する解釈は、非公開金融情報保護措置において述べた内容が当てはまるが、銀行等の場合、常に保険募集に係る業務以外の業務を行っているのだから、非公開保険情報保護措置に違反しないよう、できる限り早い段階で、書面による同意を取得すべきであろう。なお、非公開金融情報保護措置と同様、平成24年4月の監督指針改正により、①同意の有効期間、②同意の撤回の方法、③非公開保険情報を利用する業務の方式（対面、郵便等の別）、④利用する非公開保険情報の範囲（保険募集に係る業務において知りえた家族構成等の情報）を顧客に具体的に明示することが求められるようになった（監督指針Ⅱ-4-2-6-2(2)参照）。

　本件においては、顧客に対して「保険募集に係る業務」を行うことになれば、行員Bが非公開保険情報を知る可能性が高まり、そして、当該情報を知れば保険募集に係る業務以外の業務に当該情報を利用する可能性も高まるため、行員Bは、非公開金融情報保護措置に関する書面同意を取得するのと同時に、非公開保険情報保護措置に関する書面同意も取得すべきである。

IV 保険募集指針の策定・周知

銀行等代理店が保険募集を行うにあたり策定すべき保険募集指針は、どのような内容とすべきか。また、当該募集指針は、どのように活用すべきか。

A 保険募集指針には監督指針に定められた事項を漏れなく記載したうえで、たとえば、書面による交付または説明、店頭掲示、ホームページへの掲載等の措置を講じて、当該指針を公表しなければならない。

── 解　説 ──

1　規制の概要

銀行等は、保険募集の公正を確保するため、保険募集に係る保険契約の引受けを行う保険会社の商号または名称の明示、保険契約の締結にあたり顧客が自主的に判断を行うために必要と認められる情報の提供その他の事項に関する指針を定め、公表し、その実施のために必要な措置を講じなければならない（規則212条2項2号、212条の2第2項2号）。

2　保険募集指針の記載内容

監督指針は、保険募集指針に以下の事項を定めることを求めている（監督指針Ⅱ-4-2-6-3参照）。

① 顧客に対し、募集を行う保険契約の引受保険会社の商号や名称を明示するとともに、保険契約を引き受けるのは保険会社であること、保険金等の支払は保険会社が行うことその他の保険契約に係るリスクの所在[8]について適切な説明を行うこと

② 複数の保険契約のなかから顧客の自主的な判断による選択を可能とするための情報の提供を行うこと
③ 銀行等が法令に違反して保険募集につき顧客に損害を与えた場合には、当該銀行等に募集代理店としての販売責任があることを明示すること
④ 銀行等における苦情・相談の受付先および銀行等と保険会社の間の委託契約等に基づき保険契約締結後に銀行等が行う業務内容を顧客に明示するとともに、募集を行った保険契約に係る顧客からの、たとえば、委託契約等に則して、保険金等の支払手続に関する照会等を含む苦情・相談に適切に対応する等契約締結後においても必要に応じて適切な顧客対応を行うこと
⑤ 上記①～④に掲げる顧客に対する保険募集時の説明や苦情・相談に係る顧客対応等について、顧客との面談内容等を記録するなど顧客対応等の適切な履行を管理する体制を整備するとともに、保険募集時の説明に係る記録等については、保険期間が終了するまで保存すること

　この点、これらの事項は保険募集指針に記載されれば足りるのではなく、銀行等により実施されることが必要である。すなわち、「明示」と記載された箇所については、顧客に対して明示するための措置を、「説明」と記載された箇所については、顧客に対して説明するための措置を、「提供」と記載された箇所については、顧客に対して提供するための措置を、「保存」と記載された箇所については、保存するための措置を、それぞれ講じなければならない。
　なお、「複数の保険契約のなかから顧客の自主的な判断による選択を可能とするための情報の提供」については、複数の商品の取扱いを義務づける趣旨ではなく、また、比較募集を義務づける趣旨でもなく、銀行等が取り扱う

8　たとえば、保険会社が破綻した際の保険契約の取扱いが考えられる。

保険商品の範囲内で、同一種目の保険商品の一覧表（引受保険会社と商品名等を記載したもの）を顧客に明示することが考えられる。なお、かかる一覧表は、比較推奨販売のルールにおいて求められる商品概要の明示とは異なるものである（商品概要の明示について、Q21〜22参照）。

3　保険募集指針の活用方法

　保険募集指針は、その公表が求められているため（規則212条2項2号、212条の2第2項2号）、銀行等としては、そのホームページに掲載したり、顧客が来訪する窓口に掲示したりすることが必要になる。

　この点、平成19年12月の監督指針改正により、保険募集指針の内容について、顧客に周知するため、保険募集指針の書面による交付または説明、店頭掲示、ホームページの活用等の必要な措置を講じなければならない旨が定められた。かかる規定は、保険募集指針の書面交付を義務づけるものではないが、単に公表してさえいれば足りるという心構えではなく、顧客に保険募集指針の内容が周知されるよう、工夫を凝らすことが必要になると考えられる。

V 保険募集制限先規制

A銀行の行員Bは、医療保険や介護保険の販売を検討しているが、これらの保険の申込みを受けることができないのは、どのようなケースになるのか。

A 　給与収入のある方を保険契約者または被保険者とするケースについては、A銀行が手数料その他の報酬を得ることを前提とする場合には、その方の勤務先に対するA銀行からの事業性融資の有無、その勤務先の従業員数によっては、行員Bが医療保険や介護保険の申込みを受けることができない可能性がある。

――――― 解　説 ―――――

1　規制の概要（図表4-V-1参照）

　銀行等は、一部の保険商品との関係では、原則として、次に掲げる者（以下「保険募集制限先」という）を保険契約者または被保険者とする保険契約

図表4-V-1　保険募集制限先

	保険契約者または被保険者	募集可否
法人、その代表者または個人事業主に対し、事業資金の融資を行っている場合	・法人およびその代表者 ・個人事業主	×
	・役員（代表者を除く） ・常時使用する従業員（※）	【※51人以上】○
		【※50人以下】×
事業資金の融資先に該当しない場合		○

（すでに締結されている保険契約（その締結の代理または媒介を当該銀行等またはその役員もしくは使用人が手数料その他の報酬を得て行ったものに限る）の更新[9]に係るものを除く）の締結の代理または媒介を手数料その他の報酬を得て行わないことを確保するための措置を講じなければならない（保険募集制限先規制。規則212条3項1号、212条の2第3項1号）。

> ① 当該銀行等が法人またはその代表者に対し当該法人の事業に必要な資金の貸付を行っている場合における当該法人およびその代表者
> ② 当該銀行等が事業を行う個人に対し当該事業に必要な資金の貸付を行っている場合における当該個人
> ③ 当該銀行等が小規模事業者（常時使用する従業員の数が50人以下の事業者をいう）である個人または法人もしくはその代表者に対し、当該小規模事業者の事業に必要な資金の貸付を行っている場合における当該小規模事業者が常時使用する従業員および当該法人の役員（代表者を除く）

また、銀行等は、顧客が保険募集制限先に該当するかどうかを確認する業務その他保険会社から委託を受けた業務を的確に遂行するための措置および保険募集に係る業務が当該銀行等のその他の業務の健全かつ適切な運営に支障を及ぼさないようにするための措置を講じなければならない（規則212条3項2号、212条の2第3項2号）。

2 保険募集制限先の範囲と確認方法
(1) 事業に必要な資金の貸付
上記1①および②からすれば、銀行等が事業資金を貸し付けている法人、

---

[9] 損害保険代理店の場合は、「更改（保険金額その他の給付の内容の拡充（当該保険契約の目的物の価値の増加その他これに類する事情に基づくものを除く。）又は保険期間の延長を含むものを除く。）」と定められている。

代表者または個人事業主は保険募集制限先に該当する。それに加えて、上記1①からすれば、銀行等が事業資金を法人に貸し付けている場合の当該法人の代表者、また、銀行等が事業資金を法人代表者に貸し付けている場合の当該法人も保険募集制限先に該当することに留意が必要である。この点、「事業に必要な資金の貸付」とは、手形割引を含むが、その他の与信（たとえば、貿易金融、事業保証、社債の引受け、コミットメントラインの設定等）を含まないと解されている[10]。なお、個人が借り入れるアパートローンについては、賃貸が業として行われているのであれば、事業の用に供するものに係る資金に該当すると解されており[11]、「事業に必要な資金の貸付」に関する該当・非該当の判断基準が明確でないので、留意する必要がある。

(2) 常時使用する従業員

上記1③からすれば、事業資金の貸付を行っている法人または個人が常時使用する従業員の数が50人以下であれば、その従業員や役員も保険募集制限先に該当し、51人以上であれば、保険募集制限先に該当しないため、「常時使用する従業員」の解釈が重要であるところ、この点については、中小企業基本法の規定を援用しており、2カ月を超えて使用される者で、企業の通常の従業員とおおむね同等の勤務形態を有する者をいうと解されている。なお、「常時使用する従業員」には、勤務実態によっては契約社員やパート社員のみならず、アルバイトも含まれるので、注意が必要である。

(3) 顧客が保険募集制限先に該当するかどうかを確認する業務

規則212条3項2号、212条の2第3項2号に定める「顧客が保険募集制限先に該当するかどうかを確認する業務」について、監督指針は、銀行等に対して、保険募集制限先に該当するか否かを確認するため、以下の措置を講じ

---

10 カードローンについては、貸し付けた金銭が明らかに貸付先の事業目的の資金である場合を除き、原則として「事業に必要な資金の貸付」に該当しないものとされている（平成24年3月28日「銀行窓販に関する保険法令解釈事例集」）。
11 ただし、アパートローンの貸付先である個人が、アパートの賃貸に関して継続的な資金需要を有しないことが明白な場合であれば、事業の用に供するものに係る資金に該当するとまではされていない（平成24年3月28日「銀行窓販に関する保険法令解釈事例集」）。

ることを求めている（監督指針Ⅱ-4-2-6-4(1)参照）。

> ① 保険募集に際して、あらかじめ、顧客に対し、保険募集制限先に該当するかどうかを確認する業務に関する説明を書面の交付により行ったうえで（規則234条1項9号参照）、当該顧客が保険募集制限先に該当するかどうかを顧客の申告により確認するための措置
> ② 募集を行った保険契約に係る契約申込書その他の書類を引受保険会社に送付する時までに、保険募集の過程で顧客から得た当該顧客の勤務先等の情報を当該銀行等の貸付先に関する情報と照合し[12]、当該顧客が保険募集制限先に該当しないことを確認するための措置
> ③ 上記の措置によって、顧客が保険募集制限先に該当することが確認された場合に、当該保険契約に係る保険募集手数料とその他の報酬について、所属保険会社から受領せず、または事後的に返還するための態勢の整備

　この点、不可能を強いる規制ではないため、上記の措置を講じたにもかかわらず、顧客の申告が得られず、銀行等の有する情報との照合でも確認できない場合には、たとえば行員が顧客の近親者であり、事実を知らないはずがないといった特段の事情がない限り、保険募集制限先に該当しないものとみなすことができると解されている。つまり、上記①および②に定める方法での確認によっても保険募集制限先に該当すると確認できなかった場合には、特段の事情のない限り、保険募集制限先に該当しない先への保険募集となり、後日に保険募集制限先であったと判明した場合でも手数料の返還は要しないと考えられる。もっとも、かかるケースが積み重なると、銀行等が上記

---

[12] 貸付先に関するデータベース（少なくとも年1回の更新が必要。既存のものが存在する場合はそれを活用することも可）と照合する方法や、本部等で融資情報を一元管理して各支店からの称号依頼を受ける方法その他の銀行等の規模や特性をふまえた方法によることもできる。

①および②に定める方法での確認を十分に行っていなかったのではないかという疑義が生じるリスクがあるため、基本的には後日に判明した場合も手数料を返還する措置を講じることが穏当であろう。

3　講じるべき内容

　規則212条3項1号、212条の2第3項1号が求めているのは、「保険契約の締結の代理又は媒介を手数料その他の報酬を得て行わないことを確保するための措置」であるから、たとえば手数料以外での報酬を得る場合等の特段の事情がない限り、保険募集制限先である顧客に対し、手数料を得ないで保険募集を行うことは許されないものではないと解されている。この点、銀行等が不適切な圧力募集を行うのは、一般的には手数料の獲得を目的としたものであり、手数料の獲得を禁止すれば基本的には不適切な圧力募集は行われないと考えられることに基づく。したがって、当然のことではあるが、実際に圧力募集が行われた場合には、それ自体が法令（規則234条1項2号・7号等）違反に該当することに留意する必要がある。

　なお、規則212条3項1号が定める「既に締結されている保険契約（その締結の代理又は媒介を当該銀行等又はその役員若しくは使用人が手数料その他の報酬を得て行ったものに限る。）の更新に係るものを除く」にいう「更新」とは、原則として、契約条件の変更を伴わないものを想定しているが、たとえば、契約者に無用の不利益が及ぶことを避ける必要から、団体定期保険契約で被保険者が増減する場合等、契約内容の変更を含む更新を完全に排除する趣旨ではないと解されている[13]。したがって、当該条件変更を認めないと保険契約者等の保護に明らかに欠けるケースは、ここにいう「更新」に含まれると考えられる。

4　本事例への当てはめ

　医療保険や介護保険は、生命保険会社が引受保険会社の場合は規則212条1項6号の保険契約に該当し、損害保険会社が引受保険会社の場合は規則

212条の2第1項8号の保険契約に該当するため、A銀行の行員Bが保険募集を行う場合は、保険募集制限先規制に留意する必要がある。したがって、すべての顧客より前述した申告を受ける必要があるところ、給与収入のある方については、「小規模事業者（常時使用する従業員の数が50人以下の事業者をいう。）である個人又は法人若しくはその代表者に対し、当該小規模事業者の事業に必要な資金の貸付けを行っている場合における当該小規模事業者が常時使用する従業員及び当該法人の役員」に該当する可能性があるため、前述した確認業務の結果、これに該当すると判断された場合には、A銀行が手数料その他の報酬を得ることを前提とする限り、その方を保険契約者または被保険者とする医療保険や介護保険の申込みを受けることができないことになる。

なお、A銀行が、特例地域金融機関に該当する場合（規則212条3項・4項、212条の2第3項・4項）や協同組織金融機関に該当する場合（規則212条3項・5項、212条の2第3項・5項）は異なる規制が適用されることに留意する必要がある（Q51参照）。

13　規則212条の2第3項1号は、「既に締結されている保険契約の更改を除く」と定めており、「更改」についての「保険金額その他の給付の内容の拡充（当該保険契約の目的物の価値の増加その他これに類する事情に基づくものを除く。）又は保険期間の延長を含むものを除く。」と定めている。

　なお、①変動する数値を保険料算出基礎とした暫定保険料で締結した保険契約について、当該数値の確定後に確定保険料との差額を徴収する行為、②同一敷地内の全物件を対象として締結した火災保険の特殊包括契約について、実際に追加された物件は自動補償となったが、不足となった保険料を領収する行為、③保険期間中の輸送全物品を対象として締結した貨物海上保険の包括予定保険契約について、輸送予定の物品に関する見積りを作成して提出し、保険料を領収する行為は、いずれも「更改」に直接には該当しないものの、実質的に新たな保険募集を行う場合に該当しない限り、もっぱら保険契約者側の事情により、保険内容の拡充が必要な場合として保険募集制限先規制の対象外とされている（平成24年3月28日「銀行窓販に関する保険法令解釈事例集」）。

Ⅵ 担当者分離

Q49 A銀行において事業性資金の融資業務を担当する行員Bは、医療保険や介護保険の募集に従事することはできるか。

A 原則として、事業性資金の融資業務を担当する行員Bがフロントラインで融資に係る応接業務に従事する場合には、医療保険や介護保険の募集に従事することはできないが、当該業務の遂行にあたり顧客との応接が想定されていない場合や臨時的に当該業務を担当するにすぎない場合等は、医療保険や介護保険の募集に従事できる可能性があり、また、A銀行が特例地域金融機関に該当する場合は、一定の条件のもと、医療保険や介護保険の募集に従事することも可能となる。

―――― 解　説 ――――

1　規制の概要

銀行等は、一部の保険商品との関係では、原則として、その使用人のうち事業に必要な資金の貸付に関して顧客と応接する業務を行う者が、保険募集を行わないことを確保するための措置を講じなければならない（規則212条3項3号、212条の2第3項3号）。

2　担当者分離の原則

まず、「事業に必要な資金の貸付」には、手形割引を含むが、その他の与信（たとえば、貿易金融、事業保証、社債の引受け、コミットメントラインの設定等）を含まないと解されていることは、保険募集制限先規制と同様である。

次に、「顧客と応接する業務を行う者」とは、フロントラインで常態とし

て融資に係る応接業務を行う融資担当者や渉外担当者が想定されていると解されている。この点、他の業務を担当していても実際に融資に係る応接業務を中心に行っている者は管理職であっても「顧客と応接する業務を行う者」に含まれるが、当該業務を統括するだけの管理職や臨時的に対応する者まで「顧客と応接する業務を行う者」に含むことは想定されておらず、通常、常態として融資に係る応接業務を行っているわけではない支店長も、原則として、「顧客と応接する業務を行う者」に含まれないと解されている。

なお、「顧客と応接する業務を行う者」が関与を禁止されるのは、保険募集を行うことであるため、すべての保険代理店業務への関与まで禁止されるわけではない。つまり、保険募集に該当しない範囲にとどまる説明を行うことは許容されると解されている。

本事例の場合、医療保険や介護保険は、生命保険会社が引受保険会社の場合は規則212条１項６号の保険契約に該当し、損害保険会社が引受保険会社の場合は規則212条の２第１項８号の保険契約に該当するため、Ａ銀行は担当者分離に留意する必要がある。したがって、事業性資金の融資業務を担当する行員Ｂがフロントラインで融資に係る応接業務に従事する場合には、医療保険や介護保険の募集に従事することはできないが、これに対し、行員Ｂが当該業務の遂行にあたり顧客との応接が想定されていない場合や臨時的に当該業務を担当するにすぎない場合等は、医療保険や介護保険の募集に従事できる可能性がある。

3　担当者分離の例外

これに対し、Ａ銀行が特例地域金融機関に該当する場合（規則212条４項、212条の２第４項）は、担当者分離は要求されず、金融庁長官が定める次のいずれかの措置を講じることで足りる（平成17年金融庁告示第51号）。

①　銀行等の使用人のうち事業に必要な資金の貸付に関して顧客と応接する業務を行う者が、当該業務において応接する事業者（当該銀行等

が事業に必要な資金の貸付を行っている者に限る。次号において同じ）の関係者（当該事業者が常時使用する従業員および当該事業者が法人である場合の当該事業者の役員をいう。次号において同じ）を保険契約者または被保険者とする保険契約の締結の代理または媒介を行わないことを確保するための措置
② 銀行等の使用人のうち事業に必要な資金の貸付に関して顧客と応接する業務を行う者が、当該業務において応接する事業者の関係者を保険契約者または被保険者とする保険契約の締結の代理または媒介を行った場合について、当該保険契約の代理または媒介が規則212条2項3号に規定する保険募集に係る法令等に適合するものであったことを個別に確認する業務を行う者（事業に必要な資金の貸付または保険募集に関して顧客と応接する業務を行わない者に限る）を本店または主たる事務所および主要な営業所または事務所に配置する措置

実務的には上記②が選択されることが多いが、その場合、「保険募集に係る法令等に適合するものであったことを個別に確認する業務」の具体的な内容が重要になる。この点については、たとえば、契約申込書類等の記載内容を精査し、圧力募集等の法令等に違反する行為が疑われるケースにつき、募集担当者に事情確認を行う方法等が考えられると解されている。ただし、「個別に確認する業務」の客観性・実効性を確保する観点から、当該業務を行う者が自ら直接、保険募集業務に関与することは適当でないため、販売担当者と同行訪問を行うことは避ける必要があり、あくまでバックオフィス的な位置づけとして圧力募集防止の観点から法令等遵守状況のチェックを行うことが求められることに留意する必要がある。なお、かかる確認業務を行う者は、各銀行等の規模・特性、または保険販売業務の実施体制等に応じて、当該業務を適切に遂行するために必要な範囲で設置すればさしつかえなく、たとえば、金融機関の規模等から、本店のみに当該担当者を設置することで確認業務を適切に行うことができるのであれば、本店以外の主要な営業所ま

たは事務所に設置する必要はないと解されている。

　本事例の場合、A銀行が特例地域金融機関に該当する場合は、A銀行が上記①または②のいずれかの措置を講じることにより、行員Bがフロントラインで融資に係る応接業務に従事する場合であっても、医療保険や介護保険の募集に従事することも可能となる。

Ⅶ タイミング規制

Q50 A銀行のB支店に所属する行員Cが、A銀行のD支店宛てに事業性資金の貸付を申し込んでいる最中の顧客に対して、医療保険や介護保険を募集することができるか。

A A銀行の行員Cは、行員Cが所属する支店宛てでなかったとしても、A銀行宛てに事業性資金の貸付を申し込んでいる最中の顧客に対して、その旨を知りながら、医療保険や介護保険を募集することはできない。ただし、A銀行が協同組織金融機関に該当し、かつ、顧客が当該協同組織金融機関の会員または組合員である場合は、その旨を知っていたとしても、医療保険や介護保険を募集することができる。

=== 解　説 ===

1　規制の概要

　銀行等またはその役員もしくは使用人は、原則として、顧客が当該銀行等に対し資金の貸付（当該顧客またはその密接関係者（当該顧客が法人である場合の当該法人の代表者、または当該顧客が法人の代表者である場合の当該法人をいう）の事業に必要な資金の貸付に限る）の申込みを行っていることを知りながら、当該顧客またはその密接関係者に対し、保険契約（金銭消費貸借契約、賃貸借契約その他の契約（事業に必要な資金に係るものを除く）に係る債務の履行を担保するための保険契約およびすでに締結されている保険契約（その締結の代理または媒介を当該銀行等の役員もしくは使用人が手数料その他の報酬を得て行ったものに限る）の更新または更改に係る保険契約を除く）の締結の代理または媒介を行うことはできない（タイミング規制。規則234条1項10号）。

　ただし、当該銀行等が協同組織金融機関である場合にあっては、当該協同

組織金融機関の会員または組合員である者は、上記の「当該顧客又はその密接関係者」から除かれる旨の例外が定められている（同号）。

2　対象範囲

　平成24年4月の規則改正前は、「資金の貸付の申込みを行っている顧客」の資金が事業に必要な資金に限定されていなかったが、平成24年4月の規則改正によって、当該「資金」が事業に必要な資金に限定されたという点に留意する必要がある。ただし、形式的には事業性資金の貸付の申込みに該当しそうなケースであっても、本号の規制の対象となるのは、顧客が銀行等の圧力を受ける懸念が強いと考えられる事業性資金の貸付の申込期間中の保険募集であるという趣旨に照らして、たとえば、融資限度枠の設定、個人の総合口座貸越、カードローンの申込期間中の保険募集については、原則としてタイミング規制の対象とならないと解されている。

3　禁止行為の内容と確認業務

　タイミング規制により禁止される行為は、事業性資金の貸付の申込みを行っている顧客またはその密接関係者に対して、「知りながら」一部の保険商品の募集を行うことである。したがって、理論的には、「知りながら」に該当しない場合は、タイミング規制に違反しないと考えられる。ただ、どのような場合に「知りながら」に該当し、どのような場合に「知りながら」に該当しないのか、その判断基準は条文からは明確に読み取れない。

　この点、顧客が銀行等に対して事業性資金の貸付の申込みを行っている状況にある場合は、基本的には銀行等の役員または使用人はこれを「知りながら」に該当するとの推定が働くものと考えるべきである。したがって、「知りながら」に該当しないと説明するためには、保険募集を行う前の段階で、顧客に対して質問し、「当該銀行等に対し、事業性資金の貸付の申込みを行っていない」旨を確認することが必要になると考えられる。そして、かかる質問を行った結果、顧客から「当該銀行等に対し、事業性資金の貸付の申

込みを行っている」旨が確認された場合は、当該顧客に対する保険募集を行ってはならず、万が一、すでに保険募集を行っていた場合には直ちに中止しなければならないと考えられる。

　なお、保険募集制限先規制と異なり、銀行等のデータベースとの照合による確認作業まで義務づけられていないのは、事業性資金の申込段階のデータを銀行等として必ずしも一括管理していない実務を考慮したからと推測されるところ、銀行等として事業性資金の申込段階のデータを一括管理しているならば、顧客の申告内容と当該データベースとの照合を行い、顧客の申告内容の真偽について確認することが望ましいことはいうまでもない。

4　本事例への当てはめ

　医療保険や介護保険は、生命保険会社が引受保険会社の場合は規則212条1項6号の保険契約に該当し、損害保険会社が引受保険会社の場合は規則212条の2第1項8号の保険契約に該当するため、Ａ銀行の行員Ｃはタイミング規制に留意する必要がある。したがって、Ａ銀行の行員Ｃは、保険募集を行う前の段階で、顧客に対して「Ａ銀行に対して事業性資金の貸付を申し込んでいるか否か」について質問を行い、顧客からＡ銀行に対する事業性資金の貸付を申し込んでいない旨の明確な回答が得られない限り、当該顧客に対して医療保険や介護保険を募集することはできない。ただし、Ａ銀行が協同組織金融機関に該当し、かつ、顧客が当該協同組織金融機関の会員または組合員である場合は、かかる質問を行わずとも、医療保険や介護保険を募集することはできる。

VIII 地域金融機関特例・協同組織金融機関特例

A信用金庫は、その人数からして、事業に必要な資金の貸付に関して顧客と応接する業務を行う者に保険募集を行わせないと医療保険や介護保険を販売できず、また、その融資先も小規模な企業が多いが、これらの保険商品を取り扱うにあたり、どのようにすればよいか。

A A信用金庫の場合、医療保険や介護保険の募集に適用される保険募集制限先規制および担当者分離等について、例外的な取扱いを受けることのできる地域金融機関特例および協同組織金融機関特例を活用することが考えられる。

=== 解　説 ===

1　概　要

A信用金庫が、地域金融機関特例を活用し（規則212条4項、212条の2第4項、平成17年金融庁告示第49号）、かつ、協同組織金融機関特例も活用した場合（規則212条5項、212条の2第5項）には、保険募集制限先規制、担当者分離およびタイミング規制について、例外的な取扱いを受けることが可能となる。

2　特例活用の前提条件

(1)　地域金融機関特例

A信用金庫は、その営業地域が特定の都道府県に限られているものとして金融庁長官が定める金融機関に該当するため（平成17年金融庁告示第49号）、地域金融機関特例を活用しうるが、これを活用するためには、A信用金庫の

融資先従業員等を保険契約者として対象生命保険契約の締結の代理または媒介を行う場合において、次の各号に掲げる保険については、それぞれ当該各号の区分に応じ、保険契約によって支払われるべき保険金その他の給付金の額の当該保険契約者1人当たりの合計が当該各号に定める金額を超えないこととする旨の定めを保険募集指針に記載しなければならない（規則212条4項）。

> ① 人の生存または死亡に関し、一定額の保険金を支払うことを約し、保険料を収受する保険（傷害を受けたことを直接の原因とする人の死亡のみに係るものを除く）→1,000万円
> ② 一定の事由[14]に関し、一定額の保険金を支払うことまたはこれらによって生ずることのある当該人の損害をてん補することを約し、保険料を収受する保険のうち金融庁長官が定めるもの→金融庁長官が定める金額

また、A信用金庫の融資先従業員等を保険契約者として対象損害保険契約の締結の代理または媒介を行う場合においても、規則212条4項2号に掲げる保険については、保険契約によって支払われるべき保険金その他の給付金の額の当該保険契約者1人当たりの合計が同号に定める金額を超えないこととする旨の定めを保険募集指針に記載しなければならない（規則212条の2第4項）。

なお、信用金庫以外であっても、その営業地域が特定の都道府県に限られているものとして金融庁長官が定める金融機関に該当する場合には、地域金融機関特例を活用しうる。

(2) **協同組織金融機関特例**

A信用金庫は、協同組織金融機関に該当するため、協同組織金融機関特例

---

14 イ 人が疾病にかかったこと、ロ 疾病にかかったことを原因とする人の状態（重度の障害に該当する状態を除く）、ハ 規則4条各号に掲げる事由、ニ イからハまでに掲げるものに関し、治療を受けたこと。

を活用しうるが、これを活用するためには、A信用金庫の融資先従業員等に該当するA信用金庫の会員を保険契約者として対象生命保険契約の締結の代理または媒介を行う場合において、規則212条4項各号に掲げる保険については、それぞれ当該各号の区分に応じ、保険契約によって支払われるべき保険金その他の給付金の額の当該保険契約者1人当りの合計が当該各号に定める金額を超えないこととする旨の定めを保険募集指針に記載しなければならず（同条5項）、対象損害保険契約の締結の代理または媒介を行う場合において、同条4項2号に掲げる保険については、当該保険契約によって支払われるべき保険金その他の給付金の額の当該保険契約者1人当りの合計が同号に定める金額を超えないこととする旨の定めを保険募集指針に記載しなければならない（規則212条の2第5項）。

3　保険募集制限先規制の取扱い（図表4-Ⅷ-1参照）
(1)　募集対象範囲の拡大

規則212条3項1号は「保険募集制限先」の定義について、「協同組織金融機関の会員又は組合員（会員又は組合員である法人の代表者を含み、当該協同組織金融機関が農業協同組合等である場合にあっては、組合員と同一の世帯に属する者を含む。）である者を除く」という除外規定を設けている（当該規定は規則212条の2第3項1号についても同様である）。したがって、A信用金庫が保険募集指針に上記2(2)の内容を記載している場合には、その会員（会員である法人の代表者を含む）が通常の銀行等であれば保険募集制限先に該当する者に該当する場合であったとしても、所定の措置を講じる必要はないことになる。

また、規則212条3項1号ハは「小規模事業者」の定義について、「常時使用する従業員の数」に関し、「当該銀行等が特例地域金融機関である場合にあっては、20人」と定めている。したがって、A信用金庫が保険募集指針に上記2(1)の内容を記載している場合には、常時使用する従業員の数が21人以上であれば、所定の措置を講じる必要はないことになる。

図表4-Ⅷ-1　保険募集制限先規制の取扱い

					被保険者			
					制限先	非制限先	制限先	非制限先
					法人・法人代表者・個人事業主		従業員（※）、役員（※20人以下）	
					非会員	会員	非会員	会員
契約者	事業資金の融資先	制限先	法人・法人代表者・個人事業主	非会員	×	×	×	×
		非制限先		会員	×	△	×	△
		制限先	常時使用従業員（※）、役員	※20人以下 非会員	×	×	×	×
				※20人以下 会員	×	△	×	△
		非制限先		※21人以上	×	△	×	△
	上記以外				×	○	×	○

△：契約者として保険契約を締結する場合、小口規制の対象となる。この場合、小口規制を超えるケースは、有償・無償にかかわらず、保険契約の締結は不可となる。

(2) 小口規制

　人の生存または死亡に関し、一定額の保険金を支払うことを約し、保険料を収受する保険の1,000万円という限度額は比較的計算しやすい。これに対して、医療保険や介護保険など、一定の事由[15]に関し、一定額の保険金を支払うことまたはこれらによって生ずることのある当該人の損害をてん補することを約し、保険料を収受する保険については、金融庁長官が定める金額として、保険の区分に応じて以下の表のとおり定めており、多少複雑なものとなっている（平成19年金融庁告示第128号）。

15　脚注14参照。

項	保　　険	金　　額
1	医師により人が疾病にかかったと診断されたことまたは人が保険約款所定の介護を要する状態になったことを保険事故とする保険（診断等給付金の支払により、当該人の死亡を保険事故とする保険に係る保険金その他の給付金の額の全額が減額されることとされているものを除く）	当該保険事故のうち1の保険事故の発生につき100万円（診断等給付金であってその支払により死亡給付金の全額が減額されることとされているものがあるときは、100万円に当該死亡保険金の額を加算した額）
2	人が入院したことを保険事故とする保険	次のイまたはロに掲げる保険の区分に応じ、保険事故に係る入院1日につき当該イまたはロに定める金額。ただし、保険契約者を同一とする保険が当該イおよびロに掲げる保険のいずれにも該当するときは、当該イに掲げる保険について支払うことを約した金額と当該ロに掲げる保険について支払うことを約した金額との合計額は1万円を超えることができない。 イ　保険事故に係る入院が特定の疾病の治療のための入院に限られる保険　1万円 ロ　イ以外の保険　5千円
3	人が手術その他の治療（評価療養に該当するものを除く）を受けたことを保険事故とする保険	次のイまたはロに掲げる保険の区分に応じ、保険事故の発生につき当該イまたはロに定める金額。ただし、保険契約者を同一とする保険が当該イおよびロに掲げる保険のいずれにも該当するときは、当該イに掲げる保険について支払うことを約した金額と当該ロに掲げる保険について支

		払うことを約した金額との合計額は40万円を超えることができない。 イ　保険事故に係る入院が特定の疾病の治療のための入院に限られる保険　40万円 ロ　イ以外の保険　20万円
4	疾病診断または要介護を保険事故とし、かつ、当該保険事故が発生した後の保険約款所定の時期における被保険者の生存を保険事故とする保険	当該保険に係る保険金その他の給付金の支払の期間1月につき合計5万円（1月を超える期間ごとに支払われる保険金その他の給付金にあっては、1月当たりの額に換算するものとする）

なお、上記の表において「特定の疾病」とは、悪性新生物、心臓疾患および脳血管疾患のうち少なくとも1の疾患を含む10を超えない範囲内の数の疾病であって、保険会社等が保険約款に定めているものとされている。

4　担当者分離およびタイミング規制の取扱い

(1)　担当者分離の取扱い

　A信用金庫が地域金融機関特例（規則212条4項、212条の2第4項、平成17年金融庁告示第49号）を活用した場合は、A信用金庫の使用人のうち事業に必要な資金の貸付に関して顧客と応接する業務を行う者が、保険募集を行わないことを確保するための措置を講じる必要はなく、

① 　A信用金庫の使用人のうち事業に必要な資金の貸付に関して顧客と応接する業務を行う者が、当該業務において応接する事業者（A信用金庫が事業に必要な資金の貸付を行っている者に限る。②において同じ）の関係者（当該事業者が常時使用する従業員および当該事業者が法人である場合の当該事業者の役員をいう。②において同じ）を保険契約者または被保険者とする保険契約の締結の代理または媒介を行わないことを確保するための措置

② 　A信用金庫の使用人のうち事業に必要な資金の貸付に関して顧客と応接する業務を行う者が、当該業務において応接する事業者の関係者を保険契

約者または被保険者とする保険契約の締結の代理または媒介を行った場合について、当該保険契約の代理または媒介が規則212条2項3号に規定する保険募集に係る法令等に適合するものであったことを個別に確認する業務を行う者（事業に必要な資金の貸付または保険募集に関して顧客と応接する業務を行わない者に限る）を本店または主たる事務所および主要な営業所または事務所に配置する措置

のいずれかの措置を講じることで足りる（平成17年金融庁告示第51号、Q49参照）。

(2) **タイミング規制の取扱い**

A信用金庫は協同組織金融機関に該当するため、A信用金庫またはその役員もしくは使用人は、A信用金庫の会員である顧客を対象者とする保険募集に関しては、タイミング規制違反を問われることはない（規則234条1項10号）。

Ⅸ 銀行窓販類似規制

 銀行等に対する窓販規制以外に、当該規制に類似する規制として、どのようなものが設けられているか。

A 銀行等の特定関係者に対する規制のほか、銀行代理業者等に対する規制が設けられている。

=== 解　説 ===

1　銀行等の特定関係者に対する規制

この点、銀行等の特定関係者に対しては、保険業法は、次の行為を禁じている。

> ①　銀行等の特定関係者またはその役員もしくは使用人が、自己との間で保険契約の締結の代理または媒介を行うことを条件として、当該銀行等が当該保険契約にかかる保険契約者または被保険者に対して信用を供与し、または信用の供与を約していることその他の取引上の優越的地位を不当に利用していることを知りながら保険募集をする行為（法300条1項9号、規則234条1項13号）
> ②　銀行等の特定関係者またはその役員もしくは使用人が、その保険契約者または被保険者が当該銀行等に係る保険募集制限先[16]に該当することを知りながら、一部の保険契約の締結の代理または媒介を行う行為（法300条1項9号、規則234条1項14号）
> ③　銀行等の特定関係者またはその役員もしくは使用人が、顧客が当該

16　Q46参照。

> 銀行等に対し事業性資金の貸付の申込みをしていることを知りながら、当該顧客またはその密接関係者に対し、一部の保険契約の締結の代理または媒介を行う行為（法300条1項9号、規則234条1項15号）

　これらは、いずれも条文中に「知りながら」という表現が用いられていることから、いわゆる「知りながら規制」といわれている。この知りながら規制は、文字どおり、知りながら行った場合に違反とされるものであるから、通常、銀行等の特定関係者であるというだけでは、保険契約者または被保険者が銀行等の信用供与先であるとか、保険募集制限先であるとか、顧客が事業性資金の貸付申込中であるといった情報を知りえないため、銀行等と異なり、顧客に対する確認業務[17]を行うことは求められない。したがって、保険募集に際して、こうした情報を知ってしまうような特段の事情がない限り、問題とならないが、たとえば、銀行等の特定関係者が銀行等と連携して保険募集を行う場合には、銀行等の特定関係者が、これらの情報を知りうる可能性が高まるため、こうした連携がうまく機能するのか、という点については、慎重な検討が必要であろう。

2　銀行代理業者等に対する規制

　この点、銀行代理業者等に対しては、保険業法は、次の行為を禁じている。

> ①　銀行代理業者等が、次に掲げる措置を怠ること（法300条1項9号、規則234条1項18号）
> 　イ　その銀行代理業等において取り扱う顧客に関する非公開金融情報を、事前に書面その他の適切な方法により当該顧客の同意を得ることなく保険募集に係る業務に利用しないことを確保するための措置

---

[17] 保険募集制限先規制についてはQ48、タイミング規制についてはQ50参照。

> ロ その保険募集に係る業務において取り扱う顧客に関する非公開保険情報を、事前に書面その他の適切な方法により当該顧客の同意を得ることなく銀行代理業等および銀行代理業等に付随する業務に利用しないことを確保するための措置
> ② 銀行代理業者等が、保険募集に係る法令等の遵守を確保する業務に係る責任者を保険募集に係る業務を行う営業所または事業所ごとに、当該責任者を指揮し保険募集に係る法令等の遵守を確保する業務を統括管理する統括責任者を本店または主たる事務所に、それぞれ配置するために必要かつ適切な措置を怠ること（法300条1項9号、規則234条1項19号）

後者については、たとえば、本店に統括責任者を配置するとともに、保険募集に係る業務を行う支店に責任者を配置すれば足りるが、前者については、条文を一読しただけでは、何をどこまで行えばよいか、明確ではない。この点については、銀行代理業等において取り扱う顧客に関する非公開金融情報を保険募集に係る業務に利用する可能性があるならば、前述した銀行等における非公開金融情報保護措置（Q46参照）と同等の取組みが必要となり、他方、銀行代理業者等の保険募集に係る業務において取り扱う顧客に関する非公開保険情報を銀行代理業等およびこれに付随する業務に利用する可能性があるならば、前述した銀行等における非公開保険情報保護措置（Q46参照）と同等の取組みが必要となるので、それぞれ当該措置に関する解説を参照されたい。

また、銀行代理業者等に対しては、保険業法は、信用供与を条件としたり、優越的な地位を不当に利用したりすることを禁じるとともに（規則234条2項、234条1項7号）、規則212条1項1号に掲げる保険契約の締結の代理または媒介を行う際に、保険契約者に対し、当該保険契約者が当該保険契約に係る保険金が充てられるべき債務の返済に困窮した場合の銀行代理業者等およびその所属銀行等における相談窓口およびその他の相談窓口の説明を書

面の交付により行わずに当該保険契約の申込みをさせることを禁じている（規則234条2項、234条1項11号）。

　なお、銀行代理業者等の特定関係者に対しては、保険業法上、規則234条1項13号の「知りながら規制」のみ、準用していることに留意する必要がある（規則234条3項）。

第5章

保険契約の締結・保全に関するコンプライアンス

Ⅰ 保険契約の引受け

Q53 保険契約の引受業務に関する体制整備にあたって、留意すべき点は何か。

A 各保険会社において定められている保険契約の引受基準に従って、モラルリスクを排除しつつ適正な保険契約引受けの運用を可能とするよう、社内規則等を適切に定め、それに基づき引受業務が運営されるため、募集人に対する教育・指導を行うための十分な対応体制を整備することが必要である。

=========== 解　説 ===========

1　引受け時ルールの概観

保険契約の引受けについて求められるルールの大要は以下のとおりである。

全商品共通の引受け	差別的取扱いをしない （例：保険商品の募集地域を合理的な理由なく制限）	監督指針Ⅱ-4-2-2(17)③ウ
	引受謝絶の場合、顧客の理解が得られるような対応 （例：可能な限り合理的な理由を説明する）	監督指針Ⅱ-4-2-2(17)③エ
	犯罪防止措置（①保険金額の引受限度額遵守、②署名捺印の確保、③本人確認・疑わしい取引の届出、④契約内容の確認等）	規則53条の7
生命保険・第三	保険金額の「引受限度額」	規則53条の7第2項 監督指針Ⅱ-4-4-1-2(9)
	他人の生命の保険契約に係る「被保険者同意」の確認	規則11条2号 監督指針Ⅳ-1-17

分野保険の引受け	事業保険・団体定期保険（全員加入）の引受ルール	監督指針Ⅱ-4-2-4
	本人確認 ① 犯罪収益移転防止法に基づく取引時確認 ② 監督指針に基づく本人確認	犯罪収益移転防止法、監督指針Ⅱ-4-8、監督指針Ⅱ-4-2-2(17)③イ
自動車保険の引受け	引受方針 ① 対人賠償責任保険および自社の契約の更改および更新にあって、真に危険が特に大きいと認められる場合を除き、保険契約の締結・更改および更新に応じるような対応および運営 ② 対物賠償責任保険についても、個々のリスク実態もふまえつつ、できる限り保険契約の締結・更改および更新に応じるような対応および運営 ③ 地域、年齢、性別等を基準に特定の保険契約のみ締結するといった業務を行わないような対応および運営	監督指針Ⅱ-4-2-2(17)②（自動車保険関係）
	純保険料率の算出につき危険要因を用いる場合の法定の引受ルール	法5条1項4号 規則12条3号

2　生命保険・第三分野保険の引受け時の危険選択

　保険会社が、人の死亡に関し、一定額の保険金を支払うことを約し、保険料を収受する保険であって、被保険者が15歳未満であるものまたは被保険者本人の同意がないもの（いずれも不正な利用のおそれが少ないと認められるものを除く）の引受けを行う場合には、社内規則等に、死亡保険の不正な利用を防止することにより被保険者を保護するための保険金の限度額その他引受けに関する定めを設けなければならない（規則53条の7第2項）。

　監督指針は、保険契約[1]の引受業務に関する保険会社で講ずべき対応体制

1　ここでいう保険契約とは、法3条4項1号に規定する保険（年金保険および生存保険を除く）および同項2号に規定する保険（損害をてん補することを約した保険を除く）の契約である。

について、主に危険選択の観点から、以下の事項を求めている（監督指針Ⅱ-4-4-1-2(9)）。

> ① 保険契約の引受基準が社内規則等に定められ、会社が知りえた他の生命保険契約または損害保険契約（以下「他の保険契約」という）を含む保険金額が当該引受基準に比し過大である場合には、より慎重な引受判断を行うなどモラルリスク排除・抑制のための十分な体制が整備されていること
> ② 保険契約者または被保険者の収入、資産、逸失利益等の計数に基づき算定した額と保険金額（会社が知りえた他の保険契約に係る保険金額を含む）との比較などにより、保険金額の妥当性（過大でないこと）を判断・確認する方法を含む社内規則等が適切に定められ、それに基づき業務が運営されるための十分な体制が整備されていること
> 　なお、社内規則等を定めるにあたって、次の点に留意していることが求められる。
> 　ア．会社の定める一定金額（保険金の限度額）を超える保険契約の引受審査を行う場合
> 　　・保険契約者または被保険者の収入、資産、逸失利益等の計数を客観的かつ合理的な方法により確認する等、適切な審査を行う旨
> 　　・客観的かつ合理的な方法により確認できない場合には、モラルリスク排除・抑制の観点から、より慎重な対応を要する旨
> 　イ．死亡保険の引受けについて[2]、[3]

---

[2] 規則53条の7第2項に規定する死亡保険をいう。
　なお、規則53条の7第2項に規定する「不正な利用のおそれが少ないと認められるもの」とは、たとえば①一時払終身保険、一時払養老保険のほか、既払込保険料相当額に運用益等を加えた金額程度の保険金を被保険者の死亡時に支払う個人年金保険や学資保険、②遊園地などにおいて不特定の入場者が、事故等によって死亡した場合の見舞金の支払を行うための団体保険、等の不正な利用が発生するおそれが少ないことを合理的に説明可能なものをいう。
[3] 金融庁より平成20年12月26日に公表された。

- 保険の不正な利用を防止することにより被保険者を保護するため、死亡保険に係る保険金の限度額を具体的に定め、これを超える保険金額による保険の引受けを行わないものと定めていること。この保険金の限度額は、生命保険協会の「契約内容登録制度・契約内容照会制度」または日本損害保険協会の「契約内容登録制度」等への照会結果をふまえ、同一被保険者の他の死亡保険に係る保険金額と通算する旨を定めていること
- その他、保険の不正な利用を防止することにより被保険者を保護するため、顧客ニーズの確認等を通じ、適切な引受審査を行う旨を定めていること

③ 保険金の限度額を社内規則等で定めている場合には、当該限度額以内で保険が引き受けられているかを検証するシステムが構築されていること。また、保険の不正な利用を防止することにより被保険者を保護するため、適切な引受審査が行われていることを検証する体制を構築していること

④ 保険金額(保険会社が知りえた他の保険契約に係る保険金額を含む)の妥当性を判断・確認する方法等について、生命保険募集人および損害保険募集人に対して適正な教育・管理・指導を行うための体制が整備されていること

⑤ 保険金額の決定に際し、「契約内容登録制度」等を利用する等モラルリスク排除・抑制のため効果がある方法を採用する体制が整備され、当該制度の利用その他の方法で知りえた他の保険契約に係る保険金額を勘案した結果が適切に記録されていること

3 反社会的勢力からの保険契約申込み謝絶の可否[4]

保険契約であっても、自賠責保険を除き、契約を締結する相手方等を自由に選ぶことのできる「契約自由の原則」が該当する。したがって、反社会的

勢力からの保険契約の申込みがあった場合には、保険契約の申込みを謝絶することが可能である。なお、その際、申込みを承諾しない理由を相手方に示す法的義務はないことから、申込みを承諾できない旨の結論のみを示す、あるいは「諸般の事情により」や「総合的な判断の結果」などといった簡単な理由を付すことで回答することが考えられる。

4 　第一東京弁護士会民事介入暴力対策委員会編『保険業界の暴排条項対応』（金融財政事情研究会、平成24年）48～52頁「保険契約申込みの謝絶の可否」参照。

II　保険契約の関係者の変更

Q54　保険契約の締結後に保険契約の関係者が変更する場合としては、どのような場合があるか。

　保険契約者変更、保険金受取人の変更がある。また、生命保険契約ないし傷害疾病定額保険契約の被保険者は、一定の事由がある場合には、保険契約者に対し、契約解除を請求することができる。

━━━━━━━━━━━━━ 解　説 ━━━━━━━━━━━━━

1　保険契約者の変更

　生命保険の保険約款では、「保険契約者またはその承継人は、被保険者の同意および生命保険会社の承諾を得て、生命保険契約上のいっさいの権利義務を第三者に承継させることができる」といった旨が一般的に規定されている。

　保険契約者の変更の法的性質は、契約上の地位の移転であると解されることから、保険会社は、保険契約者の変更の承諾をする義務はないと解されている[5]。

2　保険金受取人の変更
(1)　保険金受取人の変更に関する通則（保険法43条、72条）

　保険契約者は、保険事故が発生するまでは、保険金受取人を変更することができる。もっとも、死亡保険契約の保険金受取人の変更は、被保険者の同

---

[5]　この点、裁判例は、生命保険契約の買取りに際しての保険契約者変更につき、生命保険会社の承諾義務を否定した。すなわち、保険契約者の地位の譲渡についての同意は、原則として拒否できるものであり、その形式的理由は契約の性質から導かれるものであるが、一般的に保険契約者の地位が売買取引の対象となることによる不正の危険の増大や社会一般の生命保険制度に対する信頼のき損が実質的理由として存在することなどを付言した（東京高判平18．3．22金融商事判例1240号6頁）。

第5章　保険契約の締結・保全に関するコンプライアンス　309

意がなければ、その効力を生じない。

　保険金受取人の変更は、保険会社に対する意思表示によって行う。この意思表示は、その通知が保険会社に到達したときは、当該通知を発した時にさかのぼってその効力を生ずるが、その到達前に行われた保険給付の効力は妨げられない。

(2) **遺言による保険金受取人の変更**（保険法44条、73条）

　保険金受取人の変更は、遺言によってもすることができる。遺言による保険金受取人の変更は、その遺言が効力を生じた後、保険契約者の相続人がその旨を保険会社に通知しなければ、遺言の効力を保険会社に対抗することができない。

(3) **保険事故発生前に保険金受取人が死亡した場合**（保険法46条、75条）

　保険金受取人が保険事故の発生前に死亡したときは、その法定相続人が保険金受取人となる。この点、保険金請求権の取得割合に関する民法の特則は保険法に設けられていないため、個々の契約約款および民法の規定に従うこととなる（特にこの点を定める約款規定がない場合には、各保険金受取人の権利の割合は、民法427条に基づき平等の割合となる。最判平５.９.７民集47巻7号4740頁参照）。

3　被保険者による解除請求（保険法58条、87条）

　生命保険契約および傷害疾病定額保険契約においては、他人を被保険者とする保険契約の被保険者は、次に掲げるときは、保険契約者に対し、当該保険契約を解除することを請求することができる。

① 　被保険者（被保険者の死亡に基づく保険金にあっては、被保険者またはその相続人）が保険金受取人である場合（傷害疾病定額保険契約の場合のみ）
② 　重大事由解除事由があるとき
③ 　保険契約者と被保険者との間の親族関係の終了その他の事情により、被保険者が被保険者同意をするにあたって基礎とした事情が著しく変更したとき

III 保険契約の内容照会

Q55 保険会社が、保険契約者以外の者から保険契約の内容照会を受ける場合には、どのような場合があるか。

A 保険契約者本人以外の家族等からの照会、弁護士法23条に基づく弁護士会からの照会、捜査当局からの照会、裁判所からの照会、税務当局からの照会等がある。

=== 解　説 ===

1　保険契約者本人以外の者（家族等）からの契約情報の照会

あくまで保険会社が保険契約を締結しているのは、保険契約者であり、個人情報の利用同意も、あくまで保険契約者から受けているものである。したがって、仮に保険契約者と近い家族であったとしても、保険契約者本人以外の者に対しては、当該加入保険契約の有無またはその内容について、原則として開示すべきではない。

たとえば、保険会社の諸手続の案内、保険契約者からの照会に対する回答については、保険契約者の家族に伝言を頼むことは無論、留守番電話に吹き込むなどということも行うべきではない。保険契約者の家族等、第三者からの照会に応ずる場合には、保険契約者からの委任状の提出等により、保険契約者の意思を確認したうえで応ずるべきである。

2　弁護士会からの照会

弁護士法23条の2に基づく照会に対し回答しなかった場合でも、明文の罰則は存しない。

保険会社に対する弁護士法23条の2の照会は、保険契約の内容に関するも

のが多い。当該契約情報を開示したことによって、当該情報の主体に具体的な損害が生じたと主張され、当該情報主体より損害賠償を請求されるといった事態も考えられることから、弁護士会からの照会に対し回答するかどうかについては、その照会をしてきた主体、その照会の必要性および相当性を確認し、回答するかどうかを判断することが望ましい。

なお、弁護士会からの弁護士法23条の2に基づく照会は、個人情報保護法上、本人の同意なくして第三者提供が認められる例外の1つである「法令に基づく場合」（同法23条1項1号、弁護士法23条の2）と考えられるため、開示したことにより個人情報保護法上違法な第三者提供に当たると判断されることはないと解される。

3　捜査当局からの照会

捜査機関が行う、刑事訴訟法197条2項に基づく捜査関係事項照会書による照会は、任意捜査であって、保険会社は照会に対し回答する義務は本来存在しない。しかし、上記照会は、公益のための調査であり、個人情報保護法上も、本人の同意なくして第三者提供が認められる例外の1つである「法令に基づく場合」（同法23条1項1号）として、刑事訴訟法197条2項による捜査関係事項照会を受けてこれに回答することが含まれると解されている。したがって、上記捜査関係事項照会書に対する回答をもって、守秘義務違反に問われるおそれはないと解されている。

なお、滅多にあるものではないが、裁判官の発する令状に基づく捜索・差押えは強制捜査であるから、これらの捜査を拒否することはできない（刑事訴訟法218条）。

4　裁判所による文書提出命令

文書提出命令の申立てを認める決定（民事訴訟法223条）は、これに従わない場合には過料の制裁が科せられる（同法225条）。したがって、同決定に対して提出に応じたとしても守秘義務違反を問われるおそれはないと解されて

いる。

　もっとも、保険会社の契約引受けに関する決裁の書面等、「専ら文書の所持者の利用に供するための文書」（民事訴訟法220条4号ニ）に該当すると判断できるものについては、第三者であれば必ず行われる審尋（同法223条2項）の際に、上記の旨を裁判官に述べて、インカメラ手続（同法224条6項）を申し立てて裁判所に確認してもらうなどし、文書提出命令の決定を行わないよう主張することが考えられるだろう。

5　生命保険協会の生命保険契約照会制度

　生命保険協会は、平時の死亡、認知判断能力の低下、または災害時の死亡もしくは行方不明によって生命保険契約に関する手掛かりを失い、保険金等の請求を行うことが困難な場合等において、生命保険契約の有無の照会に対する回答を行っている。

　生命保険協会は、照会者から提供された情報を生命保険協会加盟会社全社に連絡し、照会者から指定された照会対象者が保険契約者または被保険者となっている生命保険契約の有無について調査依頼を行う。加盟会社による調査結果（生命保険契約の有無に限る）は、生命保険協会にて取りまとめ、照会者宛てに回答される。

6　税務当局からの照会

　税務職員による適法な質問検査権の行使に対しては、納税者は、受忍義務を負うところ、この受忍義務は、質問検査権の行使に対する真実応答義務という積極的内容を含むものと解されている。質問検査の必要があり、かつ、これと相手方の私的利益との衡量において社会通念上相当な限度にとどまる限り、権限ある税務職員の合理的な選択に委ねられているとされ（最決昭48.7.10金融法務事情698号24頁）、いわゆる反対調査も違法とはいえないとされている。したがって、税務当局による正当な調査であることを確認したうえで、調査対象となっている契約内容については回答すべきである。

もっとも、調査対象先の業務の都合等、正当な事由があれば、調査の延期等を申し入れても検査の拒否・妨害・忌避行為には該当しないため、その旨を税務署の職員に申し入れるなどの方法をとるべきである。

Ⅳ 保険契約の失効・復活および休止

Q56 保険契約の保険保護を再開する制度として、どのような制度があるか。

保険契約の保険保護を再開する制度として、損害保険には「休止」[6]状態の解消が、生命保険には「復活」がある。

―― 解　説 ――

1　損害保険会社における保険の「休止」

損害保険の分割払特約において、保険契約者が保険料を払わない状態が続いた場合につき、「支払期日から1カ月の経過により支払期日に遡って保険会社が免責になる」「保険会社は、保険契約を支払期日に遡って解除することができる」といった約款規定が置かれている場合がある。もっとも、保険会社がこの解除権を行使しない場合には、保険契約は終了せず、保険料不払いにより保険が休止状態となっているものと理解されている。

保険契約者は、保険料支払を再開することにより休止状態を解消することができ、保険会社は、支払後に発生した保険事故について保険金支払義務を負うとされる[7]。

2　生命保険契約の「復活」
(1) 失効・復活とは何か

生命保険においては、保険料が所定の期日までに支払われないとき、保険契約が失効するとされている。もっとも、生命保険会社は、保険料の払込み

6　山下友信『保険法』（有斐閣、平成17年）350～352頁。
7　以上、山下・前掲書350～351頁、最判平9.10.17金融法務事情1506号56頁参照。

に猶予期間を設けたり、保険料の自動振替貸付を行ったりして、なるべく失効しないように制度上の手当てを行っている。加えて、保険契約が失効してしまった場合であっても、失効の日から一定期間は、所定の手続により保険契約を復活させる（有効な状態に戻して継続させる）ことができる制度を設けている。

(2) 復活に必要な要件

保険約款上、次の事項が復活の要件とされている場合が多い。

① 保険契約の失効後、所定の期間内であること
② 保険会社所定の復活承認請求書の提出
③ 復活時を基準時とする被保険者に関する告知書の提出
④ 保険会社の承諾
⑤ 保険契約者による、保険料期間がすでに到来している延滞保険料[8]の支払

(3) 責任開始期

復活承認請求に対し保険会社が承認した場合には、保険会社は、延滞保険料を保険会社が受け取った時か、復活の際の被保険者に関する告知の時のいずれか遅い時から、保険契約上の責任を負うものとされている。つまり、保険会社は、失効期間中は保険契約上の責任を負わない。

(4) 注意点

復活は、損害保険における休止の解消とは異なり、いったん消滅した保険契約の効力を再び発生させるものであることから、上記のとおり、再度の告知と、保険会社による承諾が要件とされていることが通常である。つまり、被保険者の健康状態等によって復活を認めない等、保険会社は、復活を承諾するか否かの自由な判断を留保しているのである。

したがって、募集人としては、保険契約を有効な状態に戻すことを希望している契約者等に対し、新契約の募集時同様、告知の取扱いに関し不適切な

---

[8] 延滞保険料元本に加え、遅延利息の支払も復活の要件とする保険会社がある。

行為を行ってはならないことはもちろんのこと、安易に復活が可能であることを述べてはならない。

3　失効に関する裁判例

　東京高判平21.9.30は、保険料を払込期月の翌月末日までに支払わないときは、保険契約が同日の経過により当然に効力を失う旨の保険約款の定めについて、消費者契約法10条により無効になると判示した。これに対し、上告審の最判平24.3.16は、「多数の保険契約者を対象とするという保険契約の特質をも踏まえると、本件約款において、保険契約者が保険料の不払をした場合にも、その権利保護を図るために一定の配慮をした（中略）のような定めが置かれていることに加え、上告人において上記のような運用を確実にした上で本件約款を適用していることが認められるのであれば、本件失効条項は信義則に反して消費者の利益を一方的に害するものに当たらないものと解される」と判示して、東京高裁に審理を差し戻した。差戻審である東京高判平24.10.25は、「本件各保険契約締結当時、同契約の中で保険契約者が保険料の支払を怠った場合についてその権利保護のために配慮がされている上、保険料の払込みの督促を行う態勢が整えられており、かつ、その実務上の運用が確実にされていたとみることができるから、本件失効条項が信義則に反して消費者の利益を一方的に奪うものとして消費者契約法10条後段により無効であるとすることはできない」と判示した。

　保険会社としては、保険料の口座振替ができないまま払込期月が経過した場合の払込督促その他の実務対応に漏れがないように留意することが必要である。

V 保険契約者による保険契約の解約

 保険契約者による保険契約の解約は、どのような要件を具備すれば認められるか。また、解約に関して留意すべき点は何か。

A 保険契約者による一方的な意思表示で効力が発生し、保険会社、被保険者、保険金受取人らの承諾は不要である。

━━━━━━━━━━━━━ 解　説 ━━━━━━━━━━━━━

1 「解約」の法的性質

保険契約においては、保険契約者はいつでも保険契約を解除することができる旨の任意解除権が保障されており[9]（保険法27条、54条、83条）、契約の相手方である保険会社の承諾を要せず、保険契約者による解約の一方的意思表示が保険会社に到達したことによって解約の効力が生ずるものとしている。この意味で、保険契約者は、形成権としての解約権を有していることになる[10]。

2 解約権行使の主体

解約権を行使できる者は、原則として、保険契約者である。

もっとも、解約権は一身専属的権利ではないため、正当な法的根拠[11]があれば、保険契約者以外の者が保険契約者にかわって解約権を行使することができる。

9　生命保険会社の約款では、「保険契約者は、将来に向かって保険契約を解除することができる」といった規定が設けられている。
10　山下・前掲書657頁。

また、保険契約者本人が第三者に代理権を授与すれば、当該第三者が本人を代理して解約権を行使することができる。

　なお、権利者ないし権限ある代理人でない者において解約（および解約返戻金請求権の行使）の意思表示を行ってきた場合に、これを安易に認めて解約や解約返戻金支払の手続処理を進めることのないよう、保険会社としては、解約返戻金請求書・委任状に押印された印影と届出印との照合や、犯罪収益移転防止法に基づく本人確認等、保険会社において権利者と誤信したことについて過失がないといえるだけの確認業務を行っておくことが必要である。

3　解約新規の際の説明

　すでに成立している保険契約を消滅させて新たな保険契約の申込みをさせる場合には、募集人は、保険契約者に対し、不利益な事実を告げてかつこれを了知してもらったことを十分確認する必要がある（法300条1項4号、監督指針Ⅱ-4-2-2(7)、Q30参照）。

4　解約返戻金の説明

　保険約款では、保険契約が解約されたときには、解約返戻金を支払うとしている場合がある。しかし、すでに払い込まれた保険料の総額が解約返戻金額として支払われるわけではなく、通常は既払保険料よりも少なく、解約返戻金がない保険もある。そのため、解約返戻金の有無等については、法294条1項の情報提供義務に基づき、保険契約、保険募集または加入勧奨に関して、「契約概要」「注意喚起情報」で顧客に対して情報提供しなければならないことになっている（監督指針Ⅱ-4-2-2(2)②ア(コ)、同イ(キ)、Q12参照）。

11　無資力の保険契約者の債権者が債権者代位権に基づいて保険契約者に代位して解約権とともに解約返戻金請求権を行使する場合、解約返戻金を差し押えた保険契約者の債権者が民事執行法に基づいて解約権を行使する場合、解約返戻金請求権に基づき付与される取立権限に基づいて解約権を行使する場合、解約返戻金請求権に質権が設定された場合において質権者が質権設定契約に基づいて付与される解約権に基づいて解約権を行使する場合。山下・前掲書657頁。

VI 保険契約のクーリング・オフ

Q58 保険契約のクーリング・オフ制度とは何か。

　クーリング・オフ制度とは、訪問販売等の契約について、購入から一定期間内は、無効・取消しの事由がなくても、無条件に保険契約の申込みの撤回または解除を行いうる制度をいう。なお、法定されている所定の場合には、保険申込者はクーリング・オフを行うことができないため、保険募集人としては保険申込者に対してその旨を注意喚起すべきである。

=== 解　説 ===

1　クーリング・オフ制度

　法309条1項において、保険会社に対して保険契約の申込みをした者または保険契約者（以下「申込者等」という）は、書面によりその保険契約の申込みの撤回または解除（以下「申込みの撤回等」という）を行うことができるとされている。保険においては、保険募集人が訪問販売するケースが多い。このような訪問販売等においては、訪問が不意打ち的であったりすることから、顧客の契約意思が不確定のままに保険契約の申込みや契約締結が行われ、事後にトラブルになるおそれがある。そこで、トラブルを回避し顧客保護を図るために、契約法上の特則として、クーリング・オフ制度が保険業法上規定されている。

2　クーリング・オフができない場合──クーリング・オフの要件

　クーリング・オフ制度の目的が、販売が不意打ち的であったりする場合における申込者等の保護にあることから、申込者等の契約意思が確定している

等の場合は、クーリング・オフの対象とならない。クーリング・オフができない場合として、以下の場合が規定されている。

① 申込書等が申込みの撤回等に関する事項を記載した書面を交付された場合に、その交付日と申込日のいずれか遅い日から起算して8日を経過したとき（法309条1項1号）
② 契約者が営業・事業のために、または営業・事業として保険契約を締結したとき（法309条1項2号）
③ 一般社団法人もしくは一般財団法人、特別の法律により設立された法人、法人でない社団もしくは財団で代表者もしくは管理人の定めのあるものまたは国もしくは地方公共団体が保険契約の申込みをしたとき（法309条1項3号）
④ 保険期間が1年以下の契約（法309条1項4号）
⑤ 当該保険に加入することが法律上義務づけられている場合（自賠責保険等）（法309条1項5号）
⑥ 申込者等が、保険業者[12]に対し、あらかじめ日を通知してその営業所等を訪問し、かつ、当該通知し、または訪問した際に自己の訪問が保険契約の申込みをするためのものであることを明らかにしたうえで、当該営業所等において当該保険契約の申込みをした場合（令45条1号）
⑦ 申込者等が、自ら指定した場所（保険業者の営業所等および当該申込者等の居宅を除く）において保険契約の申込みをすることを請求した場合において、当該保険契約の申込みをしたとき（令45条2号）
⑧ 申込者等が、郵便その他の規則241条で定める方法により保険契約の申込みをした場合（令45条3号、規則241条）

---

[12] 保険会社、外国保険会社（免許特定法人の引受社員も含む）、特定保険募集人または保険仲立人。令和2年改正により、金融サービス仲介業者（保険媒介業務を行う者に限る）も含まれる（令和3年11月1日施行）。

⑨　申込者等が、保険契約に係る保険料またはこれに相当する金銭の払込みを保険業者の預貯金の口座への振込みによって行った場合（当該保険契約の相手方である保険業者もしくは当該保険契約に係る保険募集を行った保険業者またはこれらの役員もしくは使用人に依頼して行った場合を除く）（令45条4号）

⑩　申込者等が、保険会社の指定する医師による被保険者の診査を成立の条件とする保険契約の申込みをした場合において、当該診査が終了したとき（令45条5号）

⑪　勤労者財産形成貯蓄契約、勤労者財産形成年金貯蓄契約または勤労者財産形成住宅貯蓄契約であるとき（令45条6号）

⑫　金銭消費貸借契約、賃貸借契約その他の契約に係る債務の履行を担保するための保険契約であるとき（令45条7号）

⑬　既契約の更改（保険金額その他の給付の内容または保険期間の変更に係るものに限る）もしくは更新に係るものまたは既契約の保険金額、保険期間その他の内容の変更に係るものであるとき（令45条8号）

3　特定早期解約

　変額保険契約、外貨建保険契約等のうち、上記⑥〜⑨（令45条1号〜4号）に該当するため、クーリング・オフができないものについては、クーリング・オフにかわり、「特定早期解約」ができる（規則11条3号の2）。

　特定早期解約とは、保険契約のうち、当該保険契約の成立の日またはこれに近接する日から起算して10日以上の一定の日数を経過するまでの間に限り、解約により保険契約者に払い戻される返戻金の計算に際して、契約者価額から控除する金額（いわゆる解約控除）をゼロとし、および当該保険契約にかかる費用として保険料から控除した金額を契約者価額に加算するものをいう。

　なお、保険会社は、特定早期解約を行うことができる旨の定めがある保険

契約について、当該保険契約の申込みの撤回等に係る書面が特定早期解約を行うことができる期間内に到達した場合には、当該書面を発した者に対し、特定早期解約を行うか否かの意思を確認するための措置を講じなければならない（規則53条の12、160条）。

4　クーリング・オフの説明

　クーリング・オフ制度は、法294条１項に基づき提供すべき情報の内容である「注意喚起情報」の記載項目とされており（Q12参照）、保険募集時において十分説明しなければならない事項である。

　加えて、上記⑥～⑪および⑬の場合（営業所等における保険契約の申込みなど）については別途説明が必要となる場合がある。この場合、法令上はクーリング・オフの対象外であるが、実務上は、多くの生命保険会社がクーリング・オフに応じている。しかしながら、その場合でも、変額保険などの保険料の払込み後直ちに運用が開始される商品については、一般的にクーリング・オフの適用に応じていない場合が多い。そこで、こうした保険会社による自主的運用について保険契約者が誤信するのを防止するため、一時払いの保険契約の締結の代理または媒介を行う際に、その保険契約の申込みの撤回等を行うことができない旨、顧客に対して書面により説明し、その受領を確認する署名または押印を得ることが義務づけられている（規則234条１項６号）。

5　クーリング・オフの方法

　申込者等は、必ず書面により申込みの撤回等を行わなければならない（口頭は不可）。具体的には、郵便にて申込みの撤回をすることになろう。なお、令和３年の改正により電磁的記録による申込みの撤回等が認められた（令和４年５月19日までに施行予定）。クーリング・オフ期間（８日間）の経過の有無を判定する際のクーリング・オフの申出日は、当該郵便（はがきなど）の消印をもって判定される。

6　クーリング・オフの効力

　保険契約の申込みの撤回等の効力は、申込者等が申込みの撤回等に係る書面を発した時に、その効力を生ずる（法309条4項）。

　クーリング・オフの申出があった場合には、保険会社は、申込者等に対し、その申込みの撤回等に伴う損害賠償または違約金その他の金銭の支払を請求することは認められず、当該保険契約に関連して金銭を受領しているときは、すみやかに、これを返還しなければならない（法309条5項・6項）。ただし、保険契約が解除された場合についてすでに受領した保険料のうち解除の日までを日割り計算した額を限度として、返還しないこと等ができるとされている（同条5項・6項、規則242条）。もっとも、実務上は全額返還することが通常である。

　なお、クーリング・オフの申出の当時、すでに保険金の支払の事由が生じている場合については、保険契約者保護の観点から、当該申込みの撤回等の効力は生じないこととされる（法309条9項）。もっとも、クーリング・オフの申出の当時、すでに保険金の支払事由の生じたことを知っている場合には、クーリング・オフの申出は有効となる（同項）。

第6章

保険金等の支払に関する
コンプライアンス

Ⅰ 保険金支払管理態勢――不適切な不払いと付随的な保険金の支払漏れを受けて

Q59 保険金等の「不適切な不払い」や付随的な保険金等の「支払漏れ」とは何か。また、付随的な保険金等の支払漏れを大量に発生させた原因は何だったのか。その再発防止策として、保険会社はどのような対策を実施したか。

A 　保険金等の「不適切な不払い」とは、保険金等の支払事由の適用を、事業方法書・普通保険約款で定められたとおりに行っていなかったものをいう。

　付随的な保険金等の「支払漏れ」とは、保険事故が発生し主たる保険金の支払は行われているにもかかわらず、付随的な保険金等について契約者から請求がなかったため、本来支払われていなければならないものを支払っていなかったことをいう。

　支払漏れの原因としては、①商品開発時の社内連携の問題、②顧客に対する商品内容・請求方法の周知徹底不足、支払部門の体制構築の問題、システム、点検・内部監査の問題等があげられている。

　各保険会社は、これらの原因分析をふまえ、支払漏れの再発防止策として、①商品開発時の担当横断的な体制の構築、②支払事務に係る手続・書式等の見直し、③研修等の実施、④システム対応、⑤診断書の標準化・電子化（生命保険）、⑥事後点検の項目追加・定期化等、諸方策の実施に取り組んでいる。

=========================== 解　説 ===========================

1　保険金の不適切な不払い

　「不適切な不払い」とは、保険金等の支払事由の適用を、事業方法書・普

通保険約款で定められたとおりに行っていなかったものをいう。事業方法書や普通保険約款に定めた事項のうち特に重要なものに違反するものと認められる場合、法133条1号に該当するとして、業務停止命令の対象となる場合がある。

　金融庁に、「不適切な不払い」として公表されている例として、以下のものがある。

① 生命保険募集人の募集時の説明状況、告知義務違反の内容などを十分考慮せずに詐欺・錯誤を広く適用し、本来支払うべき死亡保険金を支払っていなかった事例（平成17年2月25日・明治安田生命、Q67参照）
　(ⅰ) 確定診断・病名告知がないことにより被保険者に病気の認識がないなど、被保険者に欺罔の意思を認めることが困難なもの
　(ⅱ) 告知義務違反のあった事実（被保険者の職業について他社の生命保険募集人であることを秘匿したこと）が、重要事項の告知義務違反とはいえず、詐欺を問うことが困難なもの
　(ⅲ) 商品特性（一時払養老保険などの貯蓄性商品）をふまえれば、被保険者に欺罔の意思を認めることが困難なもの
② 保険責任開始以前の発病（以下「始期前発病」という）について、約款上は医師の診断により始期前発病が認定された場合に免責が適用されることとなっているが、保険会社社員が医師の診断に基づかずに自ら判定を行う等、免責が不適切に適用された事例（平成18年6月21日・三井住友海上火災、Q67参照）
③ 被保険者等の故意または重過失責任に該当しないにもかかわらず告知義務違反による契約解除を行ったり、保険会社側からの契約解除ができる期間である除斥期間が経過した後に解除権を行使したりしている等、告知義務違反の認定が不適切に行われた事例（平成18年6月21日・三井住友海上火災、Q67参照）

2 付随的な保険金・給付金の「支払漏れ」

　支払漏れとは、保険事故が発生し主たる保険金の支払は行われているにもかかわらず、付随的な保険金・給付金について契約者から請求がなかった等の理由により、本来支払われていなければならないものを支払っていなかったことを指す。

　損害保険会社における平成14年4月～17年6月の支払漏れ件数は18万614件、金額は約84億300万円にのぼった[1]。生命保険会社における平成13～17年度の5年間の支払漏れは、約135万件、総額約973億円にのぼった[2]。

3 「支払漏れ」が発生した原因の分析

(1) 損害保険会社

① 商品開発時の社内連携の問題
　・商品開発部門と関連部門が商品発売・改定前に協議する際、商品内容の理解の徹底、システム対応等、支払体制の事前準備が不十分であった。
　・関連部門間の商品開発に係る協議事項や新商品の開発・販売に係るスケジュール等についてルール化がされていない。

② 顧客に対する周知の徹底の不足
　・主たる保険金に加えてどのような保険金が付随しているのかについて、商品の説明・案内を十分に行っていない。
　・主たる保険金に加えて、付随的な保険金支払の事由が生じたときに、保険金請求についての説明・案内が明確でない。

③ 支払部門における問題

---

[1] 金融庁「損害保険会社の付随的な保険金の支払漏れに係る調査結果について」（平成17年11月25日）参照。

[2] 金融庁「生命保険会社の保険金等の支払状況に係る実態把握の結果について」（平成20年7月3日）参照。なお、支払漏れ・案内漏れを防止するために、生命保険協会は、「保険金等の支払いを適切に行うための対応に関するガイドライン」「診断書様式作成にあたってのガイドライン」「保険金等の請求案内事務に関するガイドライン」「保険金等の請求案内事務に関する好取組事例集」を公表している。

- 損害額の認定や示談交渉等主たる保険金の支払に関連する事務に担当者の注意が集中し、保険契約の内容や契約者からの保険金請求の確認および案内が不十分。
- 付随的な保険金の支払漏れ防止の観点から支払部門における管理者等が行う二次的なチェック体制が不十分。
- 査定マニュアル等の内容が体系的・網羅的でない。
- 事故が発生すれば、実際に費用が生じているか否かにかかわらず、一定額の臨時費用保険金が支払われる約款内容となっていたが、典型的な損害保険金の支払と同様に、実際に臨時費用が生じていなければ、支払要件を満たさない、と誤解していた。
- 同一事故においても人身傷害、搭乗者傷害、自損事故の各保険金項目を異なる職員が担当する場合において、職員間の相互連携がなかった。また一方で、1人の担当者が付保されている全保険金項目を担当する場合であっても、示談等の事務が発生する対人賠償等を含む保険金の事故登録だけ行って、搭乗者傷害の事故登録を失念していた。

④ システムの問題
- 保険内容と事故内容が照合できるシステム、支払漏れ時にはアラームが作動するシステムなど、支払漏れをチェック・防止したり、支払を促すようなシステム対応が不十分。
- 保険金の項目によっては、システム上のチェックが行われる体制となっておらず、もっぱら人的なチェックに頼っている。

⑤ 点検・内部監査等の問題
- 付随的な保険金の支払漏れ防止の観点からの点検・監査項目が欠如。
- 点検・監査結果の経営陣への報告が不十分。
- 一部の項目の保険金で支払漏れ等が判明しても、他の項目の保険金も同様の支払漏れがないかどうかの点検を十分に行っていない。

(2) **生命保険会社**
① 経営管理（ガバナンス）態勢の不備

経営陣をはじめ会社全体として保険金等の支払漏れ等の発生を防止することの必要性の認識（特に契約者等に対して請求案内を行うことの重要性についての認識）が不十分。

② 内部監査態勢の不備

保険金等の支払漏れ等に焦点を当てた実効性のある内部監査が実施されていなかったため、保険金等の支払漏れ等が発生している事実を内部監査部門が十分に把握していなかった。

③ 保険金等支払管理態勢の不備

保険金等の支払漏れ等を未然に防止するために必要なシステムの整備、漏れなく請求案内を行う事務プロセスの整備、支払査定者間の相互チェックなど人為的ミスを排除するための態勢整備に不備がみられた。

④ 研修および教育態勢の不備

保険金等の支払事由の特性等を考慮した支払担当者等に対する研修および教育態勢が不十分であった。

⑤ 契約管理態勢の不備

保険金等の請求漏れを未然に防止するための契約者等に対する注意喚起や具体的な保険金等の請求方法についての情報提供といった契約の保全業務態勢が不十分であった。

【周知徹底例3：請求漏れが生じやすい事例】

① 1つの契約に複数の特約が付加されている場合

たとえば、特定疾病（3大疾病）保障特約と、疾病入院特約に加入していた被保険者が、がん治療のため入院した場合、両方の特約から保険金・給付金が受け取れる可能性がある。

② 被保険者は同一で、契約者が異なる複数の契約がある場合

自分が契約者・被保険者の医療保険と、自分が被保険者で家族が契約者の医療保険があり、入院した場合、両方の契約から給付金が受け取れる可能性

---

3 （公財）生命保険文化センター「保険金・給付金の請求から受取りまでの手引」（平成23年4月改訂版）11頁参照。

がある。
③　複数の生命保険会社と契約している場合

A社で医療保険に、B社でがん保険に加入していた被保険者が、がん治療のため入院した場合、A社、B社から給付金が受け取れる可能性がある。

4　再発防止策
(1)　監督指針

監督指針Ⅱ-4-4-2に、「保険金等支払管理態勢」という項目を設け、保険金等支払全般に関して、迅速かつ適切な支払管理態勢の確立のために特に重点とした事項を定めている。

主な着眼点としてあげられている項目は、以下のとおりである。

---
① 保険金等支払にかかる取締役等の認識および取締役会等の役割
② 保険金等支払管理に関与する管理者の認識および役割
③ 支払査定担当者の人材育成および査定能力の維持・向上
④ 関連部門との連携
⑤ 支払管理部門における態勢整備
⑥ 内部監査
⑦ 監査役監査

---

(2)　協会ガイドラインの遵守

上記監督指針は、以下の自主ガイドラインも引用している。
① 生命保険協会「保険金等の支払いを適切に行うための対応に関するガイドライン」（平成18年1月27日制定）
② 生命保険協会「正しい告知を受けるための対応に関するガイドライン」（平成17年6月30日制定）
③ 生命保険協会「告知義務違反に詐欺無効を適用するにあたっての留意点」（平成17年6月30日制定）

⑶ 金融庁の調査結果発表で示されている各社による改善策・再発防止策
a 損害保険会社[4]
① 商品開発時の担当横断的な体制の構築
　商品開発時における支払漏れを防止するための検討項目や関連部門との連携等を図るための商品開発の進捗管理ルール等を規定する。
② 支払事務に係る手続・書式等の見直し
　支払管理者および担当者が使う査定マニュアルや支払内容確認のチェックシートに付随的な保険金項目を新たに追加し、注意を喚起する等の見直しを行う。
③ 研修等の実施
　付随的な保険金の支払漏れ防止に関する研修を、支払部門を中心とした職員に対して実施する。
④ システム対応
　付随的な保険金の支払漏れに対する警告表示機能を追加する。
⑤ 事後点検の項目追加・定期化
　業務点検・内部監査を実施する際の検証項目に付随的な保険金の支払態勢を追加する。
⑥ その他の保険会社における取組み例
　・商品開発時の担当横断的な体制の構築については、商品開発にあたり、保険金支払実務や品質管理の観点から検討を行うために、損害サービス部門、商品開発部門、システム部門等の役員等からなる専門組織を設置する。
　・顧客に対する周知徹底を図るため、顧客と保険会社間で支払保険金の内容がチェックできるようにするため、保険金・給付金請求書の記載内容の見直しを行う。
　・知識の定着を検証する確認テストを支払部門を中心とした職員に対して

4　金融庁「損害保険会社の付随的な保険金の支払漏れに係る調査結果について」（平成17年11月25日）。

実施する。
・システム対応については、付随的な保険金の支払要否等の確認なしには支払業務が終わらない機能を導入する。
・支払漏れの可能性がある案件をリストアップし、支払漏れがないか定期的な業務点検・内部監査を実施する。

b 生命保険会社[5]

① 経営管理（ガバナンス）態勢の整備

保険金等の支払漏れ等の発生状況や原因分析等を定期的に経営陣が把握する態勢の整備等

② 内部監査態勢の整備

保険金等の支払漏れ等に焦点を当てた監査を実施するための内部監査規程等の整備等

③ 保険金等支払管理態勢の整備

保険金等の支払事案の全件について、支払部門から独立した担当者により支払漏れが発生していないかを再検証する態勢の整備、契約内容を契約者等単位で管理する名寄せシステムの充実や、漏れなく請求書類を契約者等に案内するための請求案内システムの改定等を実施するなど、各種システムの整備等

④ 研修および教育態勢の整備

保険金等の支払漏れ等の発生事例をふまえ、支払事由の特性を考慮した契約者等への十分な説明等を行うための研修および教育態勢の整備等

⑤ 契約管理態勢の整備

保険加入から保険金支払までの契約期間中において、契約内容や保険金等の請求手続に関する契約者等への情報提供の充実等

(4) 支払漏れ検証後の協会ガイドラインの強化と各社における遵守

保険会社は、支払漏れ検証後に、「保険金等の支払を適切に行うための対

---

5 金融庁「生命保険会社の保険金等の支払状態に係る実態把握の結果について」（平成20年7月3日）。

応に関するガイドライン」(生命保険協会)、「損害保険の保険金支払に関するガイドライン」「第三分野商品（疾病または介護を支払事由とする商品）に関するガイドライン」(日本損害保険協会)を定め、保険金支払にあたっての基本姿勢、適切な保険金支払のための態勢整備、事故発生から保険金の支払に至るまでの留意事項等について、自主的に策定している。また、生命保険協会は、生命保険会社各社にとっての見落とし・見間違いの防止を図る観点から、診断書様式作成にあたっての留意事項を取りまとめている（「診断書様式作成にあたってのガイドライン」）。

II 保険契約の解除と支払拒絶

Q60 保険会社より保険契約を解除し、保険金等の支払を拒絶する場合としてはどのような場合があるか。

 告知義務違反に基づく解除、危険の増加による解除、重大事由による解除等がある。

―― 解　説 ――

1　保険会社による解除

保険会社により、保険契約が解除される場合として、①告知義務違反に基づく解除、②危険の増加による解除、③重大事由による解除等がある。

2　告知義務違反に基づく解除

(1) 告知義務の趣旨と機能

「保険」という制度の本質である収支相等の原則を保持するためには危険選択を行う必要があるが、保険会社がその責任において被保険者の危険率を調査することは不可能である。そこで、保険契約においては、適切な危険選択を行うために保険契約者または被保険者に告知義務を課し、告知義務違反があった場合には保険者において解除できるという制度が設けられている。この制度は、保険者の危険選択を可能とする機能、保険契約者側のモラルハザード・逆選択から保険会社を保護するという機能、および、危険の高い契約が排除される結果、保険料の低減化・保険契約者の公平を確保するという機能等を有しているといえる。

(2) 告知義務違反の運用

告知義務違反の運用にあたっては、

① 告知義務違反に基づく解除権が発生しているか否か
② 告知義務違反に基づく解除権の行使が認められなくなる事由はないか
③ すでに発生している保険事故に関する請求につき、保険金等を支払うか否か

の3点を検討する[6]。

a　告知義務違反に基づく解除権の発生

　保険会社は、保険契約者または被保険者が、危険に関する重要な事項のうち、保険会社が告知を求めたもの（告知事項）について、故意または重大な過失により事実の告知をせず、または不実の告知をした（以下「告知義務違反」という）ときは、原則として、保険契約を解除することができる。

　告知義務違反が成立する要件は、次の3点である。
① 保険会社が告知を求めたものについて、事実と異なる回答があること
② その事実が、正当な告知があれば、同条件での引受けができなかったものであること
③ 事実と異なる回答をしたことについて、契約者または被保険者（告知義務者）に故意または重過失[7]があること

b　告知義務違反を理由として解除できない場合
① 保険会社了知（保険法28条2項1号、55条2項1号、84条2項1号）

　保険契約の締結の時において、保険会社が告知義務違反を知り、または過失によって知らなかったときは、保険会社は、保険契約を解除することができない。

---

[6] 告知義務違反解除の運用については、生命保険協会「保険金等の支払いを適切に行うための対応に関するガイドライン」（平成18年1月27日）（以下「生保協会ガイドライン」という）の12頁「(1)告知義務違反解除」、日本損害保険協会「損害保険の支払に関するガイドライン（平成18年9月21日）の「（別紙1）告知義務と支払責任」を参照されたい。

[7] この点、故意であることを立証することは困難である場合が多いため、通常は、「重大な過失」、すなわち告知義務者がわずかでも注意をすれば思い浮かべることができた重要な事実を告知しないことが認められるかどうかについて、個別具体的な事情に応じて慎重に判断することになる。

② 保険媒介者による告知妨害・不告知教唆がある場合（保険法28条2項2号・3号、55条2項2号・3号、84条2項2号・3号）

　保険者のために保険契約の締結の媒介を行うことができる者（保険者のために保険契約の締結の代理を行うことができる者を除く。以下「保険媒介者」という）が、保険契約者もしくは被保険者が告知事項の事実の告知をすることを妨げたとき、または、保険契約者または被保険者に対し、告知義務違反を行うことを勧めたときは、保険会社は、保険契約を解除することができない。ただし、これらの場合であっても、保険媒介者の行為がなかったとしても、なお保険契約者または被保険者が告知義務違反を行ったと認められる場合には、保険契約を解除することができる（保険法28条3項、55条3項、84条3項）。

③ 解除権の除斥期間（保険法28条4項、55条4項、84条4項）

　保険会社が告知義務違反による解除の原因があることを知った時から1カ月間行使しないとき、または、保険契約締結時から5年を経過したときには、告知義務違反の解除権は消滅するため、保険会社は、保険契約を解除することができない。

c　告知義務違反に基づく解除が認められる場合に、すでに発生している保険事故に関する請求につき、保険金等の支払義務を負うか否か

　保険会社は、告知義務違反により保険契約の解除をした場合には、解除がされた時までに発生した保険事故による損害をてん補する責任（損害保険契約）ないし解除がされた時までに発生した保険事故に関し保険給付を行う責任（生命保険契約・傷害疾病定額保険契約）を負わない。ただし、告知義務者に告知義務違反があったとしても、告知すべき事実と発生した保険事故との間に因果関係がない場合には、保険会社は保険金等の支払を免れることはできない（保険法31条2項1号、59条2項1号、88条2項1号）。

3 危険の増加による解除(保険法29条、56条、85条)

(1) 危険の増加による解除

保険契約の締結後に、危険増加(告知事項についての危険が高くなり、保険契約で定められている保険料が当該危険を計算の基礎として算出される保険料に不足する状態になること)が生じた場合において、保険料を当該危険増加に対応した額に変更するとしたならば当該保険契約を継続することができるときであっても、保険会社は、次に掲げる要件のいずれにも該当する場合には、当該保険契約を解除することができる。

① 危険増加に係る告知事項について、その内容に変更が生じたときは保険契約者または被保険者が保険会社にその旨の通知をすべき旨が、当該保険契約で定められていること

② 保険契約者または被保険者が、故意または重大な過失により、遅滞なく①の通知をしなかったこと

(2) 解除権の除斥期間

危険増加による解除も、告知義務違反に基づく解除と同様、以下のとおり、解除権の除斥期間がある。

① 保険会社が危険の増加による解除の原因があることを知った時から1カ月間行使しないとき

② 保険契約締結時から5年を経過したとき

(3) 危険の増加に基づく解除が認められる場合に、すでに発生している保険事故に関する請求につき、保険金等の支払義務を負うか否か

告知義務違反の規律と同様、保険会社は、危険の増加により保険契約を解除した場合には、解除された時までに発生した保険事故による損害をてん補する責任(損害保険契約)ないし保険給付を行う責任(生命保険契約・傷害疾病定額保険契約)を負わないが、危険の増加に基づかずに発生した保険事故については、保険会社は責任を負う。つまり、危険増加と発生した保険事故との間に因果関係がない場合には、保険会社は保険金等の支払を免れることはできない。

4　重大事由解除（保険法30条、57条、86条）

保険契約に関し、次のいずれかの事由（以下「重大事由」という）が生じた場合には、保険会社は、保険契約を解除することができる。

> ①　保険契約者等が、保険者に保険給付を行わせることを目的として、損害や保険事故[8]などを生じさせ、または生じさせようとした場合（保険法30条1号、57条1号、86条1号）
> ②　被保険者[9]または保険金受取人[10]が、当該保険契約に基づく保険給付の請求について詐欺を行い、または行おうとした場合（保険法30条2号、57条2号、86条2号）
> ③　上記①や②のほか、保険者の保険契約者等に対する信頼を損ない、保険契約の存続を困難とする重大な事由（保険法30条3号、57条3号、86条3号）

重大事由による解除がされた場合には、解除の効力は将来に向かってのみ生じるが、上記①～③の事由が生じた時から解除がされた時までに発生した支払事由については、保険者は保険金を支払う必要がない。

なお、上記の保険法の規定は片面的強行規定であり、保険法の規定よりも保険契約者等に不利な内容の約款の定めは無効となる（保険法33条1項、65条2号、94条2号）。

---

[8]　損害保険契約においては「損害」、生命保険契約においては「保険事故」、傷害疾病定額保険契約においては「給付事由」である。
[9]　生命保険契約および傷害疾病定額保険契約においては、「被保険者」は含まれない。
[10]　損害保険契約においては、「保険金受取人」は含まれない。

III 反社会的勢力を理由とする解除と支払拒絶

Q61 保険契約者、被保険者または保険金受取人について反社会的勢力であることが判明した場合、それを理由に保険契約を解除し、支払を拒絶することができるか。

A 保険契約者、被保険者または保険金受取人のいずれかが反社会的勢力であることが判明した場合、保険契約を解除できる旨の規定（暴力団排除条項。いわゆる暴排条項）がある場合、同規定に基づき、保険契約を解除し、支払を拒絶することができる。約款に同規定がない保険契約については、保険法の法理により解除または支払拒絶の可否を検討することになる。

=== 解　説 ===

1　暴力団排除条項導入の経緯

　平成19年6月19日に策定された、いわゆる政府指針（犯罪対策閣僚会議幹事会申合せ「企業が反社会的勢力による被害を防止するための指針」）を受けて、金融庁は、監督指針に「反社会的勢力からの被害の防止」（監督指針II-4-9）と題する節を新設する等して、保険会社に対し、反社会的勢力との関係遮断に向けた態勢整備を求めている（Q74参照）。今日、保険会社においては、たとえ保険契約の成立後であっても、保険契約者、被保険者または保険金受取人（以下、本設問において「保険契約者等」という）が反社会的勢力であることが判明した場合には、速やかに保険契約の解除を図るなど、反社会的勢力への利益供与にならないよう配意しなければならず（監督指針II-4-9-2(5)、(6)③④等）、反社会的勢力との関係性が疑われるにもかかわらず、保険金等の支払を漫然と行うことがあってはならない[11]。

　こうした背景をふまえ、保険業界では、保険契約者等のいずれかが反社会

的勢力であることが判明した場合、保険契約を将来に向かって解除できる旨の規定（暴力団排除条項。以下、本設問では「暴排条項」という）の約款への導入について検討が重ねられ、平成24年1月には生命保険協会から、平成25年7月には日本損害保険協会から、それぞれ「反社会的勢力への対応に関する保険約款の規定例」と題する暴排条項のモデル規定が公表され、順次、保険会社各社の約款においてこれと同趣旨の暴排条項が取り入れられている[12]。

2　約款に暴排条項のある保険契約の解除

約款に暴排条項のある保険契約に関し、保険契約者、被保険者または保険金受取人について反社会的勢力であることが判明した場合、暴排条項に基づき解除することが可能である。

3　約款に暴排条項のない保険契約の解除

暴排条項が約款に導入されるより前に締結された保険契約など暴排条項のない保険契約については、同条項に基づく解除ができない。そのような場合は、他の約款規定、たとえば、重大事由解除の規定（保険法30条、57条、86条）に基づく保険契約の解除を検討することが考えられる[13、14]。

11　監督指針においても、支払管理部門における態勢整備として、次の措置が求められている（監督指針Ⅱ-4-4-2(2)⑤オ）。
「反社会的勢力などからの不当な請求等に対しては、ゆるぎない対応に遺漏ないようにしているか。また、「契約内容登録制度」「契約内容照会制度」「支払査定時照会制度」や「不正請求等防止制度」等の適切な共同利用などにより、契約審査及び支払審査態勢の強化を図っているか。」
12　保険法上、反社会的勢力という属性を重大事由とする明文がないことから、暴排条項が、保険契約者等に不利な特約を無効とする片面的強行規定（保険法33条1項、65条2号、94条2号）に抵触しないかが一応論点となるが、有効と解してさしつかえない。その理論的根拠については、第一東京弁護士会民事介入暴力対策委員会編『保険業界の暴排条項対応』（金融財政事情研究会、平成24年）92～93頁、山本啓太「共済契約者が暴力団員であることを理由とする共済金支払拒否の可否」法律のひろば第69巻第1号68頁（2016年1月号）等。
13　重大事由解除の規定は、保険法施行前に締結された保険契約にも当然に遡及適用されるが（保険法附則3条1項、4条1項、5条1項）、実務的には、保険契約者等の言動等も考慮し、より慎重な判断が求められる。なお、反対説として、前掲・山本68頁。

4 暴排条項に基づく解除をした場合の保険金等の支払拒絶の可否

(1) 生命保険・傷害疾病定額保険の場合

　生命保険協会の暴排条項のモデル規定によれば、保険会社は、反社会的勢力という属性に該当した時（事由発生時）以後に生じた支払事由による保険金等について免責される。したがって、当該規定により免責の対象となる保険金等について、保険会社は支払を拒絶できる。

　ただし、反社会的勢力に該当するのが複数の保険金受取人の一部のみであった場合、解除によって、反社会的勢力でない他の保険金受取人に不利益を与えるのは妥当でないとの配慮から、同モデル規定では、この場合の免責の範囲が、保険金のうち、反社会的勢力に該当する保険金受取人に支払われるべき部分に限定されている。したがって、この規定例によれば、反社会的勢力でない他の保険金受取人に対しては、保険金が支払われることになる。

(2) 損害保険・傷害疾病損害保険の場合

　日本損害保険協会の暴排条項のモデル規定によれば、反社会的勢力という属性に該当した時（事由発生時）以後に発生した保険事故について保険会社の免責を規定する点、および傷害保険において反社会的勢力に該当する者が保険金を受け取るべき者の一部であった場合の免責の範囲が当該該当者の受け取るべき保険金額に限定されている点は、生命保険や傷害疾病定額保険と同様である。したがって、当該規定により免責の対象となる保険金について、保険会社は支払を拒絶できる。

　ただし、同モデル規定では、被害者救済の観点から、自動車保険の賠償責任条項や車両条項等、賠償責任保険、火災保険および傷害保険における、反社会的勢力に該当しない被保険者が被った損害に係る保険金について免責の対象から除かれている。したがって、この規定例によれば、解除前に発生した事故による損害または傷害のうち、反社会的勢力に該当しない被保険者が被ったものについては、保険金が支払われることとなる。

14　重大事由解除の要件や効果等については、Q57を参照。

Ⅳ 詐欺取消による支払拒絶

Q62 保険会社が詐欺により保険金等の支払を拒絶する場合として、どのような場合があるか。

A 身替り診査、現に入院中であることの不告知、重篤な現症・既往症の不告知など、保険金等の不正取得を企図した悪質な告知義務違反の場合が考えられる。

━━━━━━━━━━ 解　説 ━━━━━━━━━━

1　詐欺取消

　民法上、詐欺による意思表示は取り消すことができるとされ（同法96条）、詐欺の相手方当事者が当時の意思表示を取り消す旨の意思表示を行ってはじめて契約が当初から無効であったとみなされる（同法121条）。

　この点、保険契約者または被保険者の詐欺によって締結・復活等が行われた保険契約については、保険法施行前の保険約款では、特段の意思表示を要せず、初めから保険契約が無効となるものとされていたが、保険法においては、民法上の詐欺取消によって処理することが前提とされている（保険法32条1号、64条1号、93条1号参照）。

　もっとも、保険法においても、保険契約者、被保険者または保険金受取人の詐欺または強迫を理由として保険契約に係る意思表示を取り消した場合等には、取消しの意思表示により契約はさかのぼって無効となるものの、保険会社は、保険料を返還する義務を負わない（つまり不当利得返還義務を負わない）（保険法32条1号、64条1号、93条1号）ため、実質的には、保険法施行前と施行後において、特段の差異はないものと考えられる。身替り診査、現に入院中であることの不告知、重篤な現症・既往症の不告知など、従来詐欺無

第6章　保険金等の支払に関するコンプライアンス　343

効の適用が考えられた、保険金等の不正取得を企図した悪質な告知義務違反事案については、詐欺取消によって処理されることが検討されることとなるだろう。

2　認定上の注意点と行政処分事例

なお、欺罔の意思その他の詐欺取消の要件に該当するか否かの認定にあたっては慎重を期すべきであることはいうまでもない[15]。保険募集人の募集時の説明状況、告知義務違反の内容などを十分考慮せず、以下のような事例についてまで詐欺・錯誤を広く適用し、本来支払うべき保険金を支払っていなかったとして行政処分が行われている例があることに留意すべきである（平成17年2月25日・明治安田生命、Q67参照）。

---

① 確定診断・病名告知がないことにより被保険者に病気の認識がないなど、被保険者に欺罔の意思を認めることが困難なもの
② 不告知のあった事実（被保険者の職業について他社の生命保険募集人であることを秘匿したこと）が、重要事項の告知義務違反とはいえず、詐欺を問うことが困難なもの
③ 保険募集人が被保険者に不告知を勧めているなど、不適切な募集行為が認められるもの
④ 商品特性等をふまえれば、被保険者に欺罔の意思を認めることが困難なもの

---

[15] 生命保険協会は、「告知義務違反に詐欺取消規定を適用するにあたっての留意点」と題したガイドライン（非公表）を策定している。

V 直接支払サービス

Q63 保険会社が、いわゆる直接支払サービスを行う際、注意しなければならない点は何か。

A 保険募集等を行うに際して、保険金を受け取るべき者の選択により直接支払サービスが受けられる旨を表示し、かつ、提携事業者が提供する商品等の内容・水準を説明する場合には、保険会社は、適切な提携事業者を提示するための体制の整備その他の必要な措置を講じなければならない。また、この場合、保険会社や保険募集人等は、保険契約者等に対し、所要の事項について書面による説明および当該書面の交付が義務づけられる。

――――― 解　説 ―――――

1　直接支払サービスとは

保険金を受け取るべき者が当該保険契約に係る保険金の全部または一部を対価として保険会社が提携する事業者（以下「提携事業者」という）が取り扱う権利または役務（以下「商品等」という）を購入しまたは提供を受けることとした場合に、当該保険会社が当該商品等の対価の全部または一部として当該保険金を受け取るべき者にかわり当該保険金の全部または一部を提携事業者に支払うことを、直接支払サービスという（規則53条の12の2）。

2　直接支払サービスが明文化された背景

近年における少子高齢化の急速な進展に伴い、被保険者が要介護状態になった場合や死亡後の直接的な備えとして、保険金を受け取るよりも、信頼できる業者から介護や葬儀などの財・サービスの給付を受けたいとのニーズがある。ところが、生命保険契約および傷害疾病定額保険契約においては、

法令上、「一定額の保険金を支払うこと」を約する保険とされているため（法3条4項1号・2号）、このような特定の財・サービスの提供といった、いわゆる現物給付を行うことは認められない[16]。

しかし、現物給付によらずとも、直接支払サービスによれば、保険金を受け取るべき者は、提携業者の紹介を受けてより簡便な手続によって当該提携業者からの財・サービスの提供やその対価の支払をすます機会が得られるなど、上記のニーズに一定程度応えることができるものと考えられる。また、こうした態様のサービスであれば、保険会社が特定の財・サービスを提供するものではないため、もともと、法令上も禁止されるものではない。

そこで、顧客サービスの充実を期して、平成27年規則改正により、直接支払サービスが適法であることが明確化されるとともに、以下に述べるとおり、提携事業者が提供する財・サービスの内容等に対する顧客の期待を保護する必要のある一定の場合に、所要の体制整備（後記3(1)）や書面による情報提供（後記3(2)）が義務づけられた。

なお、単に、保険事故発生後に、顧客からの指図に基づき顧客以外の第三者に保険金を支払う場合（通常の指図払い）であれば、財・サービスの質に対する顧客の期待という問題は生じないことから、当該規制の対象外である[17]。

3　留意点（直接支払サービスに特有の規制の適用場面と規制内容）

保険会社または保険募集人は、保険募集等[18]に際して、保険契約者または被保険者に対し、当該保険契約に係る保険事故が発生したときにおいて、
① 保険金を受け取るべき者の選択により、保険金の支払または直接支払

16　他方、損害保険契約および定額給付型以外の第三分野の保険契約については、法律上、損害をてん補するために現物給付を行うことも認められる（法3条4項2号、同条5項）。
17　平成25年保険WG報告書6頁・脚注13、平成27年パブコメ443番参照。
18　ここでは、保険契約の締結、保険募集または自らが締結したもしくは保険募集を行った団体保険に係る保険契約に加入することを勧誘する行為その他の当該保険契約に加入させるための行為をいう。

サービスを受けることができる旨

および、

② 当該商品等の内容または水準

について説明[19]を行う場合（ただし、当該説明に係る当該商品等の内容または水準が保険契約の締結に係る判断に重要な影響を及ぼす場合[20]に限られる）は、以下に述べる体制整備および情報提供を行う必要がある。

このような場合、保険会社の紹介に係る提携事業者が提供する財・サービスへの期待が、顧客による保険商品選択時の重要な判断材料となりうることから、当該財・サービスの内容等に対する顧客の期待を保護する必要があるためである[21]。逆にいえば、直接支払サービスを保険契約に組み込んだとしても、提携事業者が提供する商品等の内容・水準に言及せず保険募集等を行う場合には、当該規制は適用されない。

（1） 保険会社の体制整備義務

保険会社は、保険金を受け取るべき者に対し適切な提携事業者を提示するための体制の整備その他の必要な措置を講じなければならない（規則53条の12の2）。

具体的な留意事項は、次のとおりである（監督指針Ⅱ-4-2-8）。

① 保険募集等のときに保険契約者または被保険者に対して後記(2)①～④の事項の情報提供が行われているか。

② 保険契約者、被保険者、保険金を受け取るべき者または提携事業者から紹介手数料その他の報酬を得ていないか。

なお、この趣旨は、保険会社による他業禁止規制の抵触を防ぐとともに、

---

[19] 約款や重要事項説明書に記載のある場合以外にも、パンフレット等の書面に記載している場合も含まれる（平成27年パブコメ10番）。
[20] たとえば、保険募集時に、保険会社から提携事業者に直接保険金を支払うことに加えて、当該提携事業者を活用した場合には優先的にサービスを提供することなど、当該言及内容が保険商品選択時の重要な判断材料となる場合である（平成27年パブコメ9番、443番）。単にキャッシュレスで利用できる旨のみを説明する程度であれば、基本的には保険契約締結に重要な影響を及ぼすものとまではいえない（平成27年パブコメ9番）。
[21] 平成25年保険WG報告書5頁。

不当な提携事業者等の参入により契約者保護に欠ける事態の発生を防止することにある。したがって、付随業務であるビジネスマッチング業務として、提携事業者等の紹介を行う場合に、対価性のある手数料等を受領することが一律に当該規定に抵触するものではない[22]。

③ 提携事業者との同意のもとで提供する財・サービスの内容・水準や保険金を受け取るべき者が直接支払サービスを利用した場合の連絡・支払方法などの手続を定めているか。

④ 提携事業者が提供する財・サービスの質の確認や、問題が発見された場合の提携事業者の入替えなど、保険募集時に保険契約者または被保険者に説明した内容・水準の財・サービスを提供できる提携事業者を紹介できる状態を維持するための措置を講じているか。

なお、この趣旨は、当該サービスが保険金を受け取るべき者に適切に提供される状態を確保することにある。したがって、保険会社は、適宜提携事業者が提供する財・サービスの質の確認を行い、問題が発見された場合には、提携事業者の入替えを行うことなどにより、財・サービスの内容・水準を維持するための措置を講じる必要がある。ただし、保険会社において、提携事業者に対する指導や折衝を行うことまで求めるものではない[23]。

また、予見しがたいやむをえない事由により、当初想定していた水準の財・サービスを提供可能な提携事業者の紹介が困難となった場合には、代替事業者がいないかを十分に確認し、顧客に周知を行ったうえで、サービスを変更・停止することも許容される場合もある[24]。

⑤ 保険事故発生時に、提携事業者からの財・サービスの購入や直接支払サービスを受けることが義務づけられるものではない（保険金を受け取ることができる）旨を、あらためて、保険金を受け取るべき者に説明しているか。

---

22 平成27年パブコメ444番。
23 平成27年パブコメ446番。
24 平成27年パブコメ447番。

(2) 保険募集人等の書面による情報提供義務

保険募集人等[25]は、法294条1項に基づく情報提供義務（Q12参照）の履行として、保険契約者または被保険者に対し、当該商品等の内容または水準その他必要な事項を記載した書面を用いて説明を行うとともに、当該書面を交付しなければならない（規則227条の2第3項5号、234条の21の2第1項3号）。

具体的には、次に掲げる事項の情報提供が求められる（監督指針Ⅱ-4-2-8(1)）。

① 保険金を受け取ることができること（提携事業者からの財・サービスの購入や直接支払サービスの利用が義務づけられないこと）

② 提携事業者の選定基準（提携事業者が決定している場合には、提携事業者の名称も表示する）

③ 直接支払サービスを受ける場合において、保険金が財・サービスの対価に満たないときは、顧客が不足分を支払う必要があること（余剰が生じた場合には、余剰分を保険金として受け取ることができること）

ただし、商品の特性上、顧客によって、不足・余剰が生じる可能性がないことが明らかな場合には、本項目の説明は不要である[26]。

④ 当初想定していた財・サービスを提供可能な提携事業者の紹介が困難となる場合として想定されるケース

---

25 ここでは、保険会社等もしくは外国保険会社等、これらの役員、保険募集人または保険仲立人もしくはその役員もしくは使用人をいう。

26 平成27年パブコメ445番。

第7章

個人情報の取扱いに関する
コンプライアンス

Ⅰ 個人情報の取得と利用

Q64 保険会社が個人情報を取得し、利用する場合には、どのような法規制に留意する必要があるか。

A 保険会社は、個人情報保護法に定める「個人情報取扱事業者」に該当するため（同法2条5項）、同法の定める個人情報を取得する場面および個人情報を利用する場面の各規制について留意する必要がある[1]。なお、保険会社は、金融分野における個人情報保護に関するガイドライン（以下「金融庁ガイドライン」という）の適用を受けるため、同ガイドラインに定める個人情報を取得する場面および個人情報を利用する場面の各規制についても留意する必要がある[2]。

=== 解　説 ===

1　個人情報の取得

保険会社が個人情報を取得する場面としては、①保険募集の対象先となる見込客に関する個人情報を取得する場面、②保険契約者を含む保険契約関係者から個人情報を取得する場面、③代理店や取引先から保険契約関係者の個人情報を取得する場面などが考えられるが、いずれの場面においても、保険会社としては、個人情報保護法の定めに従って、不正な手段による取得を行わず、適宜、利用目的の明示や通知・公表を行うことが求められる。

---

[1] 個人情報保護法については、本書改訂時点で施行されている内容を前提として解説している。
[2] 生命保険協会の「生命保険業における個人情報保護のための取扱指針について（生保指針）」、日本損害保険協会の「損害保険会社に係る個人情報保護指針」等にも留意する必要がある。

(1) 適正な取得

　個人情報保護法は、「偽りその他不正の手段により個人情報を取得してはならない」と定めている（同法17条1項）。したがって、保険会社としては、「偽りその他不正の手段」により個人情報を取得することは許されないが、「偽り」は概念として明らかであるものの、「その他不正の手段」の範囲は解釈に委ねられているため、個別具体的な事情によって判断することになる。

(2) 利用目的の明示または通知・公表

　個人情報保護法は、「個人情報を取得した場合は、あらかじめ個人情報を公表している場合を除き、速やかに、その利用目的を、本人に通知し、又は公表しなければならない」と定めるとともに（同法18条1項）、「前項にかかわらず、本人との間で契約を締結することに伴って契約書その他の書面（電子的方式、磁気的方式その他人の知覚によっては認識することができない方式で作られる記録を含む。以下この項において同じ。）に記載された当該本人の個人情報を取得する場合その他本人から直接書面に記載された当該本人の個人情報を取得する場合は、あらかじめ、本人に対し、その利用目的を明示しなければならない」と定めている（同条2項本文）。

　したがって、保険会社としては、本人から直接書面に記載された当該本人の個人情報を取得することが想定される場面については、当該書面にあらかじめ保険会社の利用目的（できる限り特定されている必要がある。個人情報保護法15条1項）を明記するなどして、利用目的を明示する体制を整備するとともに、それ以外の場面については、個人情報を取得するつど、通知・公表を行うという煩雑な事務を回避するため、保険会社のホームページや窓口等にあらかじめ保険会社の利用目的を掲載するなどして、利用目的を公表する体制を整備することが求められる。なお、本人から直接書面に記載された当該本人の個人情報を取得するすべての場面（契約締結のみならず、契約保全・異動等を含めたすべての場面）について漏れなく利用目的を明示できるかは、実務的に悩ましいところであり、利用目的を明示できない場面によっては、利用目的の明示が不要とされる個人情報保護法の条文（同法18条4項）の適

用可能性を検討することがある。

2　個人情報の利用

　個人情報保護法は、「あらかじめ本人の同意を得ないで、前条の規定により特定された利用目的の達成に必要な範囲を超えて、個人情報を取り扱ってはならない」と定めている（同法16条1項）。したがって、保険会社としては、前述した個人情報の取得ルールに沿って収集された個人情報が、特定された利用目的の範囲内で利用される体制を整備することが求められる。なお、個々の利用場面においては、特定された利用目的の範囲内か否かは実務的に悩ましい判断を伴う場合もあるため、利用前に本人から個別的な同意を取得するか、目的外利用が可能とされる個人情報保護法の条文（同法16条3項）の適用可能性を検討することがある。

3　具体例の検討

　個人情報の取得および利用に関する法規制との関係で、よく問題となる具体例として、①個人情報が掲載された名簿類を使った保険募集、②以前勤務していた会社時代に取得した個人情報を使った保険募集、③乗合代理店が保有する他の保険会社と契約する当事者の個人情報を使った保険募集などがあげられる。

(1)　個人情報が掲載された名簿類を使った保険募集

　電話帳は、個人情報を適正に取得したNTTグループが発行しており、広く利用されることを想定して頒布された媒体であるから、保険会社としての利用目的を公表していれば、保険会社の従業員が電話帳を使って保険募集を行ったとしても、個人情報保護法に違反することはない。これに対して、いわゆる名簿屋と呼ばれる業者が販売する名簿類は、当該業者による個人情報の取得方法が適正なものであるか否かは疑わしく、内容によっては明らかに本人の同意を得ずに掲載されたものと判断できる場合もあるため、かかる名簿類を入手することが個人情報保護法で禁止される不正取得と評価された

り、かかる名簿類に掲載された個人情報を使って保険募集を行うことが不法行為と評価されたりすることがあるので、注意しなければならない。

(2) 以前勤務していた会社時代に取得した個人情報を使った保険募集

　以前勤務していた会社時代に取得した個人情報は、当該会社の業務遂行にあたって取得したものであれば、当該会社が保有する個人情報に該当すると考えられる。したがって、当該会社の管理する個人情報を持ち出し、新たに勤務する会社のために利用することは、以前勤務していた会社との関係で社内規程違反を構成するのみならず、個人情報保護法で禁止される不正取得と評価され、不法行為を構成する可能性がある。しかし、以前勤務していた会社時代に取得した個人情報であっても、従業員個人に対しても提供されたものであれば、これを利用して退職や転職に関する挨拶状を送付することは、従業員個人が管理する個人情報を本人が想定する範囲内の目的で利用する行為であるから、個人情報保護法違反や不法行為に該当しないと考えられる。

　ただし、かかる両者の線引きは微妙な場合があるため、以前勤務していた会社時代に取得した個人情報を使って、いきなり新たに勤務する会社のための保険募集を行うことはせず、従業員個人に対しても提供された個人情報のみを使い、かつ、社会的な儀礼の範囲内にとどまる連絡を行ったうえで、本人より新たに勤務する会社のために個人情報を利用することについて理解を得ることができた場合に限り、新たに勤務する会社のために保険募集を行うべきであろう。

(3) 乗合代理店が保有する他の保険会社と契約する当事者の個人情報を使った保険募集

　乗合代理店が保有する保険会社と契約する当事者の個人情報は、当該保険会社が保有し、同社より取扱いの委託を受けたにすぎない個人情報である場合もある。にもかかわらず、当該個人情報を使って別の保険会社のための保険募集を行った場合には、個人情報保護法で禁止される目的外利用に該当してしまう。これに対して、乗合代理店が保有する保険会社と契約する当事者の個人情報であっても、たとえば、乗合代理店が別の事業を営んでおり、そ

の事業の遂行にあたり個人情報保護法に違反することなく収集した個人情報や、複数の保険会社から委託を受ける乗合代理店として個人情報保護法に違反することなく自ら収集した個人情報でもある場合には、当該個人情報を使って乗合代理店としての保険募集を行うことは個人情報保護法違反に該当しないと考えられる。

　ただし、かかる両者の線引きは微妙な場合があるため、乗合代理店が固有に保有する個人情報と保険会社から委託を受けて取り扱う個人情報を分別管理し、前者のみを乗合代理店としての利用目的全般のために利用するか、保険会社との間で締結する契約に違反せず、かつ、本人から同意が得られたことも明らかな方法を講じたうえで、乗合代理店としての利用目的全般のために利用することが考えられる。

II 個人情報の管理と第三者提供

Q65 保険会社が個人情報を管理し、第三者提供を行う場合には、どのような法規制に留意する必要があるか。

　保険会社は、個人情報保護法に定める「個人情報取扱事業者」に該当するため（同法2条5項）、同法の定める個人情報を管理する場面および個人情報を第三者提供する場面の各規制のほか、保険業法施行規則に定める規制についても留意する必要がある。なお、保険会社は金融庁ガイドラインの適用を受けるため、同ガイドラインに定める個人情報を管理する場面および個人情報を第三者提供する場面の各規制についても留意する必要がある[3]。

=== 解　説 ===

1　個人情報の管理

保険会社が個人情報を管理する場面としては、大きく分けて、①保険会社自身が管理する場面と、②保険会社が個人情報の取扱いを委託する相手方（以下「委託先」という）による管理を監督する場面が考えられる。

(1)　保険会社自身の管理

個人情報保護法は、「取り扱う個人データの漏えい、滅失又はき損の防止その他の個人データの安全管理のために必要かつ適切な措置を講じなければならない」と定めるとともに（同法20条）、「従業者に個人データを取り扱わせるに当たっては、当該個人データの安全管理が図られるよう、当該従業者

---

[3]　生命保険協会の「生命保険業における個人情報保護のための取扱指針について（生保指針）」や、「生命保険業における個人情報保護のための安全管理措置等についての実務指針（生保安全管理実務指針）」、日本損害保険協会の「損害保険会社に係る個人情報保護指針」や「損害保険会社における個人情報保護に関する安全管理措置等についての実務指針」等にも留意する必要がある。

に対する必要かつ適切な監督を行わなければならない」と定めている（同法21条）。また、金融庁ガイドラインは、同法20条に定める安全管理措置について、必要かつ適切な措置は、個人データの取得・利用・保管等の各段階に応じた「組織的安全管理措置[4]」「人的安全管理措置[5]」「技術的安全管理措置[6]」を含むものでなければならないと定め、各措置を具体的に示したうえで（金融庁ガイドライン8条）、金融分野における個人情報保護に関するガイドラインの安全管理措置等についての実務指針（以下「実務指針」という）も定められている。したがって、保険会社としては、安全管理措置について定めた金融庁ガイドラインおよび実務指針をふまえた体制を構築する必要がある。

(2) 委託先に対する監督

個人情報保護法は、「個人データの取扱いの全部又は一部を委託する場合は、その取扱いを委託された個人データの安全管理が図られるよう、委託を受けた者に対する必要かつ適切な監督を行わなければならない」と定めている（同法22条）。また、金融庁ガイドラインは、同法22条に定める委託先の監督について、「個人データを適正に取り扱っていると認められる者を選定し委託するとともに、取扱いを委託した個人データの安全管理措置が図られるよう、個人データの安全管理のための措置を委託先においても確保しなければならない。なお、二段階以上の委託が行われた場合には、委託先の事業者が再委託先等の事業者に対して十分な監督を行っているかについても監督を行わなければならない。具体的には、①個人データの安全管理のため、委託先における組織体制の整備および安全管理に係る基本方針・取扱規程の策

---

[4] 個人データの安全管理措置について従業者の責任と権限を明確に定め、安全管理に関する規程等を整備・運用し、その実施状況の点検・監査を行うこと等の、個人情報取扱事業者の体制整備および実施措置をいう。
[5] 従業者との個人データの非開示契約等の締結および従業者に対する教育・訓練等を実施し、個人データの安全管理が図られるよう、従業者を監督することをいう。
[6] 個人データおよびそれを取り扱う情報システムへのアクセス制御および情報システムの監視等の、個人データの安全管理に関する技術的な措置をいう。

定等の内容を委託先選定基準に定め、当該基準を定期的に見直さなければならない。なお、委託先の選定にあたっては、必要に応じて個人データを取り扱う場所に赴くまたはこれに代わる合理的な方法による確認を行ったうえで、個人データ管理責任者等が適切に評価することが望ましい。②委託先の監督・監査・報告徴収に関する権限、委託先における個人データの漏えい・盗用・改ざん・目的外利用の禁止、再委託に関する条件および漏えい等が発生した場合の委託先の責任を内容とする安全管理措置を委託契約に盛り込むとともに、定期的に監査を行う等により、定期的又は随時に当該委託契約に定める安全管理措置の遵守状況を確認し、当該安全管理措置を見直さなければならない。なお、委託契約に定める安全管理措置等の遵守状況については、個人データ管理責任者等が、当該安全管理措置等の見直しを検討することを含め、適切に評価することが望ましい。委託先が再委託を行おうとする場合は、委託元は委託を行う場合と同様、再委託の相手方、再委託する業務内容および再委託先の個人データの取扱方法等について、委託先に事前報告または承認手続を求める、直接または委託先を通じて定期的に監査を実施する等により、委託先が再委託先に対して本状の委託先の監督を適切に果たすこと、再委託先が法第20条に基づく安全管理措置を講ずることを十分に確認することが望ましい。再委託先が再々委託を行う場合以降も、再委託を行う場合と同様とする。」と定めている（金融庁ガイドライン10条3項）。したがって、保険会社としては、金融庁ガイドラインをふまえた委託先（たとえば代理店および業務委託先業者等）の監督を行う必要がある。

(3) **保険業法上の規制**

個人情報保護法の施行にあたり、保険業法上も、保険会社との関係で、「その取り扱う個人である顧客に関する情報の安全管理、従業者の監督及び当該情報の取扱いを委託する場合にはその委託先の監督について、当該情報の漏えい、滅失又はき損の防止を図るために必要かつ適切な措置を講じなければならない」（規則53条の8）、「信用情報に関する機関から提供を受けた情報であって個人である資金需要者の借入金返済能力に関するものを、資金需

要者の返済能力の調査以外の目的のために利用しないことを確保するための措置を講じなければならない」（規則53条の9）旨などを定めている[7]。したがって、保険会社としては、かかる保険業法上の規制にも留意して個人情報の安全管理措置や委託先に対する監督に関する体制を構築する必要がある。

2 個人情報の第三者提供

　保険会社が第三者に対して個人情報を提供する場面としては、①代理店その他の業務委託先に対して個人情報を提供する場面、②金融庁等の監督官庁から求められた事案説明等を行う場合に個人情報を提供する場面、③保険契約の引受けや支払査定にあたりモラルリスクを排除する観点から他の保険会社との間で個人情報を含む情報交換を行う場面などが考えられる。

　この点、個人情報保護法は、①法令に基づく場合、②人の生命、身体または財産の保護のために必要がある場合であって、本人の同意を得ることが困難であるとき、③公衆衛生の向上または児童の健全な育成の推進のために特に必要がある場合であって、本人の同意を得ることが困難であるとき、④国の機関もしくは地方公共団体またはその委託を受けた者が法令の定める事務を遂行することに対して協力する必要がある場合であって、本人の同意を得ることにより当該事務の遂行に支障を及ぼすおそれがあるときという4つの例外を除いて、あらかじめ本人の同意を得ないで、個人データを第三者に提供してはならないと定める一方で（同法23条1項）、かかる「第三者」に該当しない場合として、①個人情報取扱事業者が利用目的の達成に必要な範囲内において個人データの取扱いの全部または一部を委託することに伴って当該個人データが提供される場合、②合併その他の事由による事業の承継に伴って個人データが提供される場合、③特定の者との間で共同して利用される個人データが当該特定の者に提供される場合であって、その旨ならびに共同して利用される個人データの項目、共同して利用する者の範囲、利用する者の

7　センシティブ情報に関する規制はQ66参照。

利用目的および当該個人データの管理について責任を有する者の氏名または名称について、あらかじめ、本人に通知し、または本人が容易に知りうる状態に置いているとき（以下「特定共同利用」という）の3つを定めている（同条5項）。

したがって、事前に本人から同意を得ることなく、①保険会社が代理店その他の業務委託先に対して個人情報を提供する場合には、保険会社が利用目的の達成に必要な範囲内において取扱いを委託するレベルにとどめなければならず、②金融庁等の監督官庁から求められた事案説明等を行う場合に個人情報を提供する場合には、法令に基づく場合や、国の機関もしくは地方公共団体またはその委託を受けた者が法令の定める事務を遂行することに対して協力する必要がある場合であって、本人の同意を得ることにより当該事務の遂行に支障を及ぼすおそれがあるときに該当することを確認しなければならず、③保険契約の引受けや支払査定にあたりモラルリスクを排除する観点から他の保険会社との間で個人情報を含む情報交換を行う場合には、人の生命、身体または財産の保護のために必要がある場合であって、本人の同意を得ることが困難であるときに該当することを確認したり、本人からの事前同意や特定共同利用の枠組みを活用した情報交換制度を創設したうえで[8]、当該制度に沿った情報交換を行ったりしなければならない[9]。

3　個人情報の漏えい等が発生した場合の対応

保険会社として、適切な管理を怠った結果、個人情報の漏えい、滅失またはき損を生じさせたり、法令に違反する個人情報の第三者提供が行われたりした場合には、事案によっては、本人との関係で損害賠償責任を負う可能性

---

[8] 本人からの事前同意を活用した情報交換制度としては、生命保険会社の契約内容登録制度や契約内容照会制度などがある。また、特定共同利用の枠組みを活用した情報交換制度としては、生命保険会社の場合、支払査定時照会制度などがあり、損害保険会社の場合、1〜5等級・割増料率適用対象契約情報交換制度などがある。
[9] かかる情報交換を行う場合は、その対象情報としてセンシティブ情報が含まれるため、センシティブ情報の取扱いに関する規制（Q66参照）にも留意する必要がある。

があるのみならず、金融庁ガイドラインに沿った対応を行わなければならないことにも留意する必要がある。具体的には、個人情報等の漏えい事案等の事故が発生した場合には、保険会社は、①監督当局等に直ちに報告すること、②二次被害の防止、類似事案の発生回避等の観点から、当該事案等の事実関係および再発防止策等を早急に公表すること、③当該事案等の対象となった本人にすみやかに当該事案等の事実関係等の通知等を行うことが求められている（金融庁ガイドライン17条[10]）。

---

10 漏えい事案等が発生した場合の対応については、「金融機関における個人情報保護に関するQ&A」も参照されたい。

III センシティブ情報の取扱い

  保険会社におけるセンシティブ情報の取扱いにあたっては、どのような法規制に留意する必要があるか。

　個人情報保護法は、要配慮個人情報の取得等に制限を設けており、金融庁ガイドラインはセンシティブ情報固有の規制を設けているため、これらの規制に留意するとともに、保険業法上のセンシティブ情報に関する規制にも留意する必要がある。

―――――――――――― 解　説 ――――――――――――

1　センシティブ情報の取扱い
(1)　個人情報保護法

　要配慮個人情報とは、個人情報保護法において、「本人の人種、信条、社会的身分、病歴、犯罪の経歴、犯罪により害を被った事実その他本人に対する不当な差別、偏見その他の不利益が生じないようにその取扱いに特に配慮を要するものとして政令で定める記述等が含まれる個人情報」と定められている（同法2条3項）。

　かかる要配慮個人情報について、個人情報保護法は、一定の例外を除いて、あらかじめ本人の同意を得ないで取得してはならない旨の規制を設けるとともに（同法17条2項）、いわゆるオプトアウトの対象となる個人データから除外する旨の規制を設けている（同法23条2項）。

(2)　金融庁ガイドライン

　センシティブ（機微）情報とは、金融庁ガイドラインにおいて、「法第2条第3項に定める要配慮個人情報ならびに労働組合への加盟、門地、本籍地、保健医療および性生活（これらのうち要配慮個人情報に該当するものを除

第7章　個人情報の取扱いに関するコンプライアンス　363

く。)に関する情報」と定められている(金融庁ガイドライン5条1項)[11]。

かかるセンシティブ(機微)情報について、金融庁ガイドラインは、①法令等に基づく場合、②人の生命、身体または財産の保護のために必要がある場合、③公衆衛生の向上または児童の健全な育成の推進のために特に必要がある場合、④国の機関もしくは地方公共団体またはその委託を受けた者が法令の定める事務を遂行することに対して協力する必要がある場合、⑤源泉徴収事務等の遂行上必要な範囲において、政治、宗教等の団体もしくは労働組合への所属もしくは加盟に関する従業員等の機微(センシティブ)情報を取得、利用または第三者提供する場合、⑥相続手続による権利義務の移転等の遂行に必要な限りにおいて、機微(センシティブ)情報を取得、利用または第三者提供する場合、⑦保険業その他金融分野の事業の適切な業務運営を確保する必要性から、本人の同意に基づき業務遂行上必要な範囲で機微(センシティブ)情報を取得、利用または第三者提供する場合、⑧機微(センシティブ)情報に該当する生体認証情報を本人の同意に基づき、本人確認に用いる場合を除いて、取得、利用または第三者提供を行わないこととし(金融庁ガイドライン5条1項)、金融分野における個人情報取扱事業者は、機微(センシティブ)情報を、前項各号に定める事由により取得、利用または第三者提供する場合には、各号の事由を逸脱した取得、利用または第三者提供を行うことのないよう、特に慎重に取り扱うこととする(同条2項)旨の規制を設けるとともに、個人情報保護法17条2項、23条2項をふまえた留意点も定めている(金融庁ガイドライン5条3項・4項)。また、安全管理措置等を定めた実務指針においても、その別紙2において、通常の個人情報と異なる措置を定め、そのすべての措置を実施しなければならない旨の規制を設けている。

(3) 保険業法

保険業法上も、保険会社との関係で、「その業務上取り扱う個人である顧

---

[11] 保険業法上の例示とは若干異なるが、センシティブ情報の範囲は、金融庁ガイドラインおよび保険業法とも同じであると考えてさしつかえない。

客に関する人種、信条、門地、本籍地、保健医療又は犯罪経歴についての情報その他の特別の非公開情報（その業務上知り得た公表されていない情報をいう。）を、当該業務の適切な運営の確保その他必要と認められる目的以外の目的のために利用しないことを確保するための措置を講じなければならない」（規則53条の10）旨を定めている。

　したがって、保険会社は、これらの規制をふまえたセンシティブ情報の取扱いに関する体制整備を行う必要があるところ、実務上、最も検討する機会の多い条項が、金融庁ガイドライン5条1項7号である。保険業の場合、保険契約の引受け、保険金の支払といった業務を遂行するうえで、センシティブ情報を取り扱うことは不可避であるといっても過言ではないにもかかわらず、金融庁ガイドラインは、保険業の適切な業務運営を確保する必要性が認められさえすれば足りるとは定めず、センシティブ情報の取得、利用または第三者提供にあたっては、本人の同意が必要であり、かつ、業務遂行上必要な範囲に限るとしたのである。

2　具体例の検討
(1) センシティブ情報を使った保険募集

　金融庁ガイドライン5条1項7号によれば、仮に本人がセンシティブ情報を使って保険募集が行われることを同意していたとしても、それだけでは足りず、かかる保険募集について「保険業の適切な業務運営を確保する必要性」が認められ、かつ、その際に利用されるセンシティブ情報の範囲が「業務遂行上必要な範囲」と認められる必要がある。したがって、たとえば、保険会社の保険金支払データのなかから入院歴のある被保険者を抽出し、そのリストを保険募集に使うことは、保険業の適切な業務運営を確保する必要性が認められにくく、同項や規則53条の10に反する可能性がある。しかしながら、たとえば、重篤な疾病の罹患歴があり、通常であれば保険に加入できない消費者のために開発された保険契約であれば、保険会社の保険金支払データのなかから当該疾病の罹患歴のある被保険者を抽出し、そのリストを当該

保険契約の保険募集に使うことは、保険業の適切な業務運営を確保する必要性が認められるため、金融庁ガイドライン5条1項や規則53条の10に反しないと考えられる。

(2) **センシティブ情報を使った引受け・支払査定**

正確な引受け・支払査定を行うためには、被保険者が診療を受けた医療機関からの情報提供を受ける必要があるケースが多い（当然、センシティブ情報が含まれる）。実務的には、医療機関が保険会社に対して情報提供することに本人が同意する旨の書面を本人に作成してもらい、当該書面を提示することにより医療機関からの情報提供を受けているが、本人が当該書面の作成を拒否したり、医療機関が情報提供を拒否したりする結果、十分な査定を行えない場合がある。かかる場合に、目先の折衝負担から逃れるために本人にとって有利な判断を行ってしまうと、情報提供を拒否すれば有利に判断されるという慣行が定着しかねず、かえって善良な保険契約者の利益を損なう事態を招いてしまう。したがって、正確な査定を行うために必要な情報は、それがセンシティブ情報であったとしても、本人および医療機関の協力を得たうえで査定に必要な情報を取得できるよう、各種の工夫を凝らすべきである。

また、いわゆるモラルリスクを排除するためには、引受け・支払査定の過程で、他の保険会社との情報交換を行うことが必要になる場合がある。しかし、本人からの事前同意や特定共同利用（個人情報保護法23条5項3号）の枠組みを活用した情報交換制度（Q65参照）を活用するだけでは、暴力団員等による不正請求等を排除しきれない場合もありうる。その際、本人の同意に基づいて情報交換を行うことは不可能ではあるが、だからといって情報交換を行わないまま、保険契約を引き受けたり、保険金を支払ったりすれば、保険会社ひいては善良な保険契約者の利益を害してしまう。したがって、「人の財産の保護のために必要がある場合」（同法23条1項2号、金融庁ガイドライン5条1項2号参照）に該当すると解して、モラルリスクを排除するために他の保険会社との情報交換を行うことができると考えられる。

もっとも、本人および医療機関の協力が得られない場合に査定を留保でき

るのはどのようなケースか、また、情報交換制度を超えて他の保険会社との情報交換が可能となるのはどのようなケースかという判断は、センシティブ情報の取扱いに関する規制に照らして慎重に行われる必要がある。

第 8 章

行政処分と
コンプライアンス

I 行政処分

金融庁は、どのような基準で行政処分を行っているのか。また、過去に保険会社が受けた行政処分にはどのようなものがあるか。

A 　金融庁は、当該行為の重大性・悪質性および当該行為の背景となった経営管理態勢・業務運営態勢の適切性等を検証したうえで、行政処分の内容を決定している。また、多数の保険会社が、保険金等支払管理態勢の不備を根拠に行政処分されている。

=== 解　説 ===

1　行政処分の基準の公表

従来、金融庁は金融機関に対する行政処分の基準について、あくまで行政内部の考え方にすぎないとして、その内容を公表していなかった。これに対して、行政処分の公正性・透明性の確保のためには、行政処分の基準についても公表すべきであるとの声が高まり、平成19年3月、行政処分に対する金融庁の従来からの考え方を「金融上の行政処分について」として公表するとともに、監督指針に明記した。

2　行政処分の基準

監督指針上に、次のとおり行政処分の基準が示された（監督指針Ⅲ-4）。

―【行政処分の基準】――――
(1)　まず、以下のような点を検証する。
　①　当該行為の重大性・悪質性
　　ア　公益侵害の程度

　　　　保険会社が、たとえば、顧客の財務内容の適切な開示という観点から著しく不適切な商品を組成・提供し、金融市場に対する信頼性を損なうなど公益を著しく侵害していないか。
　イ　利用者被害の程度
　　　　広範囲にわたって多数の利用者が被害を受けたかどうか。個々の利用者が受けた被害がどの程度深刻か。
　ウ　行為自体の悪質性
　　　　たとえば、利用者から多数の苦情を受けているのにもかかわらず、引き続き同様の商品を販売し続けるなど、保険会社の行為が悪質であったか。
　エ　当該行為が行われた期間や反復性
　　　　当該行為が長期間にわたって行われたのか、短期間のものだったのか。反復・継続して行われたものか、1回限りのものか。また、過去に同様の違反行為が行われたことがあるか。
　オ　故意性の有無
　　　　当該行為が違法・不適切であることを認識しつつ故意に行われたのか、過失によるものか。
　カ　組織性の有無
　　　　当該行為が現場の営業担当者個人の判断で行われたものか、あるいは管理者もかかわってきたのか。さらに経営陣の関与があったのか。
　キ　隠蔽の有無
　　　　問題を認識した後に隠蔽行為はなかったか。隠蔽がある場合には、それが組織的なものであったか。
　ク　反社会的勢力との関与の有無
　　　　反社会的勢力との関与はなかったか。関与がある場合には、どの程度か。
② 当該行為の背景となった経営管理態勢および業務運営態勢の適切

性
　　ア　代表取締役や取締役会の法令等遵守に関する認識や取組みは十分か。
　　イ　内部監査部門の体制は十分か、また適切に機能しているか。
　　ウ　コンプライアンス部門やリスク管理部門の体制は十分か、また適切に機能しているか。
　　エ　業務担当者の法令等遵守に関する認識は十分か、また、社内教育が十分になされているか。
　③　軽減事由
　　以上のほかに、行政による対応に先行して、保険会社自身が自主的に利用者保護のために所要の対応に取り組んでいる、といった軽減事由があるか。

　上記行政処分の基準以外に考慮すべき要素がないかどうかを吟味したうえで、以下の点等について検討を行い、最終的な行政処分の内容が決定されることとなる。
①　改善に向けた取組みを保険会社の自主性に委ねることが適当かどうか。
②　改善に相当の取組みを要し、一定期間業務改善に専念・集中させる必要があるか。
③　業務を継続させることが適当かどうか。

3　過去の行政処分事例

　行政処分については、処分の原因となった事実および処分の内容等が金融庁等のホームページにおいて公表されている[1]。このように行政処分を公表することにより、他の金融機関等における予測可能性を高め、自主的改善を促すことで同様の事案の発生を抑制すること等を目的としている。

1　財務の健全性に関するものなど、公表により対象金融機関等の経営改善に支障が生ずるおそれのあるものは除く。

保険会社等に対する行政処分（平成14年4月～令和2年12月31日）は、以下のとおりである[2]。

日付 （公表日）	金融機関等名	処分種類および内容	主たる処分原因	
				主たる契機
令2.9.17	ライフエイド少額短期保険株式会社	業務停止命令・業務改善命令（経営管理態勢の抜本的な改善等）	法令違反、経営管理態勢の不備	経営管理態勢上の重大な欠陥（取締役会の機能不全、監査役監査の未実施等）、重大な法令違反（虚偽の説明書類を公衆縦覧に供する行為、当局に対する虚偽報告等）
令1.12.27	日本郵政（保険持株会社）	業務改善命令（適切な業務運営の確保、契約者保護の確立等）	法令違反、不適正な保険募集、態勢上の問題等	不適正な保険募集等
令1.12.27	かんぽ生命	業務停止命令、業務改善命令（適切な業務運営の確保、契約者保護の確立等）	法令違反、不適正な保険募集、態勢上の問題等	不適正な保険募集等
令1.12.27	日本郵便（生命保険募集人）	業務停止命令、業務改善命令（適切な業務運営の確保、契約者保護	法令違反、不適正な保険募集、態勢上の問題等	不適正な保険募集等

2　行政処分の詳細な内容については、金融庁のホームページを参照されたい（同庁ホームページ「行政処分事例集」を使えば、容易に個々の行政処分を検索することができる）。

令1.9.27	ペッツファースト少額短期保険株式会社	業務停止命令、業務改善命令（経営管理態勢の抜本的な見直し等）	法令違反、経営管理態勢の不備	決算状況表等の虚偽記載
令1.5.17	エイ・ワン少額短期保険株式会社	業務改善命令（経営管理態勢等の抜本的な見直し、改善、強化）	保険金支払管理態勢、経営管理態勢等の不備	不適切な支払判断、支払備金の過少計上、保険金支払の不適切な履行期管理等
平30.6.15	ザ・ニュー・インディア・アシュアランス・カンパニー・リミテッド	業務改善命令（経営管理態勢、業務運営態勢の抜本的な見直し等）	保険金支払管理態勢、経営管理態勢等の不備	不適切な支払判断、支払備金の過少計上、保険金支払の不適切な履行期管理等
平27.1.16	プリベント少額短期保険	業務改善命令・経営管理態勢等の見直し、充実、強化	経営管理態勢、法令等遵守態勢等の不備	親会社社長による内部規程に反した経営への関与を容認、取締役会の牽制機能不発揮
平27.1.16	プリベントホールディングス	業務改善命令・経営管理態勢等の見直し、充実、強化	経営管理態勢、法令等遵守態勢等の不備	子会社に対する内部規程に反した関与、社長による経費の一時的な私的流用、取締役会の牽制機能不発揮
平22.2.24	アリコジャパン	業務改善命令・個人情報保護法上の勧告	個人顧客情報の安全管理態勢の不備	個人情報（カード番号・有効期限）の漏えい

平21.12.28	朝日火災海上	業務改善命令	法令等遵守、代理店管理態勢の不備	代理店による不適正募集および重要事項説明書不備
平21.12.28	ヤマト運輸、沖縄ヤマト運輸	業務停止命令、業務改善命令（募集に係る法令等遵守態勢の強化等）	募集に係る法令等遵守態勢・内部管理態勢の不備	無資格募集、重要事項説明書不備
平21.12.4	かんぽ生命保険	業務改善命令	法令等遵守に係る内部管理態勢の不備	職員による横領
平21.12.4	郵便局	業務改善命令（内部管理態勢強化等）	法令等遵守にかかる内部管理態勢の不備	職員による横領
平21.10.23	日本興亜損保	業務改善命令（保険金支払管理態勢の構築等）	業務運営態勢および経営管理態勢の不備	保険金等の支払遅延等
平20.7.3	生命保険会社10社	業務改善命令	経営管理態勢および業務運営態勢の不備	保険金等の支払漏れ
平19.11.16	アリコジャパン	業務改善命令	法令違反、法令等遵守態勢、経営管理態勢の不備	不適切な表示の保険募集資料を使用した保険募集
平19.3.14	損害保険会	業務停止命	保険金支払	第3分野商品に係る保険金

第8章　行政処分とコンプライアンス　375

	社10社	令・業務改善命令	管理態勢、経営管理態勢等の不備	の多数の不適切な不払い
平18.11.24	大同火災海上	業務改善命令	法令等遵守態勢、経営管理態勢等の不備	平成17年9月期中間決算について、経営陣は内容に誤りがあることを認識していながら、金融庁に対して誤りの事実を報告せず、不適切な内容のまま法令等に基づく報告書を提出していたこと
平18.7.26	日本生命	業務改善命令	保険金等支払管理態勢および経営管理態勢の欠陥	不祥事件(給付金支払査定に係る不正な事務処理)に関し、同様の不正な事務処理を点検したところ、利用者保護上問題のある事実が認められたこと
平18.6.21	三井住友海上火災	業務停止命令・業務改善命令	法令違反、保険金支払管理態勢、経営管理態勢等の不備	第3分野商品に係る保険金の多数の不適切な不払い、付随的な保険金のさらなる支払漏れ等
平18.5.25	損害保険ジャパン	業務停止命令・業務改善命令	法令違反、法令等遵守態勢、経営管理態勢等の不備	付随的な保険金のさらなる支払漏れ、受託する生命保険の募集行為における法令違反等
平17.11.30	チューリッヒ・インシュアランス・カンパニー	業務改善命令	支払管理態勢の不備等	重要事項説明が不十分、保険金支払処理の長期滞留等
平17.11.25	損害保険会社26社	業務改善命令	支払管理態勢の不備等	付随的な保険金の支払漏れ

平17.10.28	明治安田生命	業務停止命令・業務改善命令	法令違反、内部管理態勢の不備	不適切な保険金等不払いおよび保険募集、業務改善命令への対応遅延等
平17.10.28	明治安田生命保険代理社（保険代理店）	業務停止命令・業務改善命令	法令違反、内部管理態勢の不備	特別利益の提供
平17.6.10	三井生命	業務改善命令	法令違反、内部管理態勢の不備	員外契約
平17.2.25	明治安田生命	業務停止命令・業務改善命令	法令違反、内部管理態勢の不備	不適切な保険金等不払いおよび保険募集
平16.8.20	日動火災海上	業務改善命令	法令違反	威迫募集、特別利益の提供等
平15.12.2	明治生命	業務改善命令	配当金支払に係る事務処理態勢および内部管理態勢の不備	配当金の過少払い
平15.11.6	日本興亜生命・日本興亜損害	業務停止命令・業務改善命令	法令違反、募集に係る内部管理態勢の不備	代理店による不適正募集の看過
平15.11.6	ピーシーエー生命	業務改善命令	法令等遵守に係る内部管理態勢の不備	不祥事件届出未提出
平15.5.29	あいおい損害	業務改善命令	法令違反	特別利益の提供等
平15.5.13	日本生命	業務改善命令	法令抵触	不適切な表示の保険募集資料を使用した保険募集

日付		処分種類		主たる処分原因
平15.1.9	ユナム・ジャパン傷害	業務停止命令・業務改善命令	法令違反	特別利益の提供および無登録募集等
平14.9.25	アクサ生命・アクサグループライフ生命	業務改善命令	法令違反	特別利益の提供
平14.8.2	損害保険ジャパン	業務改善命令	募集に係る内部管理態勢の不備	不適正契約の是正処理の放置
平14.8.1	日動火災海上	業務改善命令	代理店に対する本店の統制力不備	業務停止命令違反
平14.4.25	日動火災海上	業務停止命令・業務改善命令	基礎書類違反、認可申請・届出に関する管理態勢の不備	虚偽説明による基礎書類の認可申請等

　また、銀行窓販に関連して、銀行に対してなされた行政処分は、以下のとおりである（平成14年4月～平成28年1月末）。

日付（公表日）	金融機関等名	処分種類および内容		主たる処分原因
				主たる契機
平17.5.20	みちのく銀行	業務改善命令	法令等遵守に係る内部管理態勢の不備、個人データに係る安全管理措置の不備	不祥事件に関し一部事実と反する報告・届出、不適切な保険募集、投信等の無登録勧誘、顧客情報の紛失
平15.10.10	富山第一銀行	業務改善命令	法令等遵守に係る内部	不適切な保険募集

			管理態勢の不備	
平15.6.13	福井銀行	業務改善命令	法令等遵守に係る内部管理態勢の不備	不適切な保険募集（無登録募集等）
平14.12.20	静岡中央銀行	業務改善命令	法令等遵守に係る内部管理態勢の不備	不適切な保険募集（抱合せ販売）

II 不祥事件の届出

Q68 不祥事件が発覚した場合に保険会社としてどのような対応を行う必要があるのか。

A 保険会社もしくはその子会社または業務の委託先において、規則所定の不祥事件が発生したことを知った場合は、保険会社は、その発生を保険会社が知った日から30日以内に、内閣総理大臣(金融庁長官)に届け出なければならない。

═══════════ 解　説 ═══════════

1　不祥事件とは

不祥事件とは、保険会社(その子会社も含む。以下同じ)もしくは業務の委託先[3]、または保険会社もしくは業務の委託先の役員もしくは使用人、保険会社の生命保険募集人もしくは損害保険募集人またはそれらの役員もしくは使用人が行った、①保険会社の業務を遂行するに際しての詐欺、横領、背任その他の犯罪行為、②出資法違反、③法294条1項(情報の提供)、法294条の2(顧客の意向の把握等)もしくは法300条1項(保険契約の締結等に関する禁止行為)の規定、法300条の2において準用する金商法38条3号～6号、同8号もしくは同法39条1項の規定もしくは規則234条の21の2第1項の規定(情報の提供)に違反する行為または法307条1項3号に該当する行為(「この法律……に違反したとき、その他保険募集に関し著しく不適当な行為」)、④現金、手形、小切手または有価証券その他有価物の紛失(盗難に遭うことおよび過不足を生じさせることを含む)のうち、保険会社の業務の特性、規模その

3　平成26年10月の規則改正により業務の委託先において不祥事件が発生したことを知った場合も届出の対象とされた(同年12月1日より施行)。

他の事情を勘案し、当該業務の管理上重大な紛失と認められるもの、⑤海外で発生した前各号に掲げる行為またはこれに準ずるもので、発生地の監督当局に報告したもの、⑥その他保険会社の業務の健全かつ適切な運営に支障をきたす行為またはそのおそれのある行為であって①～⑤の行為に準ずるものをいう[4]。

2 不祥事件への対応（監督指針Ⅲ-2-16参照）

(1) 不祥事件の発覚の第一報

保険会社において不祥事件が発覚した場合には、以下の点を迅速に確認したうえで第一報を行う。

① 本部等の事務部門、内部監査部門への迅速な報告および社内規則に基づく取締役会等への報告
② 刑罰法令に抵触しているおそれのある事実については、警察等関係機関等への通報
③ 事件とは独立した部署（内部監査部門等）での事件の調査・解明の実施

(2) 不祥事件等届出書の提出

法127条（外国保険会社の場合、法209条）に基づき、保険会社は不祥事件の発生を知った日から30日以内に不祥事件等届出書を提出しなければならない（規則85条6項、監督指針Ⅲ-2-16(2)③ア）。

不祥事件等届出書の受理の取扱いは次表のとおりであり（監督指針Ⅲ-2-16(2)）、提出の際はこれに則した対応が求められる。

当該届出書の受理時においては、当局より、法令の規定に基づき届出が適切に行われているかが確認されるとともに、公表の検討が適切に行われているか、乗合代理店に係る不祥事件の場合は、他の所属保険会社等で同様の事件が発生していないかが確認される。

なお、不祥事件届出を行うことを怠った場合には、100万円以下の過料の

---

[4] 規則85条1項17号・5項（外国保険会社等の場合、規則166条1項7号・4項）。

	作成名義	宛　先	受理主体
保険会社、その子会社もしくは業務の委託先、またはそれらの役員もしくは使用人が不祥事件のいずれかに該当する行為を行った場合	保険会社の代表取締役	金融庁長官	金融庁保険課
保険募集人として登録もしくは届出されている者またはそれらの役員もしくは使用人が、不祥事件のいずれかに該当する行為を行った場合	当該保険募集人を管理する保険会社の支社、支店等の長	当該保険募集人の主たる事務所の所在地を管轄する財務局長等	当該財務局等

対象となる（法333条43号）。

(3) **主な着眼点**

不祥事件と業務の適切性の関係について、保険募集人に関する不祥事件等届出の場合は、以下の着眼点に基づき検証がなされる（監督指針Ⅲ-2-15(3)②)。

> ア．保険募集人の教育・管理・指導を担う保険会社に対する検証の着眼点は、以下のとおりとする。
> 　(ア) 事実関係の真相究明、同様の問題が他の部門（保険代理店においては他の事務所等）で生じていないかのチェックおよび監督者を含めた責任の追及が厳正に行われているか。
> 　(イ) 事実関係をふまえた原因分析により、実効性のある再発防止への取組みが適時適切に行われているか。
> 　(ウ) 当該事件の内容が保険会社の経営等に与える影響はどうか。
> 　(エ) 内部牽制機能が適切に発揮されているか。
> 　(オ) 保険会社の保険募集人に対する教育・管理・指導は十分か。
> 　(カ) 当該事件の発覚後の対応が適切か。
> イ．保険募集人に対する検証の着眼点は、以下のとおりとする。

なお、保険募集人の規模や業務の特性、不祥事件の内容等をふまえるものとする。

(ア) 当該事件に役員は関与していないか、組織的な関与は認められないか。

また、経営者の責任の明確化が図られているか。

(イ) 事実関係の真相究明、同様の問題が他の部門（保険代理店においては他の事務所等）で生じていないかのチェックおよび監督者を含めた責任の追及が厳正に行われているか。

(ウ) 事実関係をふまえた原因分析により、実効性のある再発防止への取組みが適時適切に行われているか。

特に、発生原因が保険代理店固有の問題である場合は、保険代理店自身において上記取組みが適時適切に行われているか。

(エ) 内部牽制機能が適切に発揮されているか。

(オ) 保険代理店内における、保険募集人に対する教育・管理・指導は十分か。

(カ) 当該事件の発覚後の対応が適切か。

(4) **監督上の措置**

不祥事件等届出書の提出があった場合、当局からは、事実関係、発生原因分析、改善・対応策等についてヒアリングが実施され、必要に応じて法128条に基づき報告が求められ、さらに、重大な問題があると認められる場合には、法132条または法133条に基づき行政処分が行われる。

III 刑事被疑事件の対応

 保険会社の職員が、顧客の保険料を受領後、費消・流用している疑いが生じた。事件がまだ外部に明らかになっていない段階において、保険会社としてはどのような対応をとればよいか。

A 　所属部門から独立した部署を中心に事実関係を早急に調査し、会社内の部門間で連携を図りつつ、刑罰法令に抵触しているおそれのある事実であることが判明した場合には、警察等関係機関への通報を行う。また、調査の結果、保険会社として事実を確定でき次第、保険会社が被害者の損害を賠償する責任を果たすべきかについて、法的判断をふまえて決定する。

=== 解　説 ===

1　事実関係の調査と部門間の連携

　会社としては、最初に、コンプライアンス部門に通報のうえ、嫌疑の対象となっている事実関係をスピーディかつ正確に調査し、把握すべきである。そして、報道機関等からの照会に対応すべく、経営陣や広報部門と連携し、進捗状況についてタイムリーに情報共有しておくべきである。また、被害者である顧客から、保険会社の苦情相談窓口、金融庁、日本損害保険協会や生命保険協会への苦情相談等がなされる可能性も高いことから、各主管部門に対し進捗状況を報告しておくことが考えられるであろう。

2　捜査関係機関へのすみやかな連絡

（1）　警察等への通報

　保険会社は捜査機関ではないため、令状に基づく強制的な捜査等を行うこ

とは不可能であり、保険会社の自主調査にはおのずと限界がある。また、保険業務に関連する刑事被疑事案は、被疑者が保険に関する知識の偏在を利用し、長期間にわたる複数の余罪事件があるという根深いケースであることも少なくない。そこで、保険会社においては、刑罰法令に抵触しているおそれのある事実については、警察等関係機関等への通報を行い（監督指針Ⅲ-2-16(1)②）、証拠が隠滅されたり他の新たな案件が勃発したりする前に、できるだけ早期の段階で損害の拡大を食い止める策を講じることが必要となる。これを迅速に行わなかった場合には、金融監督上、なぜ警察等への通報を早期に行わなかったのか、なぜ通報までに多大な時間を要したのかにつき説明を求められることとなりうるであろう。

(2) 警察等への事件相談

　警察に対し事件相談に赴く場合には、具体的には、事前に被疑事実の罪名を述べたうえで（被疑事実によって担当警察署における課や担当警察官が異なるため）、担当警察官の予定を聞いてアポイントメントを取得することになる。そして、事件相談に際しては、

① （告訴する際には）告訴状
② 事案の端緒から現在に至るまでの時系列メモ
③ 対象の保険契約に関連する資料
④ 通帳等、金員の授受に関する証拠資料
⑤ 被疑事実の対象者に関する人事関連資料（履歴書その他の社員データが記載されている資料）
⑥ 保険会社において行った面談記録や電話聴取記録
⑦ ⑥の録音テープ等の証拠資料
⑧ 被疑事実に関して事案をよく知る担当者の陳述書
⑨ その他関連する資料一式

について、原本があるときは原本を、そしてそのすべてについてコピー資料を持参し、担当警察官に事案をわかりやすく説明することができるように資料を整理したうえで、その場で記録一式を提出することができるよう準備を

整えておくことが望ましい。

(3) 関係部門の協力体制

　事件を相談する際には、コンプライアンス部門の者や、営業現場の責任者等のほか、警察官から質問された部分につき、瞬時に正確に回答できる者を同行することが必要である。

　警察の捜査に対しては、保険会社として全面的にバックアップし、相互の協力体制を堅固にしておくことが必要であろう。また、情報を一元化するため、警察との連絡窓口は担当者を1人決めて一本化しておき、情報を社内で共有する範囲について事前に社内コンセンサスを得ておき、情報共有の体制を社内で確立しておく必要がある。

　なお、所轄の警察署とは、保険会社におけるモラルリスク事案や、反社会的勢力情報の提供等を通じて、平時から緊密に連携しておくことにより、実際に事件の起こった際に協力体制を迅速に整えることが容易になると思われるので、平時における連携体制を築いておくことが望ましい。

3　金融庁への報告

　社内における調査により不祥事件届出が必要であることが判明した場合には、早期に不祥事件届出の第一報を行ったうえ、事実調査をふまえて正確な事実を認定し、事件の原因を分析したうえ、これをもとに是正措置・再発防止策を早急に検討・策定する。

4　被害回復

　是正措置の検討の一環として、加害者が、契約者等の第三者に対し損害を与えたという場合に、保険会社がその損害を賠償する必要があるのかという点については、法的責任の有無に従って判断する必要がある。

　この点、設問事例のように職員が保険料の横領行為を行っていたという場合には、職員が保険会社の職務に関連して第三者に対し加害行為を行ったのであれば、保険会社は使用者責任に基づき、職員の行為につき、第三者に対

し賠償責任を負うことになるだろう（民法715条）。

　また、職員ではなく、保険会社と保険募集に関する業務委託契約を締結している代理店が横領を行ったようなケースでも、代理店の所属募集人が保険募集について保険契約者に加えた損害については、保険会社が賠償責任を負うことになる（法283条）。

　逆に、仮に法的責任がまったく欠如しているにもかかわらず解決金を支払ったとか、あるいは損害額とかけ離れている額を損害額として支払ったという場合には、善管注意義務違反として株主（社員）代表訴訟等のリスクを負うことになりかねないため、どのような場合においても保険会社が解決のための金員を負担すべきと考えるべきものではない。保険会社が加害者の行為に基づく損害を賠償するか否かについては、法務部や弁護士の法的見解をふまえて決定すべきである。

第9章

その他のコンプライアンス

Ⅰ 保険会社の業務

Q70 保険会社はどのような業務を行うことができるか。「その他の付随業務」（法98条1項柱書）に該当する業務か否かを判断する際のポイントは何か。

A 保険会社は、保険の引受けおよび収受した保険料等の資産運用という保険業を行うために必要な業務（固有業務）、固有業務に付随する業務（付随業務）、その他法律で特に認められた業務（法定他業）を行うことができる。うち付随業務については、法98条1項各号に業務内容が例示列挙されているが、それ以外の業務であっても、①法97条および98条1項各号に準ずる業務か、②業務の規模が過大ではないか、③保険業との機能的親近性・リスクの同質性が認められるか、④余剰能力の活用に資するか、の観点から総合的に判断し、「その他の付随業務」の範疇に該当と判断できれば、付随業務として行うことができる。

=== 解　説 ===

1　保険会社の業務

保険会社は、以下の業務以外は行うことができない（他業禁止。法100条）。

① 固有業務（保険業を行うために必要な業務。本業）
　・保険の引受け（法97条1項）
　・資産運用（法97条2項）
② 付随業務（固有業務に付随して行うことができる業務）（法98条1項各号）
　・1号：他の保険会社（外国保険業者を含む）、少額短期保険業者、船

主相互保険組合法に定める船主相互保険組合その他金融業を行う者の業務の代理または事務の代行[1]（内閣府令で定めるものに限る[2]）
- 2号：債務の保証
- 3号：国債等の引受け、当該引受けに係る国債等の募集の取扱い
- 4号：金銭債権の取得・譲渡
- 4号の2：特定目的会社が発行する特定社債やこれに準ずる有価証券の引受け（売出しの目的をもってするものを除く）または当該引受けに係る特定社債等の募集の取扱い
- 4号の3：短期社債等の取得または譲渡（資産運用のために行うものを除く）
- 5号：有価証券の私募の取扱い
- 6号：デリバティブ取引（資産の運用のために行うものおよび有価証券関連デリバティブ取引に該当するものを除く）で内閣府令で定めるもの[3]
- 7号：デリバティブ取引（内閣府令で定めるもの[4]）の媒介、取次または代理
- 8号：金融等デリバティブ取引

---

[1] 同1号に掲げる業務を行おうとするときには、原則として、内閣総理大臣（金融庁長官）の認可を得る必要がある（法98条2項本文）。ただし、子会社等に係る当該業務の代理または代行を行う場合は届出で足りる（同項ただし書）。

[2] 内閣府令で定める業務の代理または事務の代行は、以下のとおり（規則51条）。
　① 保険会社、少額短期保険業者、船主相互保険組合の業務の代理または事務の代行。
　② 銀行代理業等。
　③ 他の保険会社その他金融業を行う者の資金の貸付の代理または事務の代行。
　④ ATM機による銀行等の預金または資金の貸付の業務に係る金銭の受入れまたは払出しに関する事務の代行。
　⑤ 金融商品取引業者等の投資助言業務および投資一任契約に関する書面または報告書の授受の事務の代行。
　⑥ 信託会社等、保険金信託業務を行う生命保険会社等の信託契約の締結等の業務の代理または事務の代行。

[3] 市場デリバティブ取引、店頭デリバティブ取引または外国市場デリバティブ取引（規則52条の2の2）。

[4] 同上。

- 9号：金融等デリバティブ取引の媒介、取次または代理
- 10号：有価証券関連店頭デリバティブ取引
- 11号：有価証券関連店頭デリバティブ取引の媒介、取次または代理
- 12号：ファイナンス・リース取引
- 13号：前号に掲げる業務の代理または媒介
- 14号：保有する情報を第三者に提供する業務（保険業の高度化または利用者の利便の向上に資するもの）
- 15号：保険業の経営資源を主として活用して営むデジタル化や地方創生等に資する業務[5]

③ 法定他業（固有業務や付随業務のほかに特に法律で認められた業務）
- 公共債のディーリング等（法99条1項）
- 社債等の募集または管理の受託、担保付社債に関する信託業務、投資助言業務、排出権の現物取引（取得・譲渡）またはその媒介、取次もしくは代理を行う業務（法99条2項）
- 保険金信託業務（法99条3項）

④ 他の法律により行う業務（一種の法定他業）
- 自動車損害賠償保障法77条により政府から委託を受けて行う自動車損害賠償保障事業など

2 「その他の付随業務」（法98条1項柱書、監督指針Ⅲ-2-13）

(1) 「その他の付随業務」の趣旨

社会情勢の変化等により保険会社の業務も変化するため、あらかじめすべての業務を列挙することは困難である。そこで法は、「その他の付随業務」（98条1項柱書）を置くことで、機動的に業務範囲を拡大できるようにしている。

---

5 令和3年改正により追加。

(2) 監督指針に列挙された「その他の付随業務」

監督指針において、取引先企業に対して行う次の業務については、取引先企業に対するサービスの充実および固有業務における専門的知識等の有効活用の観点から、固有業務と切り離して行う場合も「その他の付随業務」に該当することが明確化されている（監督指針Ⅲ-2-13-1(1)）。

① コンサルティング業務

取引先企業に対し株式公開等に向けたアドバイスを行うこと、個人の財産形成に関する相談に応ずる業務も含む。

② ビジネスマッチング業務

引受証券会社に対し株式公開等が可能な取引先企業を紹介する行為、勧誘せず単に顧客を証券会社に対し紹介する業務、有価証券関連業を行う金融商品取引業者等への投資信託委託会社または資産運用会社の紹介に係る業務も含む。

③ 人材紹介業務

人材紹介業務については、職業安定法に基づく許可が必要となる。

④ 事務受託業務[6]

⑤ オペレーティングリース（不動産を対象とするものを除く）の媒介業務

なお、上記業務を実施するにあたっては、顧客保護や法令等遵守の観点から、(i)優越的地位の濫用の防止、(ii)提供される商品やサービスの内容、対価等契約内容を書面等により明示すること、(iii)付随業務に関連した顧客の情報管理について、目的外使用も含め具体的な取扱基準が定められ、それらの役職員等に対する周知徹底について検証態勢が整備されていることが必要となる（監督指針Ⅲ-2-13-1(1)①から③）。

---

[6] 保険代理店や同一グループ内の企業等に対して行う事務支援業務についても、当該保険会社が行っている業務に関するものであれば、原則としてこの業務に含まれる（監督指針Ⅲ-2-13-1(1)（注4））。

(3) 「その他の付随業務」の判断方法

上記(2)以外の業務については、個別の事情に応じて付随業務該当性を判断することとなる。具体的には「その他の付随業務」に該当するかは、以下の4つの観点から総合的に判断することになる[7]（監督指針Ⅲ-2-13-1(2)）。

① 当該業務が、法97条および98条1項各号に掲げる業務に準ずるか。
② 当該業務の規模が、その業務が付随する固有業務の規模に対して過大なものとなっていないか。
③ 当該業務について、保険業との機能的な親近性やリスクの同質性が認められるか。
④ 保険会社が固有業務を遂行するなかで正当に生じた余剰能力の活用に資するか。

上記①〜④のうち、「③機能的親近性・リスクの同質性」が最も重要な観点である。同観点から検討する際には、当該業務に関する法的リスクのみならず、それを行うことにより発生するレピュテーションリスクまで検討する必要がある点に注意が必要である。

具体的な業務が「その他の付随業務」に該当するかについては、ノーアクションレター制度も活用しながら、判断していくこととなる。これまでにノーアクションレター制度に基づき、上記①〜④の観点を検討したうえで「その他の付随業務」と認められたものとしては、以下の業務がある。

・団体長期障害所得補償保険（被保険者の病気や傷害による所得喪失を長期にわたって補償する保険で、企業を契約者として、従業員を被保険者とする保険）の契約者である企業に対し、従業員の就業障害の防止を目的としたカウンセリングを行う専門業者をあっせん（紹介）する業務[8]
・海外旅行傷害保険の契約者に対し、海外における危機管理・危急時対応サービスを行う専門業者をあっせん（紹介）する業務[9]

---

7 「総合的に」判断すればよく、①〜④の観点をすべて充足する必要はない。
8 「『保険業法』に関する法令適用事前確認手続に係る照会について（平成16年12月24日付照会文書に対する回答）」（平成17年1月21日）（金融庁ホームページ）。

・保険契約者等から、保険金受取人等に宛てたメッセージを預かり、保険金受取人等がインターネットを経由して閲覧を求めた場合に、当該メッセージを受取人等に開示するというサービスを行う業務[10]

---

9 「『保険業法』に関する法令適用事前確認手続に係る照会について(平成17年7月5日付照会文書に対する回答)」(平成17年7月25日)(金融庁ホームページ)。
10 「『保険業法』に関する法令適用事前確認手続に係る照会について(平成19年11月9日付照会文書に対する回答)」(平成19年1月25日)(金融庁ホームページ)。

Ⅱ 資産運用規制

Q71 保険会社は、どのような資産運用規制に服するのか。

A 保険会社の資産運用は、将来の保険金の支払に充てる財源を確保するために、安全かつ有利に行う必要があることから、一定の規制が設けられている。かかる規制には、大きく分けて、運用方法の制限、積立勘定資産に係る運用制限等、大口信用供与規制が存在する。なお、平成24年に資産運用比率規制（いわゆる3・3・2規制）は撤廃された。

――――― 解　説 ―――――

1　運用方法の制限

保険会社の資産の運用は、次の方法によらなければならないとされ（法97条2項、規則47条）、それ以外の方法による資産の運用は禁じられている。

① 有価証券、有価証券とみなされるものおよび国債証券または外国国債証券とみなされる標準物の取得
② 不動産の取得
③ 金銭債権の取得
④ 短期社債等の取得
⑤ 金地金の取得
⑥ 金銭の貸付（コールローンを含む）
⑦ 有価証券の貸付
⑧ 組合契約または匿名組合契約に係る出資
⑨ 預金または貯金

⑩ 金銭、金銭債権、有価証券または不動産等の信託
⑪ 有価証券店頭デリバティブ取引、有価証券指数等先物取引、有価証券オプション取引または外国市場証券先物取引
⑫ 取引所金融先物取引等
⑬ 金融等デリバティブ取引
⑭ 先物外国為替取引
⑮ 上記①～⑭の方法に準ずる方法

2 大口信用供与規制

保険会社の財務の健全性を確保する観点から、特定の先に対する社債や貸付金等による運用の集中を排除するため、以下のとおり、保険会社の同一人に対する信用の供与に一定の限度が設けられている（大口信用供与規制）。

① 保険会社の同一人およびこれと特殊の関係にある者[11]（以下「特定関係者」という）に対する資産の運用の額は、一定の限度額を超えてはならない（法97条の2第2項）。
② 大口信用供与規制の対象となる資産（以下「規制対象資産」という。たとえば、同一人およびその特定関係者が発行する社債および株式、同一人およびその特定関係者に対する貸付金および貸付有価証券、同一人およびその特定関係者に対する債務の保証等）が定められている（規則48条の3第1項）。
③ 同一人およびその特定関係者に対する規制対象資産の運用に関して、区分に応じた限度額が定められている（規則48条の3第2項）。
④ 保険会社に子会社等がある場合には、当該保険会社および当該子会

---

[11] 持株比率基準に基づく親子関係等が認められる範囲をいい、具体的には、当該同一人の子会社、当該同一人を子会社とする会社およびその子会社、当該同一人の総株主等の議決権の100分の50を超える議決権を保有する者などをいう（規則48条の2）。

社等または当該子会社等による同一人およびその特定関係者に対する規制対象資産の限度額も定められている（法97条の2第3項、規則48条の4、48条の5）。

3　外国保険会社等の国内資産保有義務

　外国保険会社等の場合は、日本における保険契約者から収受した保険料を日本国外に持ち出して運用することが考えられるが、外国保険会社等が経営破綻に陥ると、日本における保険契約者等に配当する財産が残らない事態が懸念されるため、外国保険会社等に対しては、一定の資産を日本において保有することを義務づける旨の規制が存在する（法197条）。

4　資産運用比率規制の撤廃

　従前は、保険会社の資産運用の安全性を図る目的で、その保有する資産の種類ごとに総資産額に一定の比率を乗じた額を上限とする規制、具体的には、国内株式は総資産額の30％、不動産は総資産額の20％、外貨建資産総資産額の30％を上限とする規制があった（いわゆる3・3・2規制）。当該規制は、保険会社の機動的な資産運用の妨げになっているとの指摘があったことから、平成24年に撤廃された[12]。

12　保険業法施行規則の一部を改正する内閣府令等（平成24年4月18日公布・施行）。

III 子会社の業務範囲

Q72 保険会社が保有できる子会社はいかなるものか。保険持株会社が保有できる子会社との違いは何か。

A 保険会社が保有できる子会社は、法106条1項に列挙されている会社のみである。なお、具体的な業務内容は、規則56条（金融関連業務）および規則56条の2（従属業務）に規定がある。これに対して、保険持株会社は、あらかじめ金融庁長官の承認を受ければ、保険会社の子会社が行う業務以外の業務を行う会社も保有することができる（法271条の22本文）。

=== 解　説 ===

1　子会社の業務範囲規制の趣旨

　保険会社は、法律に規定されている会社（以下「子会社対象会社」という）以外の会社を子会社としてはならない（法106条1項）。これは、保険会社本体が他業禁止とされているのと同様（法100条）、主として、保険会社の経営の健全性を確保するため、他の事業に起因する異種のリスクが保険会社本体に波及することを回避するためである。

2　子会社対象会社

　保険会社が保有できる子会社対象会社は、以下のとおりである（法106条1項）。

- 生命保険会社（1号）、損害保険会社（2号）、少額短期保険業者（2号の2）、保険業を行う外国の会社（8号）
- 銀行（3号）、長期信用銀行（4号）、資金移動専門会社（4号の2）、

第9章　その他のコンプライアンス　399

・銀行業を営む外国の会社（9号）
・証券会社（5号）、証券仲介専門会社（6号）、金融サービス仲介業者のうち有価証券仲介業務を営む会社（6号の2）[13]、信託専門会社（7号）、有価証券関連業を行う外国の会社（10号）、信託業を営む外国の会社（11号）
・従属業務子会社（12号）
・金融関連業務子会社（12号）
・ベンチャー・ビジネス企業（13号）
・事業再生会社（14号）[14]
・地方創生業務会社（15号）[14]
・高度化等会社（いわゆるFinTech会社）（16号）
・保険業を行う外国の会社を子会社とする持株会社（17号）
・子会社対象会社を子会社とする外国の持株会社と同種または類似するもの（18号）

3　従属業務子会社

　従属業務とは、保険会社等の行う業務に従属する業務（金融業を遂行するにあたり付随的に行われる業務（一般事業））をいう。規則56条の2第1項において、福利厚生業務（1号）、物品購入業務（2号）など、具体的な業務内容が列挙されている。

4　金融関連業務子会社

　金融関連業務とは、保険業、銀行業、有価証券関連業または信託業に付随し、または関連する業務をいう。規則56条において、保険業の代理または事務の代行（1号）、保険募集（2号）、保険事故調査（3号）など、具体的な

13　令和3年11月1日施行。
14　令和3年改正により追加。令和3年11月19日までに施行予定。

業務内容が列挙されている。

5　子会社対象会社を子会社とする認可（法106条4項）

　保険会社は、子会社対象会社を子会社としようとするときは、あらかじめ内閣総理大臣（金融庁長官）の認可を得なければならない（法106条4項）。ただし、従属業務子会社、金融関連業務子会社、およびベンチャー・ビジネス企業、事業再生会社、地方創生業務子会社を子会社にしようとするときは、認可は不要とされ、届出で足りる（法127条1項2号）。

6　海外の金融機関等の買収等に係る子会社の業務範囲規制の特例

　海外の保険会社や投資運用会社などの金融機関等を買収した場合に、当該金融機関等の子会社が、前述した子会社対象会社として認められていない業務を行う会社であっても、10年以内に処分することを前提に、保有することが認められる（法106条6項）。これは、近年、日本の保険会社による外国の金融機関等の買収が増加しているが、買収の障壁となりうる子会社規制（買収対象会社が子会社対象会社ではない会社を保有している場合、買収完了までに当該子会社を対象会社から切り離すことを求めなければならず、入札などの交渉において不利益な立場となるおそれ）の解消を目的とするものである。

7　保険持株会社の子会社の範囲（法271条の22）

　保険持株会社は、あらかじめ金融庁長官の承認を受ければ、保険会社の子会社が行う業務以外の業務を行う会社も保有することができる（法271条の22本文）。これは、保険持株会社について、主要国においては子会社に関する業務範囲規制が設けられていないことをふまえ、法令上、業務範囲規制を設けないこととしたものである。ただし、承認を得るには、子会社の業務の内容が、保険持株会社の子会社である保険会社の社会的信用や経営の健全性を損なうおそれがないことが認められなければならない（法271条の22第3項）。

Ⅳ 犯罪収益移転防止法

Q73 保険業務において、マネー・ローンダリングおよびテロ資金供与対策の観点から留意すべきものとして、どのようなものがあるか。

A マネー・ローンダリングおよびテロ資金供与対策として、保険会社を含む金融機関等の特定事業者には、取引時確認、確認記録の作成・保存、取引記録の作成・保存、疑わしい取引の届出等が義務づけられている。

―― 解　説 ――

1 マネー・ローンダリングおよびテロ資金供与対策の必要性

保険契約には年金、満期保険金、解約返戻金のあるいわゆるキャッシュバリューのある商品があり、マネー・コーンダリング（資金洗浄）やテロ資金供与（テロ行為の実行を目的として、そのために必要な資金をテロリストに提供すること）に悪用されるリスク（本Qでは「マネロンリスク」という）がある。マネロンリスクを放置すれば、結果的に、組織的な犯罪の増加や犯罪組織の維持・拡大を助長し、ひいては、合法的な経済活動に犯罪組織の支配・介入を許し、健全な経済活動に支障を及ぼすおそれがあるため、保険会社およびその委託を受けた保険代理店においては、保険業務を通じて、マネロンリスクに適切に備え、対処する必要があり、マネー・ローンダリング規制の遵守が求められる。

このような観点から生命保険協会は、「マネー・ローンダリング／テロ資金供与対策ハンドブック」および「マネー・ローンダリング／テロ資金供与対策Q&A」を策定している。

2 犯罪収益移転防止法の概要

　我が国におけるマネー・ローンダリング規制は、犯罪収益移転防止法がその中心を担っている。同法は、組織的犯罪処罰法[15]および麻薬特例法[16]による措置と相まって[17]、犯罪による収益の移転防止を図り、テロリズムに対する資金供与の防止に関する国際条約等の的確な実施を確保して国民生活の安全と平穏を確保するとともに、経済活動の健全な発展に寄与することを目的とする法律である。

　その主な内容として、保険会社を含む金融機関等の特定事業者には、次のような対応が義務づけられている。これらの措置により犯罪収益の出所の捕捉、反社の摘発を期するとともに、犯罪収益を金融システムから排除するため、金融システム内の資金移動に対する追跡可能性（トレーサビリティ）を確保することに重要な目的がある。

① マネー・ローンダリングのおそれのある一定の取引に関する顧客の本人特定事項（氏名、住所等）や取引を行う目的等の公的証明書類での確認（本Qでは「取引時確認」という）

② 取引時確認を行った場合の確認記録の作成・保存（7年間）

③ 取引記録の作成・保存（7年間）

④ 疑わしい取引[18]の届出

⑤ コルレス契約[19]を締結するに際しての確認・記録

---

[15] 組織的な犯罪の処罰及び犯罪収益の規制等に関する法律（平成11年法律第136号）

[16] 国際的な協力の下に規制薬物に係る不正行為を助長する行為等の防止を図るための麻薬及び向精神薬取締法等の特例等に関する法律（平成3年法律第94号）

[17] 犯罪収益移転防止法における事業者の措置は、マネー・ローンダリングの処罰や犯罪収益のはく奪と調和し連動することによって、所期の目的を達成することが想定されている（犯罪収益移転防止制度研究会編著「逐条解説犯罪収益移転防止法」平成21年6月東京法令出版・9～10頁）。

[18] 暴力団員・暴力団関係者等に係る取引、特定業務で収受した財産が犯罪による収益である疑いがある、または顧客等が特定業務に関し組織的犯罪処罰法10条の罪もしくは麻薬特例法6条の罪に当たる行為を行っている疑いがある取引をいう。

[19] 外国所在為替取引業者との間で、為替取引を継続的にまたは反復して行うことを内容とする契約。

⑥　顧客との間で外国へ向けた支払に係る為替取引を行う場合において、当該支払を他の特定事業者または外国所在為替取引業者に委託するときの当該顧客に係る本人特定事項等の通知
⑦　取引時確認、取引記録等の保存、疑わしい取引の届出等の措置を的確に行うための体制整備[20]

3　取引時確認
(1) 取引時確認が求められる場面

保険取引で、取引時確認が求められる場面は、主に次のとおりである。ただし、以下の①～③の「保険契約」には、簡素な顧客管理を行うことが許容される取引として、満期保険金等の定めがない保険契約（一時払終身保険契約を除く）、保険料の総額の100分の80に相当する金額が満期保険金等の金額の合計を超えるもの（変額保険契約を除く）、適格退職年金契約、団体扱い契約等の一定の保険契約が除外されている（犯罪収益移転防止法施行令7条1項、同法施行規則4条1項2号、3号）。

①　保険契約の締結
②　保険契約に基づく年金（人の生存を事由として支払が行われるものに限る）、満期保険金、満期返戻金、解約返戻金または満期共済金の支払（勤労者財産形成貯蓄契約等、勤労者財産形成給付金契約、勤労者財産形成基金契約、資産管理運用契約等および資産管理契約に基づくものを除く）
③　保険契約者の変更
④　契約者貸付け
⑤　現金等による200万円を超える取引
⑥　顧客管理を行う上で特別の注意を要する取引（＝疑わしい取引[21]または同

20　具体的には、次の措置が求められている。
　・当該取引時確認をした事項に係る情報を最新の内容に保つための措置
　・使用人に対する教育訓練の実施、取引時確認等の措置の実施に関する規程の作成、取引時確認等の措置の的確な実施のために必要な監査その他の業務を統括管理する者の選任等の措置を講じる努力義務

種の取引の態様と著しく異なる態様[22]で行われる取引）

⑦　ハイリスク取引[23]

(2)　取引時確認の方法

　取引を行うに際して、顧客等について、次の事項の確認を主務省令[24]で定める方法により行う。特に、本人特定事項については、一定の公的証明書（いわゆる「本人確認書類[25]」）の提示を受ける方法等により行わなければならない。

・本人特定事項[26]

・取引を行う目的

・職業（自然人の場合）、事業の内容（法人、人格のない社団、財団の場合）

・実質的支配者（法人の場合）

・（ハイリスク取引を行うに際しては）資産、収入の状況

21　脚注18参照
22　「同種の取引の態様と著しく異なる態様」に該当するか否かの判断は、特定事業者が有する一般的な知識や経験、商慣行を踏まえて行われることとされる。たとえば、「疑わしい取引」に該当するとは直ちに言えないまでも、その取引の態様等から類型的に疑わしい取引に該当する可能性があるもので、たとえば、
　　・資産や収入に見合っていると考えられる取引ではあるものの、一般的な同種の取引と比較して高額な取引
　　・定期的に返済はなされているものの、予定外に一括して融資の返済が行われる取引等の業界における一般的な知識、経験、商慣行等に照らして、これらから著しく乖離している取引が含まれるとされる（平成27年9月パブリックコメント回答150番）。
23　マネー・ローンダリングに用いられるおそれが特に高い取引であり、具体的には、①取引の相手方がなりすましている疑いのある取引（なりすまし取引）、②取引時確認に係る事項を偽っていた疑いがある取引（偽り取引）、③マネー・ローンダリング対策が不十分であると認められる特定国（平成29年3月時点でイランおよび北朝鮮）の居住者等との特定取引、または④外国PEPsとの特定取引のいずれかをいう。
24　対面・非対面、自然人・法人等で方法は異なり、たとえば、対面であれば、自然人である顧客等又は代表者等から写真付き本人確認書類の提示を受ける方法、法人である顧客等の代表者等から登記事項証明書、印鑑登録証明書等の提示を受ける方法などであり、犯罪収益移転防止法施行規則6条から12条で詳細に定められている。なお、平成30年11月の同法施行規則改正（令和2年4月1日施行）により、顧客等または代表者等から、特定事業者が提供するソフトウェアを使用して、本人確認用画像情報（当該ソフトウェアにより撮影された顧客等の容貌及び写真付き本人確認書類）の送信を受ける方法等のオンラインのみで取引時確認を完結できる方法が追加された。

(3) 取引時確認の省略

　過去に取引時確認済みの顧客等については、ハイリスク取引や疑わしい取引、同種の取引の態様と著しく異なる態様で行われる取引を除き、次のいずれにも該当する場合には、通常の取引時確認の省略が認められる。

・特定事業者が取引を行う顧客について既に取引時確認を行っていること
・当該取引時確認について確認記録を作成・保存していること
・取引を行うに際して、顧客から記録されている者と同一であることを示す書類等の提示か送付を受けるか、顧客しか知りえない事項等の申告を受けることにより、顧客が当該記録と同一であることを確認すること（事業者が顧客と面識がある場合など、記録されている者と同一であることが明らかな場合は、この限りでない）
・確認記録を検索するための事項、取引等の日付、取引等の種類を記録し、取引の日から7年間保存すること

25　犯罪収益移転防止法施行規則7条が定める書類であるが、その取扱いには格差があるので注意を要する。運転免許証、運転経歴証明書、在留カード、特別永住者証明書、個人番号（マイナンバー）カード、旅券（パスポート）、身体障害者手帳等の官公庁発行書類等で氏名、住居、生年月日の記載があり、かつ、顔写真が貼付されているものが最も証明力が高いものと扱われ、たとえば、対面取引においてはそれ単体の提示で確認方法として足りる。なお、旅券（パスポート）については、書式によっては住所記載を欠く場合があるので注意を要する。他方、同じ対面取引であっても、健康保険証、国民年金手帳、児童扶養手当証書、特別児童扶養手当証書、母子健康手帳等の書類や、官公庁発行書類等で氏名、住居、生年月日の記載があっても、顔写真のないものは、それ単体の提示では確認方法として認められず、あわせてそれと異なる本人確認書類の提示等による補完を要する。なお、個人番号の通知カードは犯罪収益移転防止法上の本人確認書類とは認められない。

26　自然人の場合は氏名、生年月日、住所であり、法人の場合は名称、および本店または主たる事務所の所在地である

V 反社会的勢力への対応

Q74 保険会社や保険代理店が、反社会的勢力への対応に関して留意しておくべきことは何か。

A 平成19年6月19日に、内閣府において「企業が反社会的勢力による被害を防止するための指針」が取りまとめられ、これを受けて、金融庁は、平成20年3月に監督指針を改正し「反社会的勢力による被害の防止」という節を新設した。保険会社および保険代理店は、グループ一体となって、反社会的勢力と断固として対決し、反社会的勢力を社会から排除するために、不当要求のみならず、いっさいの取引・関係を遮断する必要がある。反社会的勢力との取引の存在を把握したにもかかわらず、その取引の防止・解消のための抜本的対応を怠ることがあってはならない。相手方が反社会的勢力であると判明した時点で可能な限りすみやかに関係を解消するための態勢整備および反社会的勢力による不当要求に適切に対応するための態勢整備が求められる。

=== 解 説 ===

1 「企業が反社会的勢力による被害を防止するための指針」および監督指針

保険は、保険契約者等の善意と信頼によって成り立っているため、不当に利益を得るために保険を悪用する行為がなされると、善意の顧客が不利益を被るだけでなく、保険の仕組みそのものが成り立たなくなるリスクがある（モラルリスク）。したがって、保険会社および保険会社から委任を受けた保険代理店は、保険を悪用するおそれのある行為を排除し、またそのような行為を反復・継続して行うおそれのある反社会的勢力との取引関係を排除・断

絶していくことが強く要請される。

この点、平成19年6月19日に、内閣府において「企業が反社会的勢力による被害を防止するための指針」（以下「政府指針」という）が取りまとめられた。これを受けて、金融庁は監督指針を改正して「反社会的勢力による被害の防止」（現監督指針Ⅱ-4-9）という節を新設し、反社会的勢力との関係を遮断するための態勢整備と、これを事後検証できるようにしておくことを要求することとし、検査結果や不祥事件届出書等により、反社会的勢力を遮断するための態勢に問題があると認められる場合には、業務改善命令の発出を検討するものとした。

その後、㈱みずほ銀行が提携ローン[27]に多数の反社会的勢力との取引が存在することを把握してから2年以上反社会的勢力との取引の防止・解消のための抜本的な対応を行っていなかったこと等を理由として、平成25年12月26日、同行およびみずほフィナンシャルグループに対し行政処分（業務改善命令等）がなされたことを契機として、金融庁は、暴力団排除条項の導入の徹底、反社会的勢力データベースの充実・強化、事後的な反社会的勢力チェック態勢の強化、反社会的勢力との関係遮断に係る内部管理態勢の徹底、反社会的勢力との取引の解消の推進、信販会社・保険会社等によるサービサーとしてのRCC（整理回収機構）の活用等の取組みを推進するものとし（平成25年12月26日付「反社会的勢力との関係遮断に向けた取組みの推進について」）、平成26年6月4日、当該推進内容に則した監督指針の改正がなされた。

今後、保険会社は、企業の社会的責任として、反社会的勢力の排除・断絶に向けた取組みを、これまで以上に強化していかなければならない。

以下、反社会的勢力を排除・断絶するためにとることが望ましい具体的方策について述べる。

27　顧客からの申込みを受けた信販会社が審査・承諾し、信販会社による保証を条件に金融機関が当該顧客に対して資金を貸し付けるローンをいう。

2　内部統制システムの構築

反社会的勢力との関係を遮断するためには、適切な内部統制システムを構築することによって、反社会的勢力の接触を早期に察知して組織的な対応を行うことが重要である。

(1) 統制環境の整備

① 代表取締役（指名委員会等設置会社である場合は執行役）が、反社会的勢力との関係遮断について、政府指針の内容をふまえて、取締役会で決定された基本方針を、社内外に宣言を行い（監督指針Ⅱ-1-2-1(1)⑥、Ⅱ-1-2-2(3)⑦）、会社内部においては、トップから現場まで反社会的勢力との関係遮断という意識統一を図るとともに、外部の反社会的勢力に対しては、断固たる関係遮断の意思を示す。

② 取締役会は、政府指針をふまえた基本方針を決定し、それを実現するための体制を整備するとともに、定期的にその有効性を検証するなど、法令等遵守・リスク管理事項として、反社会的勢力による被害の防止を明確に位置づける（監督指針Ⅱ-1-2-1(2)④、Ⅱ-1-2-2(1)⑦）。

【政府指針における反社会的勢力による被害を防止するための基本原則】

・組織としての対応
・外部専門機関との連携
・取引を含めたいっさいの関係遮断
・有事における民事と刑事の法的対応
・裏取引や資金提供の禁止

(2) 関係を有した場合に備えた態勢整備および不当要求に適切に対応するための態勢整備（監督指針Ⅱ-4-9-2）

反社会的勢力とはいっさいの関係をもたず、反社会的勢力であることを知らずに関係を有してしまった場合には、相手方が反社会的勢力であると判明した時点で可能な限りすみやかに関係を解消するための態勢整備および反社会的勢力による不当要求に適切に対応するための態勢整備が求められる。その検証については、監督指針において被害者救済の観点を含め個々の取引状

況等を考慮しつつ、以下のような点に留意するものとされる（監督指針Ⅱ-4-9-2）。

> (1) 組織としての対応
> 　反社会的勢力との関係の遮断に組織的に対応する必要性・重要性をふまえ、担当者や担当部署だけに任せることなく取締役等の経営陣が適切に関与し、組織として対応することとしているか。また、保険会社単体のみならず、グループ一体[28]となって、反社会的勢力の排除に取り組むこととしているか。さらに、グループ外の他社（信販会社等）との提携による金融サービスの提供などの取引を行う場合においても、反社会的勢力の排除に取り組むこととしているか。
> (2) 反社会的勢力対応部署による一元的な管理態勢の構築
> 　反社会的勢力との関係を遮断するための対応を総括する部署（以下「反社会的勢力対応部署」という。）を整備し、反社会的勢力による被害を防止するための一元的な管理態勢が構築され、機能しているか。
> 　特に、一元的な管理態勢の構築にあたっては、以下の点に十分留意しているか。
> 　　① 反社会的勢力対応部署において反社会的勢力に関する情報を積極的に収集・分析[29]するとともに、当該情報を一元的に管理したデー

---

[28] グループ内の会社間で、反社会的勢力の排除に向けた取組みの方針の統一化や情報交換等が適切に図られていなければ、金融取引における反社会的勢力との関係遮断の要請に的確に対応できないと考えられるからであり、「グループ」の範囲については、かかる趣旨をふまえ、各金融機関の業務内容や組織構成等に応じて、個別具体的に検討する必要がある（平成26年6月4日金融庁パブリックコメント6番）。また、グループ一体となって、反社会的勢力の排除に取り組むための方策については、一律の対応が求められるわけではなく、各金融機関において、グループの規模等を勘案して、会社間で適切に連携をとることができるような体制とされていることが必要である（平成26年6月4日金融庁パブリックコメント6番）。

[29] たとえば、日頃から、意識的に情報のアンテナを張り、新聞報道等に注意して幅広く情報の収集を行ったり、外部専門機関等から提供された情報などもあわせて、その正確性・信頼性を検証したりするなどの対応が考えられる（平成26年6月4日金融庁パブリックコメント33番）。

タベースを構築し、適切に更新（情報の追加、削除[30]、変更等）する体制[31]となっているか。また、当該情報の収集・分析[32]等に際しては、グループ内で情報の共有に努め、業界団体等から提供された情報を積極的に活用[33]しているか。さらに、当該情報を取引先の審査や当該保険会社における株主の属性判断等を行う際に、適切に活用する体制となっているか。

② 反社会的勢力対応部署において対応マニュアルの整備や継続的な研修活動、警察・暴力追放運動推進センター・弁護士等の外部専門機関との平素からの緊密な連携体制の構築を行うなど、反社会的勢力との関係を遮断するための取組みの実効性を確保する体制となっているか。特に、平素より警察とのパイプを強化し、組織的な連絡体制と問題発生時の協力体制を構築することにより、脅迫・暴力行為の危険性が高く緊急を要する場合には直ちに警察に通報する体制となっているか。

③ 反社会的勢力との取引が判明した場合および反社会的勢力による不当要求がなされた場合等において、当該情報を反社会的勢力対応部署へ迅速かつ適切に報告・相談する体制となっているか。また、反社会的勢力対応部署は、当該情報を迅速かつ適切に経営陣に対し報告する体制となっているか。さらに、反社会的勢力対応部署にお

---

[30] たとえば、誤登録が発覚した場合など、反社会的勢力でないことが明白となった場合に、すみやかに反社会的勢力に関するデータベースから消去する措置等が考えられる。（平成26年6月4日金融庁パブリックコメント22・23番）。

[31] 反社会的勢力に関するデータベースの運用に際して一定の基準を策定する場合、そのなかに情報の追加、削除、変更等についての基準も含まれることとなる（平成26年6月4日金融庁パブリックコメント22番）。

[32] 「収集・分析」とは、たとえば、日常業務に従事するなかで得られる反社会的勢力に関する情報や、新聞報道、警察や暴力追放運動推進センターからの提供等の複数のソースから得られる情報を集めたうえで、継続的にその正確性・信頼性を検証する対応等を指す（平成26年6月4日金融庁パブリックコメント15番）。

[33] 「積極的に活用」とは、提供された情報を自社のデータベースに取り込むなどして、取引の相手方の反社会的勢力該当性チェックに有効に役立てることを求めるものである（平成26年6月4日金融庁パブリックコメント20番）。

いて実際に反社会的勢力に対応する担当者の安全を確保し担当部署を支援する体制となっているか。

(3) 適切な事前審査の実施

反社会的勢力との取引を未然に防止するため、反社会的勢力に関する情報等を活用した適切な事前審査を実施するとともに、契約書や取引約款への暴力団排除条項の導入を徹底する[34]など、反社会的勢力が取引先となることを防止しているか。

提携ローン（4者型）（注）については、暴力団排除条項の導入を徹底のうえ、保険会社が自ら事前審査を実施する体制を整備し、かつ、提携先の信販会社における暴力団排除条項の導入状況や反社会的勢力に関するデータベースの整備状況等を検証する態勢となっているか。

（注） 提携ローン（4者型）とは、加盟店を通じて顧客からの申込みを受けた信販会社が審査・承諾し、信販会社による保証を条件に金融機関が当該顧客に対して資金を貸付けるローンをいう。

(4) 適切な事後検証の実施

反社会的勢力との関係遮断を徹底する観点から、既存の債権や契約の適切な事後検証を行うための態勢が整備されているか[35,36]。

(5) 保険金等の支払審査の実施

---

[34] 「暴力団排除条項の導入を徹底」といっても、適切に反社会的勢力を排除する態勢が整えられていることが肝要なのであり、およそすべての契約書について形式的かつ一律の暴力団排除条項の導入が求められているものではなく、当該契約中に暴力団排除条項を導入する実益が必ずしもない場合は、当該目的に照らし、必要に応じて適切に対応すれば足りる（平成26年6月4日金融庁パブリックコメント52番）。

[35] 「既存の債権や契約の適切な事後検証」には、既存契約中に暴力団排除条項が導入されているかを確認し、導入に向けた方策を検討する等の対応が含まれると考えられるが、既存の契約の変更が一律に求められるものではない（平成26年6月4日金融庁パブリックコメント57・58番）。

[36] 事後検証の実施頻度についても、一律の対応が求められるわけではなく、データベースの更新状況や取引の相手方の属性が事後的に変化する可能性等をふまえ、各保険会社において、個別の債権や契約内容に応じて、実施頻度を検討する必要がある。たとえば、各保険会社の規模、特性、対象顧客のリスク評価の結果等に応じて実施することでさしつかえない（平成26年6月4日金融庁パブリックコメント60番）。

反社会的勢力からの不当な請求等を防止する観点から、保険金等の支払審査を適切に行うための態勢が整備されているか[37]。

(6) 反社会的勢力との取引解消に向けた取組み

① 反社会的勢力との取引が判明した旨の情報が反社会的勢力対応部署を経由して迅速かつ適切に取締役等の経営陣に報告され、経営陣の適切な指示・関与のもと対応を行うこととしているか。

② 平素から警察・暴力追放運動推進センター・弁護士等の外部専門機関と緊密に連携しつつ、株式会社整理回収機構のサービサー機能を活用する等して、反社会的勢力との取引の解消を推進しているか。

③ 事後検証の実施等により、取引開始後に取引の相手方が反社会的勢力であると判明した場合には、可能な限り契約の解除を図るなど、反社会的勢力への利益供与にならないよう配意しているか[38]。

④ いかなる理由であれ、反社会的勢力であることが判明した場合には資金提供や不適切・異例な取引[39]を行わない態勢が整備されているか[40]。

---

[37] 保険契約の解消にあたって支払われる解約返戻金の支払についても、たとえば、疑わしい取引に該当しないか等に注意して行われる必要がある（平成26年6月4日金融庁パブリックコメント84番）。

[38] 暴力団排除条項が導入されている場合、原則としてすみやかな取引関係の解消を図る必要があるが、その場合においても、反社会的勢力を不当に利することのないよう、当該取引に係る債権回収の最大化を図る観点や、役職員の安全確保の観点等を総合的に考慮したうえで、具体的対応について検討することが求められる。また、暴力団排除条項が導入されていない取引に関しては、取引関係の解消を図るためにとりうる手段について具体的に検討したうえで一定の対処方針を策定し、当該対処方針に基づく対応をとることが求められる（平成26年6月4日金融庁パブリックコメントパブコメ71・72番）。

[39] 「不適切・異例な取引」については、各事業者の通常の事業内容等をふまえるのみならず、社会通念に照らして判断する必要がある（平成26年6月4日金融庁パブリックコメント62番）。

[40] この項目は、取引開始後に取引の相手方が反社会的勢力であることが判明した場合に、新たな資金提供や不適切・異例な取引を行うことは、反社会的勢力から弱みをつけ込まれたり、暴力団の犯罪行為等を助長したりするおそれがきわめて高いことから、これを行ってはならないことを特に確認する趣旨である（平成26年6月4日金融庁パブリックコメント81番）。

(7) 反社会的勢力による不当要求への対処
① 反社会的勢力により不当要求がなされた旨の情報が反社会的勢力対応部署を経由して迅速かつ適切に取締役等の経営陣に報告され、経営陣の適切な指示・関与のもと対応を行うこととしているか。
② 反社会的勢力からの不当要求があった場合には積極的に警察・暴力追放運動推進センター・弁護士等の外部専門機関に相談するとともに、暴力追放運動推進センター等が示している不当要求対応要領等を踏まえた対応を行うこととしているか。特に、脅迫・暴力行為の危険性が高く緊急を要する場合には直ちに警察に通報を行うこととしているか。
③ 反社会的勢力からの不当要求に対しては、あらゆる民事上の法的対抗手段を講ずるとともに、積極的に被害届を提出するなど、刑事事件化も躊躇しない対応を行うこととしているか。
④ 反社会的勢力からの不当要求が、事業活動上の不祥事や役職員の不祥事を理由とする場合には、反社会的勢力対応部署の要請を受けて、不祥事案を担当する部署が速やかに事実関係を調査することとしているか。

(8) 株主情報の管理
定期的に自社株の取引状況や株主の属性情報等を確認するなど、株主情報の管理を適切に行っているか[41]。

3 保険契約締結前の反社会的勢力の排除

保険業に公益的要素があるとはいえ、申込みを受けた保険会社は、承諾するか否かの自由を有しており、特段の理由なく、承諾を拒絶することができ

---

41 この趣旨は、定期的に株主の属性を把握して、株主の立場を利用した不当要求等へ備えるためのものであり、株主が反社会的勢力と判明した場合に、株式を売却させることまで求める趣旨ではない(平成26年6月4日金融庁パブリックコメント85番)。

る（契約自由の原則。例外として、たとえば自賠責保険）。したがって、相手方（被保険者または保険金受取人になろうとする者を含む）が反社会的勢力であると判断した際には、契約申込みを拒絶することが可能であるし、かつ躊躇なく拒絶しなければならない。また、仮に、反社会的勢力であるとの確証まで得られなくとも、相当程度その蓋然性が認められるならば、予防的に契約申込みを謝絶するべきである。

なお、実務上問題となるのは、実効的な「危険選択」、つまり契約を申し込んできた者が反社会的勢力であるかをいかにして突き止めるかにある。第一次選択や契約審査においては、以下の点などに留意することが望ましい。

(1) 営業部門（外務員や保険代理店）の第一次選択の留意点

① 服装等の外見的特徴について確認（刺青等）。
② 健康状態や生活状況
③ 職業の内容、収入。自営業の場合には、年商・経営状況や役職員数
④ 申し込んだ保険商品の保険金額が、資産・職業からして過大ではないか。
⑤ 申込者（および同席者）の素性
⑥ 保険金請求の有無・頻度はどうか。他社との同時加入・集中加入はないか。
⑦ 面談した際に、反社会的勢力が経営する企業（フロント企業）に多い特徴が垣間みえる場合には、その特徴を記録化し、審査の対象となる情報に加える。

【特徴例】
威圧的な電話の取り方など電話での対応が不自然。名刺を何種類ももっている。会社の規模・内容に比べて肩書が大げさすぎ。政治家や信用のある企業・団体との結びつきを強調する。申込者の勤務先に訪問した際、従業員・出入り業者・顧客が異様であることなど。

(2) 契約審査部門における審査における確認事項
① 保険会社各社で反社会的勢力情報データベースを構築している場合には、そのデータベースに申込情報を当て、ヒットしないかを確認する。
② 契約内容登録制度・契約内容照会制度を利用して契約の加入状況等を確認する。
③ 顧客の年収からみて、著しく高額な保険契約でないか確認する。
④ 契約確認について異議(「プライバシー侵害であるから調査せずに申込みを承諾しろ」といった言動)を唱えるようであれば、これを1つの危険の判断材料とする。
⑤ 商業登記事項証明書を取り寄せ、所在地の移転・役員の総入替え等、不自然な変更がみられないか等を調査し、申込者が暴力団・暴力団員その他反社会的勢力でないかにつき、必要に応じて、警察等関係諸機関に照会する。
⑥ インターネットや新聞記事の検索により調査する。

4　保険契約締結後の反社会的勢力の排除

保険加入後の反社会的勢力の排除については、Q61を参照。

5　保険代理店からの排除

　保険代理店が、保険契約者と通じ、告知義務の存在を秘して契約を媒介したり、保険契約者ないし保険事故の相手方と通じて保険金ないし賠償金の不当な請求を行うなどの事態が生じたりする可能性がある。また、反社会的勢力に対して代理店手数料を支払って資金援助をしているということになれば、保険会社の風評リスクや市場における地位に与える影響は計り知れないものがある。そこで、保険代理店に反社会的勢力が入り込むことを防止し、あるいは仮に混入した反社会的勢力を排除するため、次のような対処法を実践すべきである。

【保険代理店の登録申請時】
① 保険会社に提出させる最初の紙面である「申請書」に、過去および将来にわたって暴力団その他の反社会的勢力に属しないことを明確に表明させる文言を明記したうえで申込みをさせる。
② 契約申込み時に行うことと同様の調査・確認（前述）を綿密に行う。
③ 申請時に、保険会社各社で管理している反社会的勢力情報データベースを利用してデータマッチングし、保険代理店の適性を審査する。
④ 保険会社における内規として、一定の適格性に関する登録要件を定める。

【委任契約における規定】
⑤ 保険代理店との委任契約で、暴力団その他の反社会的勢力を明確に排除することを可能とする条項（いわゆる暴力団排除条項）を規定する。
⑥ 保険代理店との委任契約で、保険会社からいつでも任意に契約解除できるとする条項を規定する。
⑦ 保険代理店との委任契約で、契約の有効期間を短く設定しておき、相当期間前に更新拒絶の意思表示を行うことにより、期間満了となる旨を規定する。

【委任契約における暴力団排除条項等の運用】
⑧ 保険代理店との委任契約に定められた暴力団排除条項に該当した場合には、保険代理店の営業成績（同代理店担当支社の成績に関係する）や、手数料の多寡（反抗するインパクトの大小）にかかわらず、代理店業務委託契約を即時解除していく方針を決定する。
⑨ 暴力団排除条項に該当する事実が明確に判明しないものの、反社会的勢力との関与が強く疑われるという保険代理店については、任意解除条項（⑥）や契約期間の満了（⑦）等を主張することにより、契約を終了させるよう努める運用を徹底する方針を決定する。
⑩ 上記⑧・⑨の決定を徹底するための施策を実施する（企業トップの宣言、社内における通達・社内行動倫理規程等への規定化・人事評定項目への挿入

等)。

【モニタリング・検査】
⑪　コンプライアンス部門による代理店検査のみならず、営業部門における平時の教育・管理・指導を通じて、保険代理店の状況把握に努め、反社会的勢力の疑いがないかを不断にチェックする。
⑫　代理店検査における検査項目にしたうえで、代理店から反社会的勢力に該当しない旨を表明させ、その旨を記録する。

【実際に保険代理店が反社会的勢力である疑いが発生した場合】
⑬　委任契約の解除・終了をさせるにあたっては法的リスクの判断が不可欠な案件である場合が多いと思われるため、あらかじめ、法務部門や弁護士に相談することとする。
⑭　警察等関係諸機関や弁護士と相談・協力のうえ、反社会的勢力に属する旨の証拠や、反社会的行為を過去に行った事実の証拠の収集に努めるほか、他の契約違反(コンプライアンス違反・代理店検査協力義務違反・報告義務違反等)がないかについても、保険代理店を管理する営業支社・コンプライアンス部門に確認しておく。
⑮　法務部門や弁護士と相談のうえ、早急に契約関係を終了するための措置を講じる。

6　金融庁による監督

　反社会的勢力との関係を遮断するための態勢に問題があると認められる場合には、必要に応じて法128条に基づき報告を求め、当該報告を検証した結果、業務の健全性・適切性の観点から重大な問題があると認められる場合等には、法132条に基づく業務改善命令の発出や法132条に基づく業務改善に要する一定期間に限った業務の一部停止命令の発出が検討される。
　また、反社会的勢力であることを認識しながら組織的に資金提供や不適切な取引関係を反復・継続する、または取引の防止・解消のための抜本的対応を長期間行わないなど、重大性・悪質性が認められる法令違反または公益を

害する行為などに対しては、法133条に基づく厳正な処分が検討される。
　この点、金融庁における金融検査結果事例集において、反社会的勢力に係る関係遮断態勢に問題が認められる事例が紹介されている[42]。

42　たとえば、平成22年7月金融庁検査局「金融検査指摘事例集別冊4〔反社会的勢力に係る管理態勢〕」参照。

Ⅵ 障がい者対応

Q75 運動機能や視力・聴力が低下した者、その他障がい者との対応に関して、どのようなことに留意することが求められるか。

A 障害者差別解消法および「障害を理由とする差別の解消に関する基本方針」により、障がい者に対する不当な差別的取扱いの禁止および合理的配慮を行う努力義務が課せられていることから、障がい者等の取引の利便性向上に向けた取組みを推進することが求められる。

═══════════ **解　説** ═══════════

1　障害者差別解消法と基本方針

近年、障がい者の権利擁護に向けた取組みが国際的に進展し、平成18年に国連において、障害者の人権および基本的自由の享有を確保すること、ならびに障害者の固有の尊厳の尊重を促進するための包括的かつ総合的な国際条約である、障害者の権利に関する条約（以下「権利条約」という）が採択された。日本は、平成19年に権利条約に署名し、以来、国内法の整備をはじめとする取組みを進めてきた。

障害を理由とする差別の解消の推進に関する法律（以下「障害者差別解消法」という）は、障害者基本法の差別の禁止の基本原則を具体化するものであり、すべての国民が、障害の有無によって分け隔てられることなく、相互に人格と個性を尊重し合いながら共生する社会の実現に向け、障害者差別の解消を推進することを目的として、平成25年6月に制定された。

事業者は、障害者差別解消法および「障害を理由とする差別の解消に関する基本方針」により、障害者に対する不当な差別的取扱いの禁止および合理

的配慮の努力義務が課せられている。

2 金融庁の対応指針および監督指針

　金融事業者の障害者への対応にあたっては、「金融庁所管事業分野における障害を理由とする差別の解消の推進に関する対応指針」（平成28年金融庁告示第3号）の各規定に則って、障がいを理由とする差別の禁止や合理的配慮の提供に関して、適切な対応を実施すること、および、その実施状況を把握・検証したうえ、対応方法の見直しを行う等、必要な内部管理態勢を整備することが求められている。

　たとえば、視覚に障がいのある顧客に対しては、窓口まで誘導し、商品の内容をわかりやすい言葉で丁寧に説明を行うこと、また、顧客の要請がある場合は、取引関係書類について代読して確認すること、書類記入の依頼時に、記入方法等を本人の目の前で示したり、わかりやすい記述で伝達したりすること等が、合理的配慮の一内容として求められている。

　監督指針では、障がい者からの苦情等を通じて、障がい者への対応に係る課題が判明した場合、深度あるヒアリングにより、障がい者への対応に関する内部管理態勢の整備状況を確認することとされている（監督指針Ⅱ-4-11-3）。金融庁は、各金融機関に対し、障がい者等に配慮した取組状況に関するアンケート調査を実施しており、また、障がい者等に配慮した取組事例や金融サービス利用者相談室等へ寄せられた声も取りまとめて公表している。金融事業者においては、他金融機関における取組事例や、障がい者から寄せられた意見を参考として、障がい者の取引の利便性向上に向けた取組みを推進することが求められる。

VII 人事労務管理

Q76 保険会社および保険代理店の人事労務管理に関する留意点としては、どのようなものがあるか。

保険会社および保険代理店には、雇用契約を締結した従業員、派遣会社から派遣された派遣社員、業務委託契約を締結した委託先の従業員等、多様な契約体系の人々が働いているため、契約体系に応じた取扱いの異同について把握することが重要である。また、保険会社および保険代理店は、労働時間の適正な管理、メンタルヘルス対策、セクハラ・パワハラの防止等にも留意して、職場環境の整備に努める必要がある。

=== 解　説 ===

1　多様な契約体系

　保険会社および保険代理店で働く募集人は、大きく分けて、①雇用契約を締結した従業員、②派遣会社から派遣された派遣社員の2類型が考えられる。また、募集人以外に保険会社および保険代理店で働く人のなかには、上記①・②に加えて、③業務委託契約を締結した企業等の従業員も考えられる。なお、①雇用契約を締結した従業員のなかには、正社員のみならず、出向社員、契約社員やパート社員も含まれる。

　この点、①は雇用契約、②は派遣契約、③は業務委託契約であるから、保険会社や保険代理店の労働者であるか否か（①は労働者であるが、②は派遣会社の労働者であり、③は労働者ではない）、保険会社や保険代理店の就業規則の適用対象か否か（①は就業規則の適用対象であり、②は派遣会社を通じて就業規則を遵守させる関係にあり、③は就業規則が適用されない）、指揮命令はどのように行うべきか（①・②は所属部署の上席者から直接指揮命令を行うことが可

能であるが、③は当該上席者を概念できず、保険会社や保険代理店が委託先に対して依頼した業務内容について、当該委託先が指揮命令を行うことになる）、といった場面等について、契約体系に応じた異同を把握することが必要である。

2 労働時間の管理

　いわゆる働き方改革関連法の平成30年7月改正により、平成31年4月から事業者には、労働時間の客観的把握が義務化された（労働安全衛生法66条の8の3）。したがって、保険会社および保険代理店においても、雇用契約関係にある従業員（所属募集人を含む）との関係では、厚生労働省策定に係る平成29年1月20日「労働時間の適正な把握のために使用者が講ずべき措置に関するガイドライン」およびテレワークの場合は令和3年3月25日「テレワークの適切な導入及び実施の推進のためのガイドライン」（以下「テレワークガイドライン」という）に基づき、適切に労働時間の管理を行わなければならない。

　具体的には、原則として、次のいずれかの方法により、労働者の始業・終業時刻を確認し、記録する。
ア　使用者が、自ら現認することにより確認し、適正に記録すること
イ　タイムカード、ICカード、パソコンの使用時間の記録等の客観的な記録を基礎として確認し[43]、適正に記録すること

　やむをえず自己申告制によって労働時間の把握を行う場合においては、労働者の労働時間を適正に把握するために、次の措置を講じる必要がある。
①　自己申告制の対象となる労働者に対し、労働時間の実態を正しく記録

---

[43] テレワークの場合には、客観性を確保しつつ、労務管理を簡便に行う方法として、次の対応が考えられる（テレワークガイドライン10頁）。
　①　労働者がテレワークに使用する情報通信機器の使用時間の記録等により、労働時間を把握すること
　②　サテライトオフィスへの入退場の記録等により労働時間を把握すること

し、適正に自己申告を行うことなどについて十分な説明をすること
② 実際に労働時間を管理する者に対し、ガイドラインに従い講ずべき措置（自己申告制の適正な運用を含む）について十分な説明をすること
③ 自己申告により把握した労働時間が実際の労働時間と合致しているか否かについて、必要に応じて実態調査を実施し、所要の労働時間の補正をすること。特に、入退場記録やパソコンの使用時間の記録など、事業場内にいた時間のわかるデータを有している場合に、労働者からの自己申告により把握した労働時間と当該データでわかった事業場内にいた時間との間に著しい乖離が生じているとき[44]には、実態調査を実施し、所要の労働時間の補正をすること
④ 自己申告した労働時間を超えて事業場内にいる時間について、その理由等を労働者に報告させる場合には、当該報告が適正に行われているかについて確認すること
⑤ 自己申告できる時間外労働の時間数に上限を設けるなど、労働者による労働時間の適正な申告を阻害する措置を講じてはならないこと

なお、労働時間が適正に管理されず、サービス残業が発生すれば、その時間に相応する賃金の支払義務を負うほか、長時間労働が行われた結果、労働者がうつ病ひいては過労死または過労自殺に至った場合には、使用者に安全配慮義務不履行の過失が認められ、損害賠償責任を負う可能性がある。したがって、法定された休暇を確実に消化させ、早帰りを推奨したり、一定の時間数を超えて勤務した者には産業医との面談を必須とし、労働者の精神衛生面のケアを図ったりするなどして、メンタルヘルスへの対策も講じることが求められる[45]。

---

[44] たとえば、申告された時間以外の時間にメールが送信されている、申告された始業・終業時刻の外で長時間パソコンが起動していた記録がある等の事実がある場合（テレワークガイドライン11頁）。

[45] 「労働者の心の健康の保持増進のための指針」（平成18年3月31日基発第331001号）参照。

3　ハラスメントの予防と防止

　ハラスメントがひとたび発生すると、被害者の心身のダメージが甚大に及ぶことが珍しくなく、ハラスメント行為者はもとより企業も損害賠償責任を負ううえ、職場の雰囲気や生産性の悪化、人材の流出、レピュテーション・株価の低下に直結する。今日、その根絶は重要な経営課題に位置づけられるといっても過言ではない。

　法律面においても、令和2年6月1日に施行された改正労働施策総合推進法（労働施策の総合的な推進並びに労働者の雇用の安定及び職業生活の充実等に関する法律）は、事業主は、職場において行われる優越的な関係を背景とした言動であって、業務上必要かつ相当な範囲を超えたものによりその雇用する労働者の就業環境が害されることのないよう、当該労働者からの相談に応じ、適切に対応するために必要な体制の整備その他の雇用管理上必要な措置を講じなければならないと定め（同法30条の2）、パワー・ハラスメントの予防・防止のための体制整備義務を事業主に課している。男女雇用機会均等法は、事業主は、職場において行われる性的な言動に対するその雇用する労働者の対応により当該労働者がその労働条件につき不利益を受け、または当該性的な言動により当該労働者の就業環境が害されることのないよう、当該労働者からの相談に応じ、適切に対応するために必要な体制の整備その他の雇用管理上必要な措置を講じなければならないと定めるとともに（同法11条）、職場において行われるその雇用する女性労働者に対する当該女性労働者が妊娠したこと、出産したこと、産前産後休業等を請求し、または休業をしたこと等に関する言動により当該女性労働者の就業環境が害されることのないよう、当該女性労働者からの相談に応じ、適切に対応するために必要な体制の整備その他の雇用管理上必要な措置を講じなければならないと定め（同法11条の3）、セクシュアル・ハラスメントおよびマタニティ・ハラスメントの予防・防止のための体制整備義務を事業主に課している。また、これらの法令は、使用者のみならず、労働者に対しても、労働者の責務と題して、これらのハラスメントに対する関心と理解を深め、他の労働者に対する言動に必

要な注意を払うとともに、事業主の講ずる措置に協力するように努めなければならないと定めている（労働施策総合推進法30条の3第4項、男女雇用機会均等法11条の2第4項、11条の4第4項）。

　これらの法令を受けて、令和2年1月15日「事業主が職場における優越的な関係を背景とした言動に起因する問題に関して雇用管理上講ずべき措置等についての指針」（いわゆるパワハラ指針）や平成18年10月11日「事業主が職場における性的な言動に起因する問題に関して雇用管理上配慮すべき事項についての指針」（いわゆるセクハラ指針）が告示され、ハラスメントの定義や該当する具体例とともに、事業主および労働者が対応すべき具体的な事柄が詳細に示されている。

　したがって、保険会社および保険代理店としては、今日、これらの法令および指針に沿って、ハラスメントの予防・防止について役職員の周知・啓発に努めるとともに、服務規程や就業規則にハラスメントについての条項を設け、研修や講習を行うほか、相談窓口の設置、ハラスメント行為者には厳正な処分を行うなど、具体的な措置を講じることが求められる。なお、ハラスメント被害については、加害者に損害賠償責任が認められるほか、雇用主である保険会社やその代理店にも使用者責任あるいは直接の不法行為責任が認められる可能性があり、裁判で認められる損害額も徐々に高額化しており、労働者に与える精神的なダメージが大きく、職場における人間関係を決定的に破壊するおそれがあることからしても、そもそもハラスメントを発生させないことが肝要である。

Ⅷ 内部告発と内部通報

Q77 保険会社の従業員Aが、金融庁と新聞社に対して、Aの上司Bによる保険料の費消・流用について告発する旨の文書を送付した。金融庁と当該新聞社からAの告発内容について問合せを受けた保険会社としては、どう対応すべきか。

A 従業員Aは、公益通報者保護法により不利益取扱いを禁止される労働者に該当する可能性があるため、保険会社としては、公益通報者保護法違反を行わせないよう留意しつつ、Bによる保険料の費消・流用の有無・内容について調査を行う必要がある。

―――― 解　説 ――――

1 内部告発

金融庁と新聞社からAの告発内容について問合せを受けた保険会社としては、Bによる保険料の費消・流用の有無・内容について調査を行う必要がある。しかし、その調査の過程において、Aの内部告発を契機とした案件であることが知られてしまうと、Bのみならず、B以外にもAが内部告発を行ったことを疎ましく感じる役職員が存在しないとも限らず、その結果、BまたはB以外の役職員がAに対して不利益取扱いを行い、公益通報者保護法違反を惹起する可能性を否定できないため、本件の調査にあたってはAが内部告発を行った旨の情報を厳格に管理することが求められる。

(1) 公益通報者保護法との関係

a 法の目的

公益通報者保護法とは、「公益通報をしたことを理由とする公益通報者の

解雇の無効及び不利益な取扱いの禁止等並びに公益通報に関し事業者及び行政機関がとるべき措置等を定めることにより、公益通報者の保護を図るとともに、国民の生命、身体、財産その他の利益の保護に関わる法令の規定の遵守を図り、もって国民生活の安定及び社会経済の健全な発展に資すること」を目的とした法律である（同法1条）[46]。

b 「公益通報」とは

公益通報者保護法は、「公益通報」について、「次の各号に掲げる者が、不正の利益を得る目的、他人に損害を加える目的その他の不正な目的でなく、当該各号に定める事業者（以下「役務提供先」という。）又は当該役務提供先の事業に従事する場合におけるその役員（法人の取締役、執行役、会計参与、監査役、理事、監事及び清算人並びにこれら以外の者で法令の規定に基づき法人の経営に従事している者をいう。以下同じ。）、従業員、代理人その他の者について通報対象事実が生じ、又はまさに生じようとしている旨を、当該役務提供先若しくは当該役務提供先があらかじめ定めた者（以下「役務提供先等」という。）、当該通報対象事実について処分若しくは勧告等をする権限を有する行政機関若しくは当該行政機関があらかじめ定めた者（次条第2号及び第6条第2号において「行政機関等」という。）又はその者に対し当該通報対象事実を通報することがその発生若しくはこれによる被害の拡大を防止するために必要であると認められる者に通報すること」と定め、各号に掲げる者として労働者を定めているところ（同法2条1項1号）、本件では、告発者が労働者であること、告発対象が保険会社の役職員による保険料の費消・流用という「通報対象事実」に該当する行為であること[47]、告発相手が、当該通報対象事実について処分もしくは勧告等をする権限を有する金融庁のほか、その発生もしくは被害の拡大を防止するために必要であると認められる新聞社であることからすれば、保険会社の従業員Aによる金融庁と新聞社に対する内部告発は、いずれも「公益通報」に該当する可能性が高いと解される。

---

[46] 公益通報者保護法は令和2年6月に改正されており、令和4年6月までに改正法が施行される予定のため、本書の解説は改正法を前提としている。

したがって、金融庁に対する内部告発との関係では、「通報対象事実が生じ、若しくはまさに生じようとしていると信ずるに足りる相当の理由がある場合又は通報対象事実が生じ、若しくはまさに生じようとしていると思料し、かつ、次に掲げる事項を記載した書面（中略）を提出する場合」には、公益通報者保護法により、当該内部告発を理由として従業員Aに対する不利益取扱いを行うことは禁止される（同法3条2号、5条1項）。また、新聞社に対する内部告発との関係では、「通報対象事実が生じ、又はまさに生じようとしていると信ずるに足りる相当の理由がある場合」という要件に加えて、「前2号に定める公益通報をすれば解雇その他不利益な取扱いを受けると信ずるに足りる相当の理由がある場合」や「第1号に定める公益通報をすれば当該通報対象事実に係る証拠が隠滅され、偽造され、又は変造されるおそれがあると信ずるに足りる相当の理由がある場合」などの要件を満たした場合には、公益通報者保護法により、当該内部告発を理由として従業員Aに対する不利益取扱いを行うことは禁止される（同法3条3号、5条1項）。

c 「不利益取扱い」とは

「不利益取扱い」とは人事上の処分に限らず、職場での嫌がらせ等の事実上の不利益取扱いを含むため、Aの職場において不利益取扱いが行われないように留意することが必要になる。

つまり、金融庁と新聞社からAの告発内容について問合せを受けた保険会社としては、保険料の費消・流用の解明と公益通報者保護法の遵守という2つの要請を両立させるべく、Aが内部告発を行った旨の情報を厳格に管理しつつ、本件の調査を行うことが求められる。

---

47 公益通報者保護法は、「この法律及び個人の生命又は身体の保護、消費者の利益の擁護、環境の保全、公正な競争の確保その他の国民の生命、身体、財産その他の利益の保護に関わる法律として別表に掲げるものに規定する罪の犯罪行為の事実又はこの法律及び同表に掲げる法律に規定する過料の理由とされている事実」（同法2条3項1号）などを「通報対象事実」と定めており、当該別表には刑法も定められていることから、業務上横領罪に該当しうる保険料の費消・流用は、「通報対象事実」に該当することになる。

(2) 不利益取扱いが行われた場合の影響

　保険会社が情報管理を怠った結果、内部告発を行ったことを理由としたAに対する不利益取扱いが行われた場合には、保険会社はどのような責任を問われるのだろうか。

　この点、公益通報者保護法は、不利益取扱いが行われたことそれ自体に対する罰則は定めていないものの、事業者に対して体制整備義務等を課し（同法11条）、その違反を勧告等や公表の対象として定めるとともに（同法16条、17条）、公益通報対応業務従事者等に対して守秘義務を課し（同法12条）、その違反を罰金の対象として定めているため（同法21条）、その責任を問われる可能性がある。加えて、BのみならずB以外にもAが内部告発を行ったことを疎ましく感じる役職員により、Aに対する不利益取扱いが行われた結果、Aに損害（精神的損害も含まれる）が生じた場合には、当該役職員に加えて保険会社もAに対する損害賠償責任を負うことになる（民法415条、709条、715条）。また、損害賠償責任の負担のみならず、当該不利益取扱いを発生させたことについて保険会社の内外より社会的非難を受け、信用低下や人材流出が起こることも危惧される。こうした影響は組織の弱体化につながるため、公益通報者保護法違反を惹起しないよう、平素より態勢整備および役職員に対する教育に努めるとともに、いざ内部告発が行われた場合には、その情報管理に慎重を期すことが必要である。

2　内部通報のもつ価値
(1) 態勢整備の重要性

　内部告発が行われてしまうことは、保険会社の内部に問題が潜んでいたり、保険会社自身が問題を発見して解決できなかったりすることを意味し、そのこと自体が保険会社に対する社会的評価を下落させる可能性があるため、保険会社にとって好ましいことではない。したがって、保険会社としては、自身の問題を減らすとともに、問題があったとしても自身で発見して解決できるような態勢整備を目指すことが何よりも重要である。公益通報者保

護法も、公益通報に適切に対応するための体制整備義務を設けるとともに（同法11条2項）、公益通報対応業務従事者を指定し（同法11条1項）、守秘義務を負わせている（同法12条）[48]。

(2) ホットラインの設置

　かかる態勢整備は、一朝一夕で行えるものではないが、すべての役職員が「問題を起こさないようにしよう」「問題が起こった場合は自ら解決しよう」という意識をもてば不可能なことではない。ただ、すべての役職員に、かかる意識をもたせることは並大抵の努力ではかなわず、なかには、自らの成績を不正な方法を使って上げたり、自らの失敗を隠したりする役職員が現れないとも限らない。そのため、かかる役職員に対して牽制を働かせるとともに、問題を起こした役職員からの自主申告も促すという観点から、通常の業務ラインに対する報告・相談とは別に、だれもが保険会社内で起こる問題を報告・通報・相談できる窓口（いわゆるホットライン）を設けている保険会社が多い。

　この窓口に対する通報等を促すことこそが、保険会社自身が問題を発見して解決できる可能性を高める（ひいては、内部告発の可能性を低減させる）とともに、窓口に通報等されるのは好ましくないので、「問題を起こさないようにしよう」「問題が起こった場合は自らの部門で解決しよう」という意識を高める結果、通常の業務ラインに対する報告・相談を機能させることにつながる（ひいては、内部告発の可能性を低減させる）。

(3) 内部通報の有効性

　内部告発は、保険会社の外部に対して問題を申告することにより、いわゆる外部からの圧力を使って問題解決を図ろうとする行動であるのに対して、内部通報（窓口に対する通報等のみならず、通常の業務ラインに対する報告・相談を含む。以下同じ）は、保険会社自身に対して問題を申告することにより、自ら問題解決を図る契機となる行動であり、まったく異なる意味をもつもの

48　体制整備義務と従事者指定については、消費者庁が指針を定めているので、そちらも参照されたい。

である。健全な発展を目指す保険会社にとって貴重なのは内部通報であり、内部通報を理由とした不利益取扱いを禁止する旨のルールを設けているのだから[49]、保険会社の従業員は、問題を発見した場合に、内部通報を行うことを躊躇してはならない。

本件では、金融庁と新聞社に対する内部告発が行われたが、内部告発を疎むのではなく、保険会社としては、「内部通報ではなく、内部告発が選択された原因」を分析し、内部通報を促すことの必要性・重要性を再認識したうえで、いっそうの態勢整備に向けた施策を講じることが求められる。

---

[49] 公益通報者保護法も、役務提供先等（役務提供先または役務提供先があらかじめ定めた者）に対する公益通報（いわゆる内部通報に相当する）については、「通報対象事実が生じ、又はまさに生じようとしていると思料する場合」であれば、不利益取扱いを行ってはならない旨を定め（同法3条1号、5条、6条1号）、特段の要件具備を求めることなく、保護対象と位置づけている。

保険業務のコンプライアンス【第4版】

2021年10月14日　第1刷発行
2023年10月26日　第2刷発行
（2008年7月4日　初版発行
　2011年2月25日　第2版発行
　2016年4月21日　第3版発行）

著　者　中　原　健　夫
　　　　山　本　啓　太
　　　　関　　　秀　忠
　　　　岡　本　大　毅
発行者　加　藤　一　浩

〒160-8520　東京都新宿区南元町19
発　行　所　一般社団法人 金融財政事情研究会
企画・制作・販売　株式会社きんざい
　　　出版部　TEL 03(3355)2251　FAX 03(3357)7416
　　　販売受付　TEL 03(3358)2891　FAX 03(3358)0037
　　　URL https://www.kinzai.jp/

※2023年4月1日より企画・制作・販売は株式会社きんざいから一般社団法人金融財政事情研究会に移管されました。なお連絡先は上記と変わりません。

印刷：株式会社日本制作センター

・本書の内容の一部あるいは全部を無断で複写・複製・転訳載すること、および磁気または光記録媒体、コンピュータネットワーク上等へ入力することは、法律で認められた場合を除き、著作者および出版社の権利の侵害となります。
・落丁・乱丁本はお取替えいたします。定価はカバーに表示してあります。

ISBN978-4-322-13971-6